# HOROSCOPE
# 2015

# ANNE-MARIE CHALIFOUX D.N.

# HOROSCOPE
# 2015

amour ★ santé ★ travail

argent ★ cuisine

prédictions mondiales

LES ÉDITIONS
PUBLISTAR
Une société de Québecor Média

Édition : Johanne Guay
Révision linguistique : Catherine Fournier
Mise en pages : Roger Des Roches, SÉRIFSANSÉRIF
Couverture : Axel Pérez de León
Photo de l'auteure : Charles Richer
Maquillage, coiffure et coordination : Macha Colas

*Remerciements*
Nous reconnaissons l'aide financière du gouvernement du Canada par l'entremise du Fonds du livre du Canada pour nos activités d'édition.
Gouvernement du Québec – Programme de crédit d'impôt pour l'édition de livres – gestion SODEC.

Les Éditions Publistar
Groupe Librex inc.
Une société de Québecor Média
La Tourelle
1055, boul. René-Lévesque Est
Bureau 300
Montréal (Québec)  H2L 4S5
Tél. : 514 849-5259
Téléc. : 514 849-1388
www.edpublistar.com

Dépôt légal – Bibliothèque et Archives nationales du Québec
et Bibliothèque et Archives Canada, 2014

ISBN : 978-2-89562-566-7

**Distribution au Canada**
Messageries ADP inc.
2315, rue de la Province
Longueuil (Québec)  J4G 1G4
Tél. : 450 640-1234
Sans frais : 1 800 771-3022
www.messageries-adp.com

*Ce livre appartient à*

_____

*Puisse-t-il vous aider à profiter du meilleur de ce que la vie a à offrir,
tout en vous permettant d'en éviter les écueils.*

*Anne-Marie Chalifoux, D.N.*

# SOMMAIRE

# PRÉFACE

On me demande souvent si tout est écrit dans le ciel, si notre destinée est tracée d'avance. À vrai dire, je crois que le livre céleste de notre destinée est un ouvrage inachevé, rédigé à la mine, et qu'on peut y apporter une foule de corrections.

Cela implique cependant quelques étapes fondamentales. Si notre vie nous insatisfait, il faut commencer par identifier ce qui cloche et ensuite faire les gestes nécessaires pour corriger la situation. Rarement facile, cette intervention demande des efforts et de la persévérance. Mais la beauté de la nature humaine, c'est que nous pouvons y arriver. Il faut croire en soi et se faire confiance. Ne dit-on pas que la conviction se rit des probabilités?

Par ailleurs, si certains éléments de notre vie nous apportent du bonheur, nous avons tort de les tenir pour acquis; nous devons les entretenir et les protéger. C'est notre responsabilité d'en prendre soin, sinon qui le fera à notre place?

Et l'astrologie dans tout ça? Eh bien, disons que c'est notre «GPS» pour notre voyage terrestre. Il nous donne des informations sur les chemins à emprunter, mais il ne peut pas nous forcer à nous y engager. Encore là, le choix nous appartient.

Oui, gérer son destin, c'est du travail, mais on a tout à gagner. Retroussons nos manches et allons-y ensemble!

P.-S. – L'enseignement de Bouddha dit ceci:
«Attention à tes pensées car elles deviendront des mots.
Attention à tes mots car ils deviendront des gestes.
Attention à tes gestes car ils deviendront des habitudes.
Attention à tes habitudes car elles deviendront ta personnalité.
Attention à ta personnalité, elle deviendra ta destinée.»

# COMMENT GAGNER DE L'ARGENT

**N**otre carte du ciel nous fournit de précieux indices sur notre rapport à l'argent ; nous pouvons y déceler les champs d'action pour lesquels nous avons le plus d'affinités, notre facilité à nous enrichir et aussi notre aptitude à gérer les gains.

Jupiter, planète de l'abondance, nous renseigne entre autres sur la vie matérielle. Elle fait la lumière sur nos dispositions en ce sens, mettant en relief nos talents pour gagner des sous mais aussi comment nous nous comportons avec nos avoirs. Lorsqu'on étudie sa position par rapport à notre signe de naissance, on obtient des résultats surprenants.

J'ai fait tous les calculs pour vous, et il ne vous reste donc qu'à identifier le groupe auquel vous appartenez dans le tableau qui suit.

C'est tout simple, vous n'avez qu'à repérer votre date de naissance, et vous verrez exactement quel est votre groupe jupitérien.

# SI VOUS ÊTES NÉ

| ENTRE LE | ET LE | VOTRE GROUPE EST LE |
|---|---|---|
| 1er janv. 1910 | 11 nov. 1910 | 7 |
| 12 nov. 1910 | 9 déc. 1911 | 8 |
| 10 déc. 1911 | 2 janv. 1913 | 9 |
| 3 janv. 1913 | 21 janv. 1914 | 10 |
| 22 janv. 1914 | 3 fév. 1915 | 11 |
| 4 fév. 1915 | 11 fév. 1916 | 12 |
| 12 fév. 1916 | 25 juin 1916 | 1 |
| 26 juin 1916 | 26 oct. 1916 | 2 |
| 27 oct. 1916 | 12 fév. 1917 | 1 |
| 13 fév. 1917 | 29 juin 1917 | 2 |
| 30 juin 1917 | 12 juil. 1918 | 3 |
| 13 juil. 1918 | 1er août 1919 | 4 |
| 2 août 1919 | 26 août 1920 | 5 |
| 27 août 1920 | 25 sept. 1921 | 6 |
| 26 sept. 1921 | 26 oct. 1922 | 7 |
| 27 oct. 1922 | 24 nov. 1923 | 8 |
| 25 nov. 1923 | 17 déc. 1924 | 9 |
| 18 déc. 1924 | 5 janv. 1926 | 10 |
| 6 janv. 1926 | 17 janv. 1927 | 11 |
| 18 janv. 1927 | 5 juin 1927 | 12 |
| 6 juin 1927 | 10 sept. 1927 | 1 |
| 11 sept. 1927 | 22 janv. 1928 | 12 |
| 23 janv. 1928 | 4 juin 1928 | 1 |
| 5 juin 1928 | 12 juin 1929 | 2 |
| 13 juin 1929 | 26 juin 1930 | 3 |
| 27 juin 1930 | 16 juil. 1931 | 4 |
| 17 juil. 1931 | 10 août 1932 | 5 |
| 11 août 1932 | 9 sept. 1933 | 6 |
| 10 sept. 1933 | 10 oct. 1934 | 7 |
| 11 oct. 1934 | 8 nov. 1935 | 8 |
| 9 nov. 1935 | 1er déc. 1936 | 9 |
| 2 déc. 1936 | 19 déc. 1937 | 10 |
| 20 déc. 1937 | 13 mai 1938 | 11 |
| 14 mai 1938 | 29 juil. 1938 | 12 |
| 30 juil. 1938 | 29 déc. 1938 | 11 |
| 30 déc. 1938 | 11 mai 1939 | 12 |
| 12 mai 1939 | 29 oct. 1939 | 1 |
| 30 oct. 1939 | 20 déc. 1939 | 12 |
| 21 déc. 1939 | 15 mai 1940 | 1 |
| 16 mai 1940 | 26 mai 1941 | 2 |
| 27 mai 1941 | 9 juin 1942 | 3 |
| 10 juin 1942 | 30 juin 1943 | 4 |
| 1er juil. 1943 | 25 juil. 1944 | 5 |
| 26 juil. 1944 | 24 août 1945 | 6 |

# SI VOUS ÊTES NÉ

| ENTRE LE | ET LE | VOTRE GROUPE EST LE |
|---|---|---|
| 25 août 1945 | 24 sept. 1946 | 7 |
| 25 sept. 1946 | 23 oct. 1947 | 8 |
| 24 oct. 1947 | 14 nov. 1948 | 9 |
| 15 nov. 1948 | 12 avril 1949 | 10 |
| 13 avril 1949 | 27 juin 1949 | 11 |
| 28 juin 1949 | 30 nov. 1949 | 10 |
| 1er déc. 1949 | 14 avril 1950 | 11 |
| 15 avril 1950 | 14 sept. 1950 | 12 |
| 15 sept. 1950 | 1er déc. 1950 | 11 |
| 2 déc. 1950 | 21 avril 1951 | 12 |
| 22 avril 1951 | 28 avril 1952 | 1 |
| 29 avril 1952 | 9 mai 1953 | 2 |
| 10 mai 1953 | 23 mai 1954 | 3 |
| 24 mai 1954 | 12 juin 1955 | 4 |
| 13 juin 1955 | 16 nov. 1955 | 5 |
| 17 nov. 1955 | 17 janv. 1956 | 6 |
| 18 janv. 1956 | 7 juil. 1956 | 5 |
| 8 juil. 1956 | 12 déc. 1956 | 6 |
| 13 déc. 1956 | 19 fév. 1957 | 7 |
| 20 fév. 1957 | 6 août 1957 | 6 |
| 7 août 1957 | 13 janv. 1958 | 7 |
| 14 janv. 1958 | 20 mars 1958 | 8 |
| 21 mars 1958 | 6 sept. 1958 | 7 |
| 7 sept. 1958 | 10 fév. 1959 | 8 |
| 11 fév. 1959 | 24 avril 1959 | 9 |
| 25 avril 1959 | 5 oct. 1959 | 8 |
| 6 oct. 1959 | 1er mars 1960 | 9 |
| 2 mars 1960 | 9 juin 1960 | 10 |
| 10 juin 1960 | 25 oct. 1960 | 9 |
| 26 oct. 1960 | 14 mars 1961 | 10 |
| 15 mars 1961 | 11 août 1961 | 11 |
| 12 août 1961 | 3 nov. 1961 | 10 |
| 4 nov. 1961 | 25 mars 1962 | 11 |
| 26 mars 1962 | 3 avril 1963 | 12 |
| 4 avril 1963 | 11 avril 1964 | 1 |
| 12 avril 1964 | 22 avril 1965 | 2 |
| 23 avril 1965 | 20 sept. 1965 | 3 |
| 21 sept. 1965 | 16 nov. 1965 | 4 |
| 17 nov. 1965 | 5 mai 1966 | 3 |
| 6 mai 1966 | 27 sept. 1966 | 4 |
| 28 sept. 1966 | 15 janv. 1967 | 5 |
| 16 janv. 1967 | 22 mai 1967 | 4 |
| 23 mai 1967 | 18 oct. 1967 | 5 |
| 19 oct. 1967 | 26 fév. 1968 | 6 |
| 27 fév. 1968 | 15 juin 1968 | 5 |

# SI VOUS ÊTES NÉ

| ENTRE LE | ET LE | VOTRE GROUPE EST LE |
|---|---|---|
| 16 juin 1968 | 15 nov. 1968 | 6 |
| 16 nov. 1968 | 30 mars 1969 | 7 |
| 31 mars 1969 | 15 juil. 1969 | 6 |
| 16 juil. 1969 | 16 déc. 1969 | 7 |
| 17 déc. 1969 | 28 avril 1970 | 8 |
| 29 avril 1970 | 15 août 1970 | 7 |
| 16 août 1970 | 13 janv. 1971 | 8 |
| 14 janv. 1971 | 4 juin 1971 | 9 |
| 5 juin 1971 | 11 sept. 1971 | 8 |
| 12 sept. 1971 | 6 fév. 1972 | 9 |
| 7 fév. 1972 | 24 juil. 1972 | 10 |
| 25 juil. 1972 | 25 sept. 1972 | 9 |
| 26 sept. 1972 | 22 fév. 1973 | 10 |
| 23 fév. 1973 | 7 mars 1974 | 11 |
| 8 mars 1974 | 18 mars 1975 | 12 |
| 19 mars 1975 | 25 mars 1976 | 1 |
| 26 mars 1976 | 22 août 1976 | 2 |
| 23 août 1976 | 16 oct. 1976 | 3 |
| 17 oct. 1976 | 3 avril 1977 | 2 |
| 4 avril 1977 | 20 août 1977 | 3 |
| 21 août 1977 | 30 déc. 1977 | 4 |
| 31 déc. 1977 | 11 avril 1978 | 3 |
| 12 avril 1978 | 4 sept. 1978 | 4 |
| 5 sept. 1978 | 28 fév. 1979 | 5 |
| 1er mars 1979 | 19 avril 1979 | 4 |
| 20 avril 1979 | 28 sept. 1979 | 5 |
| 29 sept. 1979 | 26 oct. 1980 | 6 |
| 27 oct. 1980 | 26 nov. 1981 | 7 |
| 27 nov. 1981 | 25 déc. 1982 | 8 |
| 26 déc. 1982 | 19 janv. 1984 | 9 |
| 20 janv. 1984 | 6 fév. 1985 | 10 |
| 7 fév. 1985 | 20 fév. 1986 | 11 |
| 21 fév. 1986 | 2 mars 1987 | 12 |
| 3 mars 1987 | 8 mars 1988 | 1 |
| 9 mars 1988 | 21 juil. 1988 | 2 |
| 22 juil. 1988 | 30 nov. 1988 | 3 |
| 1er déc. 1988 | 10 mars 1989 | 2 |
| 11 mars 1989 | 30 juil. 1989 | 3 |
| 31 juil. 1989 | 17 août 1990 | 4 |
| 18 août 1990 | 11 sept. 1991 | 5 |
| 12 sept. 1991 | 10 oct. 1992 | 6 |
| 11 oct. 1992 | 9 nov. 1993 | 7 |
| 10 nov. 1993 | 8 déc. 1994 | 8 |
| 9 déc. 1994 | 2 janv. 1996 | 9 |
| 3 janv. 1996 | 21 janv. 1997 | 10 |

# SI VOUS ÊTES NÉ

| ENTRE LE | ET LE | VOTRE GROUPE EST LE |
|---|---|---|
| 22 janv. 1997 | 3 fév. 1998 | 11 |
| 4 fév. 1998 | 11 fév. 1999 | 12 |
| 12 fév. 1999 | 27 juin 1999 | 1 |
| 28 juin 1999 | 24 oct. 1999 | 2 |
| 25 oct. 1999 | 31 déc. 1999 | 1 |
| 1er janv. 2000 | 13 fév. 2000 | 1 |
| 14 fév. 2000 | 29 juin 2000 | 2 |
| 30 juin 2000 | 31 déc. 2000 | 3 |
| 1er janv. 2001 | 11 juil. 2001 | 3 |
| 12 juil. 2001 | 31 déc. 2001 | 4 |
| 1er janv. 2002 | 31 juil. 2002 | 4 |
| 1er août 2002 | 31 déc. 2002 | 5 |
| 1er janv. 2003 | 26 août 2003 | 5 |
| 27 août 2003 | 31 déc. 2003 | 6 |
| 1er janv. 2004 | 24 sept. 2004 | 6 |
| 25 sept. 2004 | 31 déc. 2004 | 7 |
| 1er janv. 2005 | 24 oct. 2005 | 7 |
| 25 oct. 2005 | 31 déc. 2005 | 8 |
| 1er janv. 2006 | 22 nov. 2006 | 8 |
| 23 nov. 2006 | 31 déc. 2006 | 9 |
| 1er janv. 2007 | 17 déc. 2007 | 9 |
| 18 déc. 2007 | 31 déc. 2007 | 10 |
| 1er janv. 2008 | 31 déc. 2008 | 10 |
| 1er janv. 2009 | 4 janv. 2009 | 10 |
| 5 janv. 2009 | 31 déc. 2009 | 11 |
| 1er janv. 2010 | 16 janv. 2010 | 11 |
| 17 janv. 2010 | 5 juin 2010 | 12 |
| 6 juin 2010 | 7 sept. 2010 | 1 |
| 8 sept. 2010 | 31 déc. 2010 | 12 |
| 1er janv. 2011 | 21 janv. 2011 | 12 |
| 22 janv. 2011 | 3 juin 2011 | 1 |
| 4 juin 2011 | 31 déc. 2011 | 2 |
| 1er janv. 2012 | 10 juin 2012 | 2 |
| 11 juin 2012 | 31 déc. 2012 | 3 |
| 1er janv. 2013 | 20 juin 2013 | 3 |
| 21 juin 2013 | 31 déc. 2013 | 4 |
| 1er janv. 2014 | 15 juil. 2014 | 4 |
| 16 juil. 2014 | 31 déc. 2014 | 5 |

Une autre petite recherche, et nous y sommes.

Maintenant que vous connaissez votre groupe, il suffit de le combiner à votre signe ; la combinaison des deux vous fournira votre « clé » pour gagner de l'argent.

## BÉLIER

| Groupe : | Votre clé apparaît dans la section : |
|---|---|
| 1 | A |
| 2 | B |
| 3 | C |
| 4 | D |
| 5 | E |
| 6 | F |
| 7 | G |
| 8 | H |
| 9 | I |
| 10 | J |
| 11 | K |
| 12 | L |

## TAUREAU

| Groupe : | Votre clé apparaît dans la section : |
|---|---|
| 2 | A |
| 3 | B |
| 4 | C |
| 5 | D |
| 6 | E |
| 7 | F |
| 8 | G |
| 9 | H |
| 10 | I |
| 11 | J |
| 12 | K |
| 1 | L |

## GÉMEAUX

| Groupe : | Votre clé apparaît dans la section : |
|---|---|
| 3 | A |
| 4 | B |
| 5 | C |

| | |
|---|---|
| 6 | D |
| 7 | E |
| 8 | F |
| 9 | G |
| 10 | H |
| 11 | I |
| 12 | J |
| 1 | K |
| 2 | L |

## CANCER

| Groupe : | Votre clé apparaît dans la section : |
|---|---|
| 4 | A |
| 5 | B |
| 6 | C |
| 7 | D |
| 8 | E |
| 9 | F |
| 10 | G |
| 11 | H |
| 12 | I |
| 1 | J |
| 2 | K |
| 3 | L |

## LION

| Groupe : | Votre clé apparaît dans la section : |
|---|---|
| 5 | A |
| 6 | B |
| 7 | C |
| 8 | D |
| 9 | E |
| 10 | F |
| 11 | G |
| 12 | H |
| 1 | I |
| 2 | J |
| 3 | K |
| 4 | L |

## VIERGE

| Groupe : | Votre clé apparaît dans la section : |
|---|---|
| 6 | A |
| 7 | B |
| 8 | C |
| 9 | D |
| 10 | E |
| 11 | F |
| 12 | G |
| 1 | H |
| 2 | I |
| 3 | J |
| 4 | K |
| 5 | L |

## BALANCE

| Groupe : | Votre clé apparaît dans la section : |
|---|---|
| 7 | A |
| 8 | B |
| 9 | C |
| 10 | D |
| 11 | E |
| 12 | F |
| 1 | G |
| 2 | H |
| 3 | I |
| 4 | J |
| 5 | K |
| 6 | L |

## SCORPION

| Groupe : | Votre clé apparaît dans la section : |
|---|---|
| 8 | A |
| 9 | B |
| 10 | C |
| 11 | D |
| 12 | E |
| 1 | F |
| 2 | G |
| 3 | H |
| 4 | I |

| 5 | J |
| 6 | K |
| 7 | L |

## SAGITTAIRE

| Groupe : | Votre clé apparaît dans la section : |
|---|---|
| 9 | A |
| 10 | B |
| 11 | C |
| 12 | D |
| 1 | E |
| 2 | F |
| 3 | G |
| 4 | H |
| 5 | I |
| 6 | J |
| 7 | K |
| 8 | L |

## CAPRICORNE

| Groupe : | Votre clé apparaît dans la section : |
|---|---|
| 10 | A |
| 11 | B |
| 12 | C |
| 1 | D |
| 2 | E |
| 3 | F |
| 4 | G |
| 5 | H |
| 6 | I |
| 7 | J |
| 8 | K |
| 9 | L |

## VERSEAU

| Groupe : | Votre clé apparaît dans la section : |
|---|---|
| 11 | A |
| 12 | B |
| 1 | C |
| 2 | D |
| 3 | E |

| | |
|---|---|
| 4 | F |
| 5 | G |
| 6 | H |
| 7 | I |
| 8 | J |
| 9 | K |
| 10 | L |

| Groupe : | Votre clé apparaît dans la section : |
|---|---|
| 12 | A |
| 1 | B |
| 2 | C |
| 3 | D |
| 4 | E |
| 5 | F |
| 6 | G |
| 7 | H |
| 8 | I |
| 9 | J |
| 10 | K |
| 11 | L |

## Si votre clé est A

Jupiter se trouvait dans votre signe à la naissance. Par conséquent, cette planète façonne votre personnalité. Généralement optimiste et enthousiaste, vous avez le goût de l'aventure. L'argent est très important pour vous, vous n'hésitez pas à prendre les moyens nécessaires pour en gagner le plus possible. Vous croyez à l'expansion, au succès, bref, vous avez énormément d'ambition. Votre confiance en vous et en l'avenir est inébranlable, parfois même un peu trop, ce qui risque de vous faire commettre des erreurs de jugement. Vous aimez les bonnes choses de la vie, souvent à l'excès; c'est sans doute ce qui explique votre propension aux abus et même au gaspillage.

*Certains champs d'action qui vous caractérisent.* Vous détestez la routine. Vous avez besoin que ça bouge, et ce, dans tous les sens du mot; pas étonnant que plusieurs d'entre vous occupent des postes où les déplacements sont fréquents. Chose certaine, vous haïssez être enfermé! Les affaires, le tourisme, le contact avec l'étranger, les finances, le transport, l'agriculture, les emplois liés au métal ou aux objets tranchants sont des domaines où vous pourriez vous illustrer. Ajoutons que vous êtes né pour diriger et que vous ne supportez pas qu'on vous donne des ordres.

*Vos forces.* Elles résident dans votre optimisme, votre grand besoin de bouger et votre confiance en vous, de même que dans votre sens du *timing.* Vous êtes souvent à la bonne place au bon moment.

*Ce qui risque de jouer contre vous.* Vous risquez gros si vous vous croyez invincible, si vous vous montrez arrogant ou agissez sans réfléchir. Planifiez un peu plus, ne laissez rien au hasard. Attention à votre goût effréné pour les dépenses de toutes sortes.

## Si votre clé est B

Vous prenez un malin plaisir à acquérir et à accumuler les biens ; d'ailleurs votre maison n'est-elle pas sur le point d'éclater tant elle contient d'objets ? Souffrant d'insécurité, vous agissez avec prévoyance et préférez avoir un petit coussin financier au cas où. Vous ne croyez pas aux fortunes instantanées, mais plutôt au labeur répété qui finit par rapporter. Petit train va loin, dit-on, et en ce qui vous concerne, c'est tout à fait justifié. Vous avez une grande facilité à vous trouver du travail ; souvent les offres viennent à vous sans que vous ayez à vous déplacer. L'un de vos rêves est d'acquérir le plus tôt possible votre propre maison ; vous n'appréciez pas vraiment d'être locataire.

*Certains champs d'action qui vous caractérisent.* Plus que tout, vous avez besoin de stabilité ; vous seriez trop malheureux à voltiger d'un emploi à un autre. Les finances, la comptabilité, le commerce de produits essentiels et tout travail exigeant un bon sens de l'organisation vous conviennent à merveille.

*Vos forces.* Vous êtes un travailleur acharné, ce qui joue en votre faveur. Comme vous êtes honnête et intègre, on sait que l'on peut vous faire confiance. Votre sens des responsabilités est également surprenant.

*Ce qui risque de jouer contre vous.* Vous manquez de confiance en vous et vous vous résignez trop souvent à être sous-payé ; vous avez tellement peur de manquer de boulot que vous acceptez n'importe quoi. Si vous n'y prenez garde, vous pourriez montrer un petit côté avaricieux.

## Si votre clé est C

Vous cherchez constamment à élargir vos horizons ; tout ou à peu près vous intéresse. Avouez que vous adorez commencer de nouveaux projets, mais qu'il vous est bien plus difficile de les mener à terme. Bien que vous vous y connaissiez en de nombreux sujets, vos connaissances sont souvent plus superficielles qu'approfondies. Vous possédez le don de la communication et avez besoin d'échanger avec les gens ; sans contact humain, vous ne pouvez pas vraiment vous épanouir. Il vous arrive de mal gérer votre temps, d'attendre trop à la dernière minute pour entreprendre votre besogne, et vous devez alors courir à toute vitesse.

*Certains champs d'action qui vous caractérisent.* Comme la communication est un point fort chez vous, vous excellez dans la vente, la négociation, ainsi que dans toute activité où il faut se montrer convaincant. L'écriture et l'enseignement sont des milieux propices à votre développement. Nombre d'entre vous sont également doués pour les activités manuelles : massage, mécanique, couture, dessin, etc.

*Vos forces.* Votre créativité, votre amour des gens et votre enthousiasme pour les nouveaux projets vous avantagent. Vous avez des idées à la tonne et, surtout, vous savez les transmettre de façon remarquable. Vous êtes très stimulant pour votre entourage.

*Ce qui risque de jouer contre vous.* Hélas ! vous avez souvent tendance à vous éparpiller. Vous commencez mille choses mais n'allez au bout d'aucune. Cette propension à l'instabilité risque de vous faire saboter de belles entreprises.

## Si votre clé est D

Les valeurs que l'on vous a inculquées dans votre enfance conditionnent votre rapport à l'argent : vous avez tendance à répéter les attitudes et comportements de vos parents en ce sens. Si ceux-ci étaient gratte-sous ou si, au contraire, ils avaient tendance à jeter l'argent par les fenêtres, vous reproduisez probablement ce *pattern*. En étudiant leur situation et leur évolution, vous serez en mesure de déterminer ce que vous souhaitez conserver de votre éducation et ce que vous désirez changer. La sécurité financière est une condition essentielle à votre épanouissement ; sans elle, vous vous sentez très angoissé. Voilà sans doute ce qui explique votre grand sens de l'économie.

*Certains champs d'action qui vous caractérisent.* Comme le bien-être des autres vous tient grandement à cœur, vous êtes très à l'aise dans tout ce qui touche de près et de loin aux relations d'aide. La psychologie, le travail avec les enfants et les emplois dans le domaine de la santé ne sont que quelques exemples. Les secteurs de l'alimentation, des liquides et des produits ménagers vous conviennent également.

*Vos forces.* La courtoisie, la loyauté et le respect des autres comptent parmi vos plus belles qualités ; bien sûr, elles constituent un atout précieux dans votre vie professionnelle, chaque fois que vous avez à transiger avec quelqu'un.

*Ce qui risque de jouer contre vous.* Trop souvent, vous vous cantonnez dans le passé ; en regardant en arrière, vous risquez de rater les occasions qui se présentent. Ne faites pas trop de dépenses pour les autres ; pensez davantage à vous.

## Si votre clé est E

Vous disposez d'une excellente signature planétaire pour réussir sur le plan financier ; on peut même dire que vous avez la bosse des affaires. Pour vous, il n'y a jamais de projet assez gros : il suffit que l'on vous dise qu'une chose est inaccessible pour que vous vous lanciez à sa conquête. Chef-né, vous savez vous faire obéir ; avouez pourtant que vous réagissez plutôt mal quand on essaie de vous dominer... Vous êtes très actif, et ce n'est pas la créativité qui fait défaut chez vous. Ajoutons que vous avez un véritable don pour motiver votre entourage, pour lui communiquer votre goût de l'aventure et du travail bien fait.

*Certains champs d'action qui vous caractérisent.* Indéniablement, vous êtes fait pour les affaires et le commerce. Les postes de direction vous attirent et vous fournissent l'occasion de démontrer vos talents d'organisateur, d'administrateur et de planificateur. Les arts vous intéressent tout autant.

*Vos forces.* Votre brillante personnalité et votre nature de leader vous permettent d'accéder à de hauts niveaux. Et comme l'enthousiasme qui vous anime est très communicatif, vous jouissez également d'une grande popularité.

*Ce qui risque de jouer contre vous.* N'allez pas croire que tout le monde est aussi loyal que vous. Ne vous fiez pas seulement à une simple poignée de main ou à une entente verbale ; exigez des garanties sérieuses. Comme vous avez du mal à déléguer, vous risquez de vous faire avoir si vous vous associez.

## Si votre clé est F

Vous cherchez sans cesse le sens de votre vie et peut-être perdez-vous un temps précieux avec toutes ces questions existentielles. Même chose avec les détails qui drainent trop votre énergie et qui vous font perdre la vue d'ensemble. Si vous arrivez à conserver une vision globale de la situation, vous pourrez devenir fort productif et ainsi mieux gagner votre vie. Vous êtes un employé modèle qui accomplit sa tâche comme si l'entreprise lui appartenait. Toutes vos craintes vous empêchent souvent de profiter pleinement de ce qui s'offre à vous ; faites-vous davantage confiance et vous en sortirez gagnant.

*Certains champs d'action qui vous caractérisent.* Tous les emplois qui requièrent de la minutie et de la méthode vous vont à ravir. Les aventures risquées ne sont pas pour vous, car vous préférez de loin la sécurité d'emploi. Les activités à caractère humanitaire, le secteur de la santé et les postes d'assistant vous conviennent également.

*Vos forces.* Votre souci du détail et votre loyauté envers votre employeur sont des qualités que l'on apprécie au plus haut point. Votre intelligence pratique fait des merveilles lorsqu'il s'agit de trouver des solutions concrètes.

*Ce qui risque de jouer contre vous.* Attention à votre manie de la perfection, qui freine vos progrès au lieu de les favoriser. Cessez de vous demander l'impossible. En travaillant votre estime de vous-même, vous pourrez aller encore plus loin.

## Si votre clé est G

Le moins que l'on puisse dire, c'est que vous avez des sentiments fort partagés au sujet de l'argent. Vous adorez le dépenser, mais vous avez du mal à vous astreindre à le gagner. En effet, vous craignez les engagements professionnels à long terme, qui risqueraient de brimer votre liberté. La clé du bonheur réside sans doute dans une carrière comportant différentes facettes et des activités variées afin de couper la monotonie. Vous ne fonctionnez pas très bien seul, car le fait de prendre des initiatives vous étouffe ; vous êtes beaucoup plus à l'aise au sein d'une équipe où vous vous sentez encadré. Votre sens inné de la justice vous pousse à traiter les autres avec rectitude ; il est tout à fait normal que vous attendiez la même chose en retour.

*Certains champs d'action qui vous caractérisent.* Le secteur juridique ou parajuridique, les arts et tout ce qui a trait à l'esthétisme (architecture, décoration, jardinage) vous conviennent à merveille. Peu importe le domaine, le plus important est que vous soyez entouré ; la solitude vous enlève toute envie de travailler.

*Vos forces.* Vous savez trouver les personnes idéales pour créer un environnement stimulant. Excellent médiateur, vous arrivez à composer avec des personnalités très différentes et devenez même celui qui facilite les échanges. On apprécie votre charme et votre délicatesse.

*Ce qui risque de jouer contre vous.* Vous remettez sans cesse les choses à plus tard, ce qui risque de vous faire perdre la maîtrise de la situation. La ponctualité et le sens de l'économie ne sont pas nécessairement vos points forts ; ce serait à développer.

## Si votre clé est H

Cette signature planétaire révèle que vous faites tout avec une intensité peu commune, et vos activités professionnelles n'y échappent pas : avec vous, c'est tout ou rien. Vous gérez vos affaires avec sérieux et de façon presque secrète ; en effet, vous vous confiez très peu sur les questions d'argent. Au fait, nul ne sait vraiment combien vous avez en banque. Votre sens critique, votre jugement sûr et votre flair constituent des outils précieux pour assurer votre avenir. Ajoutons qu'en affaires vous ne faites confiance à personne. Au cours de votre existence, il se peut que vous fassiez un changement majeur sur le plan professionnel. Après avoir œuvré pendant des années dans un certain domaine, plusieurs d'entre vous décideront de recommencer à zéro et d'embrasser une toute nouvelle carrière, surtout si la première ne comporte plus cet élément de passion dont vous avez tant besoin.

*Certains champs d'action qui vous caractérisent.* Tous les emplois requérant une aptitude pour la recherche, l'investigation ou les fouilles vous fournissent une belle occasion de vous réaliser. Les secteurs où l'on procède à la transformation de matières premières, au recyclage et à la récupération constituent d'autres bons choix, tout comme l'industrie de la chimie pétrolière, entre autres. Vous n'avez pas votre pareil pour la discipline et pour faire régner l'ordre.

*Vos forces.* Vous excellez dans votre métier, car vous allez au fond des choses. Vous vous investissez à 100 % ; avec vous, pas de demi-mesure ! La puissance de votre volonté est un autre atout majeur.

*Ce qui risque de jouer contre vous.* Vous manquez parfois de recul et vous vous montrez trop intransigeant. En jouant un peu plus souvent la carte de la souplesse, vous arriverez à de meilleurs résultats.

## Si votre clé est I

Vous en avez de la chance ! Cette configuration planétaire est l'une des meilleures qui soient pour l'argent. Les offres d'emploi viennent à vous, tout comme les propositions alléchantes. Votre plus grande priorité est d'acquérir votre indépendance financière le plus tôt possible. Vous êtes un gagnant, et les défis ne vous font pas peur. En règle générale, vous abordez la vie avec optimisme et conduisez vos affaires avec brio. Vous ne pouvez pas rester longtemps au même endroit ; la routine vous étouffe, et vous avez constamment besoin d'élargir vos horizons. On dirait que vous êtes né avec un parachute : chaque fois qu'une situation menace de devenir désespérée, quelque chose vient vous sortir du pétrin.

*Certains champs d'action qui vous caractérisent.* Les emplois qui demandent du mouvement, des déplacements et présentent de constants défis vous siéent parfaitement. Le transport, l'exportation, le tourisme, les loisirs et le sport, le contact avec les animaux ainsi que le monde des affaires en général vous conviennent.

*Vos forces.* Votre optimisme inébranlable et votre grande confiance en vous jouent en votre faveur. Ajoutons qu'une nature ambitieuse combinée à un sens du *timing* hors du commun sont fréquemment responsables de vos succès impressionnants.

*Ce qui risque de jouer contre vous.* En étant trop indépendant, vous laissez filer de belles occasions. Évitez de trop vouloir imposer votre point de vue, soyez davantage à l'écoute des autres.

## Si votre clé est J

Vous cherchez toujours à faire bonne impression, et il en va de même sur le plan professionnel. Vous mettez la barre bien haut, cherchant constamment à vous dépasser, ce qui devient épuisant à la longue. Comme l'insécurité vous tenaille, vous faites de nombreux compromis pour ne pas mettre votre situation en péril. Trop souvent, hélas, ça se retourne contre vous. Dans votre jeunesse, vous aviez du mal à supporter l'autorité ; vous ne le montriez que rarement, vous contentant la plupart du temps de ronger votre frein. En vieillissant, vous apprenez à vous faire davantage confiance et, par le fait même, vous ne vous laissez plus manipuler par autrui. Vos débuts dans la vie sont en général modestes, mais vous finissez invariablement par vous élever. Pas de coups d'éclat en vue, mais plutôt un travail opiniâtre, qui se révèle très payant à long terme.

*Certains champs d'action qui vous caractérisent.* La comptabilité, la gestion, la politique ou les emplois à caractère humanitaire sont faits pour vous. Une fonction au sein du gouvernement ou dans l'immobilier présente d'autres possibilités intéressantes.

*Vos forces.* Votre vision à long terme et le fait que vous ne craignez pas de consacrer de longues heures à vos activités professionnelles augmentent vos chances de réussite.

*Ce qui risque de jouer contre vous.* N'allez pas croire qu'il n'y a que la carrière qui détermine ce que vous êtes ; il faut apprendre à dissocier qui l'on est vraiment de nos accomplissements. N'acceptez pas de travailler pour une bouchée de pain, vous valez trop pour cela.

## Si votre clé est K

Vous ne faites rien comme tout le monde. Plusieurs d'entre vous tendent véritablement à se détacher du peloton, cherchant des domaines inhabituels où ils peuvent donner libre cours à leur grande originalité. Vous abordez en général la vie professionnelle comme un jeu et, même si vous ne vous prenez pas au sérieux, vous atteignez de hauts sommets. Vous avez le tour de vous faire aimer ; ce n'est donc pas étonnant que l'on vous retrouve fréquemment à la tête de vos collègues. Vous voulez innover, vous cherchez à parfaire vos méthodes de travail. Ce n'est pas parce qu'une tâche s'effectue de la même façon depuis toujours que vous ferez pareil. Original et inventif de nature, vous cherchez à découvrir une nouvelle manière de procéder et, plus souvent qu'à votre tour, vous la trouvez.

*Certains champs d'action qui vous caractérisent.* Tous les emplois qui sortent de l'ordinaire vous attirent. Votre fascination pour le modernisme peut vous faire embrasser une carrière en informatique, en aéronautique ou en lien avec les nouvelles technologies. Grand communicateur, vous êtes également intéressé par les médias et les arts.

*Vos forces.* Vous êtes doué pour la communication et savez vous faire des amis partout où vous passez. Clients, collègues et patrons apprécient votre jovialité. Votre approche progressiste vous pousse à tout réinventer.

*Ce qui risque de jouer contre vous.* En faisant fi des conventions, vous risquez de vous attirer les foudres de certains. Vous êtes parfois trop détaché par rapport à l'argent; l'idéalisme l'emporte alors sur le sens pratique.

## Si votre clé est L

Vous avez une imagination du tonnerre; malheureusement, vous ne vous en servez pas toujours à des fins très utiles. Vous rêvassez plutôt que de vous consacrer à votre travail. Pourtant, en canalisant cette créativité vers des objectifs précis, vous pourriez accomplir mer et monde. Docile et généreux, vous êtes un employé modèle; dommage que l'on abuse aussi souvent de vous... Votre intuition est un guide précieux; n'hésitez pas à l'écouter. Cela vous permettra de saisir au vol de bonnes occasions et aussi de ne pas tomber dans les pièges que certaines personnes mal intentionnées risqueraient de vous tendre. Vous vous comportez en véritable psychologue avec votre entourage professionnel; tous se confient à vous.

*Certains champs d'action qui vous caractérisent.* Vous excellez dans les relations d'aide ainsi que dans toute activité philanthropique. Le domaine de la santé morale ou physique, les médecines douces et la parapsychologie sont d'autres secteurs où vous vous épanouirez.

*Vos forces.* À coup sûr, la générosité et la créativité constituent vos meilleurs atouts. Vous ressentez énormément de sympathie pour les gens et vous avez leur mieux-être à cœur.

*Ce qui risque de jouer contre vous.* Vous vous découragez trop facilement; soyez plus tenace et vous finirez par atteindre vos buts. Évitez d'être trop passif et de dilapider votre argent. Ne faites pas confiance au premier venu: tout le monde n'a pas votre grandeur d'âme.

# SPÉCIAL LOTERIES ET JEUX DE HASARD POUR 2015

**J**upiter fournit également de précieux renseignements sur notre potentiel de chance dans les jeux de hasard. Pour découvrir quel est le vôtre cette année, il suffit de déterminer si votre groupe (consultez le tableau des pages 11 à 14) et votre signe de naissance ou ascendant apparaissent dans le tableau qui suit.

| PÉRIODE | Signes ou ascendants TRÈS favorisés | Signes ou ascendants MOYENNEMENT favorisés | Signes ou ascendants LÉGÈREMENT favorisés |
|---|---|---|---|
| Du 1er janvier au 11 janvier | | Bélier, Lion, Sagittaire des groupes 1, 3, 5, 7, 9, 11 | Bélier, Lion, Sagittaire des groupes 2, 4, 6, 8, 10, 12 |
| Du 12 janvier au 18 février | | Bélier, Lion, Sagittaire des groupes 1, 4, 5, 9 | Bélier, Lion, Sagittaire des groupes 2, 3, 4, 6, 7, 8, 10, 11, 12 |
| Du 19 février au 30 mars | Bélier, Lion, Sagittaire des groupes 1, 5, 9 | Bélier, Lion, Sagittaire du groupe 3 | Bélier, Lion, Sagittaire des groupes 2, 4, 6, 7, 8, 10, 11, 12 |
| Du 1er avril au 10 mai | | Bélier, Lion, Sagittaire des groupes 1, 5, 6, 9, 10 | Bélier, Lion, Sagittaire des groupes 2, 3, 4, 7, 8, 11, 12 |
| Du 11 mai au 23 juin | | Bélier, Lion, Sagittaire des groupes 1, 3, 5, 9 | Bélier, Lion, Sagittaire des groupes 2, 4, 6, 7, 8, 10, 11, 12 |
| Du 24 juin au 10 août | | Bélier, Lion, Sagittaire des groupes 1, 4, 5, 9, 12 | Bélier, Lion, Sagittaire des groupes 2, 3, 6, 7, 8, 10, 11 |
| Du 11 août au 23 septembre | | Taureau, Vierge, Capricorne des groupes 1, 2, 5, 6, 9, 10 | Taureau, Vierge, Capricorne des groupes 3, 4, 7, 8, 11, 12 |
| Du 24 septembre au 11 novembre | Taureau, Vierge, Capricorne des groupes 2, 6, 10 | Taureau, Vierge, Capricorne des groupes 4, 11 | Taureau, Vierge, Capricorne des groupes 1, 3, 5, 7, 8, 9, 12 |
| Du 12 novembre au 31 décembre | | Taureau, Vierge, Capricorne des groupes 2, 6, 10, 11 | Taureau, Vierge, Capricorne des groupes 1, 3, 4, 5, 7, 8, 9, 12 |

*Si votre signe et votre groupe se retrouvent dans ce tableau, vos chances sont meilleures que si votre signe seul est mentionné.*

### Exemple

Si vous êtes né le 1er avril 1959, vous êtes un Bélier du groupe 9.
*Vos chances au jeu sont donc :*
• **très élevées** du 19 février au 30 mars.
• **moyennes** du 1er janvier au 18 février, du 1er avril au 10 août.

# LES MYSTÈRES
# DE LA LUNE

**L**a Lune et le Soleil exercent une influence déterminante sur notre planète et sur ceux qui y vivent, que l'on parle des plantes, des animaux ou des êtres humains. En effet, l'attraction gravitationnelle de ces astres se fait sentir sur tous les éléments liquides, et toute vie est composée surtout d'eau, notamment le corps humain, qui en contient environ 70 %.

## Le cycle lunaire

La Lune possède un cycle de 28 jours divisé en quatre phases d'une semaine.

La lunaison constitue la première phase; c'est ce qu'on appelle communément la nouvelle lune. Invisible dans le ciel, elle est représentée par un cercle noir dans les calendriers. ●

Puis le premier quartier de lune survient dans la deuxième phase, c'est-à-dire sept jours après la nouvelle lune. Cette fois, elle est illustrée par un croissant de lune en forme de D. Cette phase dure aussi sept jours. ☽

La troisième phase est sans contredit le moment le plus spectaculaire et celui dont on parle le plus : il s'agit de la pleine lune, représentée par un cercle blanc. ○

Puis arrive la quatrième et dernière phase, le dernier quartier de lune, illustré par un croissant en forme de C. D'une durée d'une semaine également, cette phase précède la nouvelle lunaison. ☾

## Les éclipses en quelques mots

Au cours des millénaires et selon les civilisations, les astres ont souvent fait figure de divinités. Par ailleurs, les éclipses étaient souvent sources de crainte. Ainsi, chez les Mayas, une éclipse était vécue comme un conflit entre les astres, et celui-ci impliquait un conflit social chez les hommes, annonçant une période de malheur.

Sur le plan étymologique, le mot « éclipse » vient du grec et signifie « abandon ». Dans les civilisations antiques, l'éclipse était perçue comme l'expression du Soleil abandonnant la Terre.

Sachant que le Soleil est source de toute vie et qu'il réapparaît chaque jour, il est normal qu'on ait craint de le perdre lorsque se produisait une éclipse. Cet événement ne pouvait être qu'une chose terrible.

De nos jours, c'est surtout l'émerveillement, et non la crainte, qui prévaut pendant une éclipse, même s'il s'agit essentiellement d'un phénomène optique. Si, pendant un moment, on ne voit plus le Soleil ou la Lune, cela est causé par l'interposition de la Terre qui leur fait de l'ombre. Une éclipse de Soleil se produit toujours durant la nouvelle lune, tandis qu'une éclipse de la Lune survient en phase de pleine lune.

## Comment utiliser le pouvoir de la Lune

De tout temps, les êtres humains ont cherché à tirer parti des pouvoirs de la Lune. Nos grands-mères, femmes éclairées, et les cultivateurs, en relation étroite avec la nature et les phénomènes célestes, nous ont transmis croyances et astuces.

La semaine qui suit le jour de la nouvelle lune est propice pour trouver du travail et se lancer dans de nouveaux projets. On dit qu'un enfant né le premier jour de la nouvelle lune connaîtra une vie heureuse. Par contre, si quelqu'un tombe malade ce jour-là, il le restera durant toute la première phase de la lune. La lunaison est également la période idéale pour labourer, pour tailler ses plantes ou ses arbustes et pour enlever les mauvaises herbes. Si l'on souhaite que ses cheveux ou ses ongles repoussent avec davantage de vigueur, c'est le moment de les couper. Cette phase lunaire ne convient pas beaucoup aux questions amoureuses; par contre, elle est formidable pour amorcer une cure de nettoyage.

Le premier quartier annonce une semaine où le sommeil de beaucoup d'entre nous est plus léger. La chance sourira à ceux qui vendront un bien ou effectueront une transaction quelconque. D'autres connaîtront une motivation accrue dans leurs activités professionnelles et pourraient avoir une promotion. En règle générale, les relations interpersonnelles sont plus faciles. Les amoureux se rapprochent, font table rase des divergences d'opinion et prennent des engagements sérieux. La plupart des semis, à quelques exceptions près, doivent être effectués pendant la période de la lune croissante. Par ailleurs, les vieux jardiniers avaient coutume de dire que les légumes poussant au-dessus de la terre comme les choux et les salades devaient être plantés au cours d'une phase de premier quartier de lune. Puisque les plantes sont en pleine période de croissance et demandent par conséquent un surcroît d'attention, c'est le moment de semer, de fertiliser, de diviser les plants et d'arroser davantage. Les ongles ou les cheveux profiteront également d'une bonne coupe. Une mise en garde cependant à ceux qui ont des problèmes émotionnels ou psychiques: ils risquent de faire durant cette période des gestes qu'ils regretteront.

La semaine qui suit le jour de la pleine lune est une période où règne un sentiment de confusion généralisé. Heureusement, cela ne dure pas. Les questions d'argent et de travail nous préoccupent davantage. En amour, les querelles se font plus nombreuses; toutefois, scènes romantiques et prises de bec alternent souvent. Sur le plan social, la vie devient généralement plus intéressante. Pour les plantes, il s'agit d'une période très active, bourgeons et racines croissent plus vite. Les mycologues ont aussi remarqué qu'ils trouvaient plus de champignons quelques jours après la pleine lune. Toutefois, semer ou rempoter n'est pas conseillé, car cela pourrait interrompre la phase de croissance des végétaux. Ceux qui détestent aller chez le coiffeur devraient choisir cette semaine pour se faire couper les cheveux, car ils repousseront moins rapidement. Ce moment se révèle faste pour ceux qui désirent entreprendre un régime amaigrissant.

Quant à la semaine du dernier quartier, il s'agit d'une période d'introspection ; on se cherche sans toujours bien savoir où l'on va. C'est aussi une semaine où l'on découvre que la persévérance est récompensée. Les efforts entrepris portent leurs fruits. En fait, les actions et les gestes du passé nous rattrapent. On récolte ce que l'on a semé. Si l'Amour avec un grand A devient plus important que l'amour de son partenaire, il est temps de revenir sur terre pour améliorer sa vie de couple. Cette phase lunaire est également marquée du sceau de la spiritualité, de l'intuition et de la vie sociale. Dans le jardin, il faut en profiter pour enlever les fleurs fanées, les feuilles jaunies et les mauvaises herbes. Un bon nettoyage s'impose. Il est recommandé de semer ou de planter pendant cette phase de lune décroissante tout ce qui se développe dans la terre : oignons, carottes, pommes de terre, etc. On dit aussi que c'est le meilleur moment pour faire des confitures, car le sucre ne remontera pas à la surface, ce qui préviendra tout risque d'acidité et de fermentation.

## Les phases de la Lune en 2015

| | | |
|---|---|---|
| 4 janvier | Pleine lune | ○ |
| 13 janvier | Dernier quartier | ☾ |
| 20 janvier | Nouvelle lune | ● |
| 26 janvier | Premier quartier | ☽ |
| 3 février | Pleine lune | ○ |
| 11 février | Dernier quartier | ☾ |
| 18 février | Nouvelle lune | ● |
| 25 février | Premier quartier | ☽ |
| 5 mars | Pleine lune | ○ |
| 13 mars | Dernier quartier | ☾ |
| 20 mars | Nouvelle lune et éclipse solaire totale | ● |
| 27 mars | Premier quartier | ☽ |
| 4 avril | Pleine lune et éclipse lunaire partielle | ○ |
| 11 avril | Dernier quartier | ☾ |
| 18 avril | Nouvelle lune | ● |
| 25 avril | Premier quartier | ☽ |
| 3 mai | Pleine lune | ○ |
| 11 mai | Dernier quartier | ☾ |

| | | |
|---|---|---|
| 17 mai | Nouvelle lune | ● |
| 25 mai | Premier quartier | ☽ |
| 2 juin | Pleine lune | ○ |
| 9 juin | Dernier quartier | ☾ |
| 16 juin | Nouvelle lune | ● |
| 24 juin | Premier quartier | ☽ |
| 1er juillet | Pleine lune | ○ |
| 8 juillet | Dernier quartier | ☾ |
| 15 juillet | Nouvelle lune | ● |
| 23 juillet | Premier quartier | ☽ |
| 31 juillet | Pleine lune | ○ |
| 6 août | Dernier quartier | ☾ |
| 14 août | Nouvelle lune | ● |
| 22 août | Premier quartier | ☽ |
| 29 août | Pleine lune | ○ |
| 5 septembre | Dernier quartier | ☾ |
| 13 septembre | Nouvelle lune et éclipse solaire partielle | ● |
| 21 septembre | Premier quartier | ☽ |
| 27 septembre | Pleine lune et éclipse lunaire totale | ○ |
| 4 octobre | Dernier quartier | ☾ |
| 12 octobre | Nouvelle lune | ● |
| 20 octobre | Premier quartier | ☽ |
| 27 octobre | Pleine lune | ○ |
| 3 novembre | Dernier quartier | ☾ |
| 11 novembre | Nouvelle lune | ● |
| 19 novembre | Premier quartier | ☽ |
| 25 novembre | Pleine lune | ○ |
| 3 décembre | Dernier quartier | ☾ |
| 11 décembre | Nouvelle lune | ● |
| 18 décembre | Premier quartier | ☽ |
| 25 décembre | Pleine lune | ○ |

# LA CARTE DU CIEL EN 2015

## La position des planètes en 2015

Chacune de ces planètes exerce une influence sur vous et sur votre destinée, même si elle n'évolue pas directement dans votre signe. Le chapitre concernant vos prédictions annuelles et mensuelles vous donne une explication détaillée de chaque transit. Il vous renseigne également sur l'influence du Soleil, de la Lune et des éclipses.

**Jupiter** entamera l'année en Lion, puis elle franchira la Vierge le 11 août pour y séjourner jusqu'au 31 décembre.

**Saturne** passera la majeure partie de 2015 en Sagittaire, sauf du 14 juin au 17 septembre, où on la retrouvera à nouveau en Scorpion.

**Uranus** demeurera en Bélier.

**Neptune** poursuivra ses pérégrinations en Poissons.

**Pluton** évoluera encore en Capricorne.

**Mars** visitera successivement le Verseau, les Poissons, le Bélier, le Taureau, les Gémeaux, le Cancer, le Lion, la Vierge et la Balance.

**Vénus** se déplacera dans tous les signes.

**Mercure** fera elle aussi le tour des douze signes.

## L'influence des planètes

Chaque planète possède ses attributs, ses caractéristiques et son symbolisme propre; elle exerce des effets particuliers sur l'existence humaine. Ces effets ont été étudiés et voici, en résumé, ce qu'on peut dire pour chacune d'entre elles, sans se lancer dans un long cours d'astrologie.

**Le Soleil**     Il représente la personnalité, la force vitale; le désir de briller, la réussite sociale, l'élément masculin. Pour une femme, il s'agira de son conjoint ou de son père. C'est la position du Soleil dans le zodiaque qui détermine à quel signe on appartient.

**La Lune**     Symbole de l'émotivité par excellence, elle exerce son influence sur les sentiments et les émotions, elle évoque les changements, l'intuition, les petits déplacements, la famille, la mère. Pour un homme, elle représentera son épouse ou sa conjointe.

**Mercure**    Il s'agit de la planète des enfants, de la jeunesse, mais aussi de l'intelligence, de la logique, du désir d'apprendre, des études, des communications et du commerce. Pour une personne en particulier, elle représentera ses propres enfants.

**Vénus**    Évidemment, il s'agit de la planète qui régit les amours, les sentiments, le bonheur, la vie de couple, le goût des belles choses, les arts et l'apparence.

**Mars**    Nommée en l'honneur du dieu romain de la guerre, elle est l'énergie, la force, l'extériorisation, le travail. Mais elle gouverne aussi les conflits, les blessures, les accidents et les opérations chirurgicales.

**Jupiter**    Planète de la vie matérielle, elle influence nos biens matériels, notre richesse, notre optimisme, nos honneurs. On l'associe souvent aux appuis gouvernementaux, aux relations avec la loi et aux contacts avec l'étranger.

**Saturne**    De tout temps, elle a représenté la sagesse et l'évolution, mais aussi les restrictions, les épreuves et les pertes. Elle régit également la détermination, la patience, l'économie, le désir de sécurité et la fin de vie.

**Uranus**    Planète des changements brusques, elle joue un rôle sur l'imprévisible, l'originalité, l'esprit d'invention, les nouvelles technologies, la parapsychologie et les grands idéaux qui caractérisent un individu.

**Neptune**    Génie créatif, inspiration, vie émotive, croyances mystiques, secrets, mystères, dépendances et illusions sont les domaines placés sous l'influence de cette planète.

**Pluton**    Lorsque des changements profonds et radicaux, des transformations, des catastrophes, des nouveaux départs surviennent, c'est que cette planète agit avec force. Elle régit aussi la sexualité.

Au moment de notre naissance, les planètes se situent à un endroit particulier du zodiaque. Leurs influences se font donc sentir simultanément, mais différemment, pour chacun d'entre nous. Ainsi, deux personnes peuvent avoir le même signe et le même ascendant, mais subir les influences planétaires de manière différente.

Par exemple, si le Soleil se trouvait en Bélier lors de votre naissance, vous serez un Bélier énergique et vif... Toutefois, vous pouvez en même temps avoir Vénus en Poissons, ce qui vous rend sensible et sentimental en amour. Si Jupiter se trouve en Capricorne, vous serez, en plus, prudent et avisé en affaires, etc. Votre thème de naissance, qu'on appelle également «carte du ciel», permet donc de définir ce qui vous différencie des autres natifs du même signe.

## La controverse entourant Pluton

Le 24 août 2006, les 2 500 astronomes de l'Union astronomique internationale ont écarté Pluton de la liste des planètes en adoptant de nouveaux critères pour définir celles-ci. Ils ont décidé, par un vote à main levée, de reléguer Pluton dans une nouvelle catégorie: celle des «planètes naines» ou des «objets transneptuniens».

Tout d'abord, rappelons quelques faits scientifiques concernant Pluton. Elle fut découverte en 1930 par l'astronome américain Clyde William Tombaugh. Saviez-vous qu'il lui faut 248 ans pour faire une révolution complète autour du soleil, que son orbite est inclinée et très elliptique? Durant les périodes où Pluton s'éloigne du soleil, sa surface est complètement gelée. Lorsqu'elle s'en rapproche, en revanche, certains éléments de sa surface se transforment en gaz, et elle possède alors une atmosphère composée d'azote, de monoxyde de carbone et de méthane.

En astrologie, on étudie les effets de Pluton depuis au moins 50 ans et on a pu en tirer de nombreuses conclusions. Ses affinités avec le signe du Scorpion ne font aucun doute; avant sa découverte en 1930, on accordait la régence de ce signe à Mars, ce qui a infiniment moins de sens. La corrélation astrologique qu'on a établie entre Pluton et les changements radicaux, les destructions, les régénérations, la pollution, les recherches et l'héritage génétique a été maintes fois corroborée. Que dire de l'émergence de l'énergie nucléaire, de la

*Vue d'artiste de la façon dont la surface de Pluton pourrait ressembler, selon l'un des deux modèles qu'une équipe d'astronomes a développés pour tenir compte des propriétés observées de l'atmosphère de Pluton. L'image montre des taches de méthane pur sur la surface. Vu de Pluton, l'éclat du Soleil apparaît environ mille fois plus faible que sur Terre. (illustr.: European Southern Observatory-L. Calçada)*

découverte du plutonium (10 ans après celle de Pluton), des fouilles dans les entrailles de la Terre, qu'on associe également à Pluton ? Toutes les énigmes entourant ce corps céleste ne vous font-elles pas penser à l'aura de mystère qui entoure si souvent les plutoniens ou, si vous préférez, les Scorpion ?

Ce qui importe vraiment, c'est que Pluton existe toujours, qu'elle continuera de nous fournir de précieux renseignements et qu'elle se moque éperdument de la catégorie dans laquelle on cherche à la classer...

# PRÉDICTIONS MONDIALES POUR 2015

Le cycle de la quadrature Uranus – Pluton se poursuit encore cette année, ce qui nous laisse entrevoir plusieurs autres chambardements.

La symbolique de Pluton est de détruire pour rebâtir; c'est la planète qui élimine ce qui n'est plus utile, entraînant ainsi des balayages extrêmes, une purge en profondeur et même des effondrements. Cette action est nécessaire pour arriver à un monde meilleur, et comme Pluton transite par le Capricorne, tout ce qu'on lui associe sur le plan mondial est susceptible d'y passer.

Les structures politiques et religieuses ainsi que les finances publiques ont perdu toute crédibilité aux yeux des populations à la suite des nombreux scandales qui les ont ébranlées. Et ce n'est pas fini! Que ce soit à l'intérieur des nations ou au niveau planétaire, tous ressentent un incessant et grandissant sentiment de mécontentement que les dirigeants ne peuvent plus ignorer. L'heure de vérité a sonné, il faut maintenant rendre des comptes.

Uranus en Bélier ne fait que précipiter l'action de Pluton et la rendre plus explosive. L'exaspération est à son comble, la révolte gronde depuis longtemps et pourrait éclater à tout moment. Les dirigeants ne sont pas au bout de leurs peines, loin de là !

L'Europe, le Moyen-Orient et les États-Unis seront plus malmenés que le Québec et le Canada. Chez nous, on continuera de protester, mais la séparation n'est toujours pas dans l'air.

Saturne passera du Scorpion au Sagittaire à la mi-août, ce qui mettra un peu d'ordre dans tout ce chaos; l'ère des secrets et des manigances se termine, et plusieurs organisations devront présenter des excuses et commencer à agir de façon plus transparente. Le mal est fait, mais au moins on aura donné un dur coup à la corruption et à tous ceux qui ont commis des actes scabreux. Hélas, cela pourrait profiter à certains mouvements d'extrême droite. Cette conjoncture pourrait également se traduire par des lois plus sévères concernant l'immigration.

Saturne et Jupiter seront tantôt en harmonie, tantôt complètement opposées. De brèves périodes d'accalmie, voire de stabilisation, du destin terrestre seront entrecoupées d'épisodes où la nature et les finances mondiales seront complètement déboussolées. En effet, la météo et l'économie sont particulièrement sensibles à l'interaction entre ces deux planètes. Bref, des montagnes russes encore une fois, mais ce cycle s'essouffle et à long terme on peut espérer une situation globale plus équilibrée. Donc, toujours pas de fin du monde en vue...

# L'HARMONIE
# ENTRE LES SIGNES

**Êtes-vous en harmonie ?**

S'il est une question qui revient souvent, c'est bien celle-ci : mon signe s'accorde-t-il bien avec tel ou tel autre ? Répondre à une telle question, qui semble anodine, n'est pas si facile, et surtout la réponse ne peut être catégorique. C'est comme me demander si une personne aux yeux bleus peut s'entendre avec une autre ayant les yeux verts... La réponse demeure : « Ça dépend... »

La carte du ciel d'une personne est un système complexe où plusieurs éléments entrent en ligne de compte, et non seulement le signe astrologique. L'ascendant, les planètes, les maisons et les aspects influencent plus ou moins la personnalité des individus. Il ne suffit pas de se baser sur le signe pour déterminer les affinités ou les antagonismes entre deux personnes.

Si toutefois le sujet vous préoccupe, et si vous connaissez votre ascendant et celui de l'être cher, vous pouvez constater, grâce au tableau qui suit, non seulement si vos signes sont compatibles, mais également si vos ascendants sont en harmonie. Vous pouvez voir si le signe de l'un a des points communs avec l'ascendant de l'autre, et vice versa. Cela vous permettra de juger de vos possibilités d'entente.

Puisque cela m'est demandé très souvent et que connaître la compatibilité entre les différents signes vous intéresse, je vous propose de découvrir les tendances générales. N'oubliez jamais que rien n'est définitif. Si vous avez rencontré l'homme de votre vie ou la femme de vos rêves, même si son signe ne semble pas être en totale harmonie avec le vôtre, dites-vous que la vie sera votre meilleur juge.

## Mon petit test instantané

| | BÉLIER | TAUREAU | GÉMEAUX | CANCER | LION | VIERGE |
|---|---|---|---|---|---|---|
| Bélier | 1 | 6 | 5 | 3 | 2 | 6 |
| Taureau | 6 | 1 | 6 | 5 | 3 | 2 |
| Gémeaux | 5 | 6 | 1 | 6 | 5 | 3 |
| Cancer | 3 | 5 | 6 | 1 | 6 | 5 |
| Lion | 2 | 3 | 5 | 6 | 1 | 6 |
| Vierge | 6 | 2 | 3 | 5 | 6 | 1 |
| Balance | 4 | 6 | 2 | 3 | 5 | 6 |
| Scorpion | 6 | 4 | 6 | 2 | 3 | 5 |
| Sagittaire | 2 | 6 | 4 | 6 | 2 | 3 |
| Capricorne | 3 | 2 | 6 | 4 | 6 | 2 |
| Verseau | 5 | 3 | 2 | 6 | 4 | 6 |
| Poissons | 6 | 5 | 3 | 2 | 6 | 4 |

| | BALANCE | SCORPION | SAGITTAIRE | CAPRICORNE | VERSEAU | POISSONS |
|---|---|---|---|---|---|---|
| Bélier | 4 | 6 | 2 | 3 | 5 | 6 |
| Taureau | 6 | 4 | 6 | 2 | 3 | 5 |
| Gémeaux | 2 | 6 | 4 | 6 | 2 | 3 |
| Cancer | 3 | 2 | 6 | 4 | 6 | 2 |
| Lion | 5 | 3 | 2 | 6 | 4 | 6 |
| Vierge | 6 | 5 | 3 | 2 | 6 | 4 |
| Balance | 1 | 6 | 5 | 3 | 2 | 6 |
| Scorpion | 6 | 1 | 6 | 5 | 3 | 2 |
| Sagittaire | 5 | 6 | 1 | 6 | 5 | 3 |
| Capricorne | 3 | 5 | 6 | 1 | 6 | 5 |
| Verseau | 2 | 3 | 5 | 6 | 1 | 6 |
| Poissons | 6 | 2 | 3 | 5 | 6 | 1 |

## Quel nombre avez-vous obtenu ?

 **1** Puisque vous êtes tous les deux du même signe, les atomes crochus entre vous ne manquent pas. Vous vous ressemblez comme deux vieux copains, vous vous comprenez sans vous dire un mot. Vous avez les mêmes qualités... mais aussi les mêmes défauts, et c'est là que, parfois, les étincelles surgissent. Vos travers se retrouvent chez l'autre et vous agacent. Vos propres points faibles vous sautent au visage. Toutefois, puisque vous avez en commun les mêmes buts, les mêmes idéaux, les mêmes opinions sur plusieurs sujets, cette connivence naturelle vous rapproche. Attention, par contre, car il peut s'agir d'une arme à double tranchant : vous vous connaissez tellement bien – vous êtes issus du même moule – que rien ne vous étonne en l'autre, et vous risquez ainsi de percer tous ses mystères. Laissez-lui son jardin secret, et surtout ne le tenez pas pour acquis. Tâchez de le surprendre au moment où il s'y attend le moins ; vous pourrez dès lors vivre tous deux une relation passionnante empreinte de complicité.

**2** Vos deux signes relèvent du même élément. Vous avez la même sensibilité, la même façon d'aborder l'existence et le quotidien, la même intensité dans vos relations interpersonnelles ; c'est d'ailleurs très probablement ce qui vous a plu chez l'autre. Malgré tout, vous possédez chacun votre individualité, vos différences. Dans la vie de tous les jours, l'entente est bonne et la relation, vraiment harmonieuse. Votre façon d'agir, de résoudre les problèmes est à peu près identique. En règle générale, ensemble, c'est le paradis sur terre... Mais tout n'est pas parfait, loin de là. Vous avez le même entêtement, et il est impossible à l'un ou à l'autre de prendre le dessus. Lorsque les choses tournent mal, vous vous isolez chacun de votre côté, ce qui ne règle rien. Les discussions, les divergences d'opinion ou d'avis font partie du vécu de chaque couple. Apprenez à rester amis même lorsque vous n'êtes pas d'accord et à vous respecter mutuellement... Lorsque vous travaillez de concert, rien n'est impossible pour vous. Votre relation pourrait être tout simplement magnifique si vous saviez travailler l'un avec l'autre et non chacun de votre côté.

Vos deux signes se retrouvent « en carré » ou en croix. Malgré des traits communs, vos personnalités sont très différentes l'une de l'autre ; cette différence vous a intrigué, attiré au départ, souvenez-vous-en. Même vos objectifs et votre sens des valeurs sont différents ; pourtant vous raisonnez de manière semblable. Lorsque tout va bien, c'est merveilleux, mais en cas de conflit, ça peut chauffer. Les divergences d'opinion, les situations délicates ne manquent pas entre vous. S'il est normal de ne pas être toujours du même avis sur tout, il est cependant essentiel d'apprendre à s'écouter pour éviter les malentendus. Ce qui vous a séduit chez l'autre, c'est justement sa vision différente de la vie. Il est donc important d'allier respect et compréhension si vous voulez éviter les heurts. La passion entre vous est très importante, mais attention de ne pas vous enflammer à tout bout de champ. Laissez l'autre s'exprimer. Vous lui coupez facilement la parole sans toujours vous rendre compte qu'un peu d'écoute et d'attention serait tellement plus profitable. Ouvrez votre cœur... et vos oreilles ! Vous pourrez vivre une relation très enrichissante.

Vos deux signes sont en opposition ; vous êtes aux antipodes l'un de l'autre... Peut-être est-ce ce qui vous a fait vibrer lors de votre première rencontre. Même si vous êtes très différents, vous vous complétez magnifiquement, malgré quelques petites escarmouches sans conséquence. Puisque les forces de l'un comblent les points faibles de l'autre, vous avez l'impression de voir votre propre image inversée, comme le négatif d'une photo. Votre conjoint vous permet de découvrir des horizons que vous n'imaginiez pas, de voir le monde sous un jour totalement différent, de vous surpasser. Il vous aide aussi à percevoir vos faiblesses. Sans vous l'avouer, ce qui vous agace en lui met en lumière vos propres défauts. Une telle perception des choses peut créer des frictions, mais vous sentez bien que votre union est très originale et particulière, et vous réussissez à surmonter vos problèmes. Votre couple est équilibré, complémentaire et harmonieux ; vous vous apportez beaucoup l'un à l'autre, et les chances qu'une stabilité et qu'un enrichissement mutuel s'installent dans votre couple sont excellentes.

**5** Vos deux signes se trouvent en sextile : vos éléments sont donc compatibles. Votre union sera facile, agréable et sans problèmes insurmontables. Vous n'avez peut-être pas eu de coup de foudre l'un pour l'autre, et la passion ne vous a pas littéralement emportés. Mais avec le temps vous avez appris à vous connaître et à vous apprécier, et c'est là l'essentiel. Votre affection est profonde. L'amitié qui vous unit, votre compréhension et votre communication exceptionnelles vous permettent de dialoguer sans heurts et de vous expliquer : comme on dit, vous êtes sur la même longueur d'onde. Si votre vision des choses diffère, d'autres éléments et d'autres caractéristiques vous réunissent. Vos sensibilités et vos désirs se rejoignent. Par le dialogue, les petites difficultés s'aplanissent toujours. Le rire et l'humour vous rapprochent l'un de l'autre. Avec un minimum d'efforts, votre relation sera douce, tendre et revigorante. Vous irez là où vos pas vous porteront, main dans la main.

**6** Seriez-vous étrangers l'un à l'autre ? Pour trouver des points communs entre vous, il faut bien chercher. Souvent, vous avez même l'impression de ne pas parler la même langue. Et pourtant... vous pourriez vous entendre, avec un peu de travail de part et d'autre. Le plus amusant est que cette différence peut se révéler un précieux atout au cours d'activités communes, dans vos loisirs ou même au boulot. Le manque de communication dans votre couple est flagrant ; vous le déplorez et aurez à certains moments l'impression que votre conjoint ne vous comprend pas et ne répond pas à vos attentes. Vos valeurs et vos objectifs divergent du tout au tout parfois. Dans de telles conditions, votre vie de couple repose sur vos efforts. Il est inutile d'essayer de changer votre partenaire. Acceptez-le, sans condition. Pour rendre votre vie à deux plus harmonieuse, vous pourriez jouer sur le romantisme. Sachez surprendre votre partenaire en proposant des sorties en amoureux, des dîners aux chandelles à l'improviste et des surprises de toutes sortes. Si votre partenaire n'arrive pas à cerner complètement votre personnalité, cela peut être un plus. Alliez cette carte « mystère » à la carte « romantisme » et, à coup sûr, vous ferez battre son cœur. Des liens psychiques très forts peuvent être tissés entre vous deux ; une compréhension au-delà des mots, voire de la télépathie, n'est pas impossible. Voilà une autre énigme dont vous pourrez vous servir pour stimuler votre couple.

# TROUVER SON ASCENDANT, C'EST FACILE !

**Vous ne connaissez pas votre ascendant ? Nous allons vous donner une méthode très simple pour le trouver.**

**De quoi avez-vous besoin ?**
De votre heure de naissance, c'est tout.

**Comment faire ?**
1. Prenez votre heure de naissance ;
2. ajoutez le temps sidéral ;
3. additionnez le tout.
Vous voyez, ce n'est pas bien compliqué.

Dans les lignes qui suivent, nous vous donnons :
1. quelques renseignements sur votre heure de naissance ;
2. le temps sidéral qui correspond à votre date de naissance ;
3. des indications pour additionner l'un à l'autre.

Avant d'aller plus loin, lisez donc les paragraphes qui suivent ; vous serez sûr de ne pas faire d'erreur.

## 1. Votre heure de naissance
L'ascendant se calcule à partir de l'heure de naissance ; il faut donc que vous sachiez à quelle heure vous êtes né pour le calculer.

NOTE : Si vous ne connaissez pas votre heure de naissance, seul un astrologue expérimenté pourrait trouver votre ascendant. Mais informez-vous : des parents, des proches, des frères ou sœurs, voire l'hôpital où vous êtes né peuvent vous renseigner sur votre heure de naissance.

Si votre heure de naissance est imprécise, vous pouvez essayer quand même. Évidemment, l'ascendant que vous obtiendrez alors sera imprécis, lui aussi.

Donc, vous savez maintenant que votre ascendant se calcule à partir de votre heure de naissance. Rappelez-vous cependant les deux petites choses suivantes.

Si vous êtes né en après-midi ou en soirée, il faut que vous preniez votre heure en **système de 0 à 24 heures.** Donc, au lieu d'écrire 2 h de l'après-midi, vous écrivez 14 h ; au lieu de 9 h du soir, vous écrivez 21 h.

### C'est bien important, ne l'oubliez pas !

En effet, si vous êtes né en soirée ou en après-midi, vous n'aurez pas le même ascendant que si vous étiez né le matin.

En astrologie, il faut toujours prendre **l'heure réelle** et non pas l'heure avancée. Vous ne voulez pas calculer l'ascendant de quelqu'un qui serait né une heure plus tard que vous !

Savez-vous si vous êtes né pendant une période d'heure avancée ? C'est facile : dans les lignes qui suivent, vous le verrez aisément.

## Tableau de l'heure avancée

Avant 1918, il n'y avait pas d'heure avancée.

**Si vous êtes né entre les dates suivantes, enlevez une heure à votre heure de naissance pour avoir votre heure réelle de naissance.**

En 1918, du 14 avril au 31 octobre, dans toute la province de Québec. De 1919 à 1927 inclusivement, l'heure était avancée à **Montréal seulement** :

- en 1919, du 31 mars au 25 octobre* ;
- en 1920, du 2 mai au 3 octobre* ;
- en 1921, du 1er mai au 2 octobre* ;
- en 1922, du 30 avril au 1er octobre* ;
- en 1923, du 13 mai au 30 septembre* ;
- en 1924, du 18 mai au 28 septembre* ;
- en 1925, du 3 mai au 27 septembre* ;
- en 1926, du 2 mai au 26 septembre* ;
- en 1927, du 1er mai au 25 septembre*.

* **À Montréal seulement – pas dans le reste du Québec.** Donc, si vous êtes né entre ces dates à Montréal, enlevez une heure. Si vous êtes né ailleurs dans la province, laissez votre heure telle quelle.

À partir de 1928, l'heure est avancée **à Montréal et dans tout le reste de la province** entre les dates suivantes:
- en 1928, du 29 avril au 30 septembre;
- en 1929, du 28 avril au 29 septembre;
- en 1930, du 27 avril au 28 septembre;
- en 1931, du 26 avril au 27 septembre;
- en 1932, du 24 avril au 25 septembre;
- en 1933, du 30 avril au 24 septembre;
- en 1934, du 29 avril au 30 septembre;
- en 1935, du 28 avril au 29 septembre;
- en 1936, du 26 avril au 27 septembre;
- en 1937, du 25 avril au 26 septembre;
- en 1938, du 24 avril au 25 septembre;
- en 1939, du 30 avril au 24 septembre;
- en 1940, du 28 avril au 31 décembre*;
- en 1941, TOUTE L'ANNÉE*;
- en 1942, TOUTE L'ANNÉE*;
- en 1943, TOUTE L'ANNÉE*;
- en 1944, TOUTE L'ANNÉE*;
- en 1945, du 1er janvier au 30 septembre*.

\* **L'heure fut avancée continuellement, hiver comme été, durant la guerre.**
- en 1946, du 28 avril au 29 septembre;
- en 1947, du 27 avril au 28 septembre;
- en 1948, du 25 avril au 26 septembre;
- en 1949, du 24 avril au 25 septembre;
- en 1950, du 30 avril au 24 septembre;
- en 1951, du 29 avril au 30 septembre;
- en 1952, du 27 avril au 28 septembre;
- en 1953, du 26 avril au 27 septembre;
- en 1954, du 25 avril au 26 septembre;
- en 1955, du 24 avril au 25 septembre;
- en 1956, du 29 avril au 30 septembre;
- en 1957, du 28 avril au 27 octobre;
- en 1958, du 27 avril au 26 octobre;
- en 1959, du 26 avril au 25 octobre;
- en 1960, du 24 avril au 30 octobre;
- en 1961, du 30 avril au 29 octobre;

- en 1962, du 29 avril au 28 octobre ;
- en 1963, du 28 avril au 27 octobre ;
- en 1964, du 26 avril au 25 octobre ;
- en 1965, du 25 avril au 31 octobre ;
- en 1966, du 24 avril au 30 octobre ;
- en 1967, du 30 avril au 29 octobre ;
- en 1968, du 28 avril au 27 octobre ;
- en 1969, du 27 avril au 26 octobre ;
- en 1970, du 26 avril au 25 octobre ;
- en 1971, du 25 avril au 31 octobre ;
- en 1972, du 30 avril au 29 octobre ;
- en 1973, du 29 avril au 28 octobre ;
- en 1974, du 28 avril au 27 octobre ;
- en 1975, du 27 avril au 26 octobre ;
- en 1976, du 25 avril au 31 octobre ;
- en 1977, du 24 avril au 30 octobre ;
- en 1978, du 30 avril au 29 octobre ;
- en 1979, du 29 avril au 28 octobre ;
- en 1980, du 27 avril au 26 octobre ;
- en 1981, du 26 avril au 25 octobre ;
- en 1982, du 25 avril au 31 octobre ;
- en 1983, du 24 avril au 30 octobre ;
- en 1984, du 29 avril au 28 octobre ;
- en 1985, du 28 avril au 27 octobre ;
- en 1986, du 27 avril au 26 octobre ;
- en 1987, du 5 avril au 25 octobre ;
- en 1988, du 3 avril au 30 octobre ;
- en 1989, du 2 avril au 29 octobre ;
- en 1990, du 1er avril au 28 octobre ;
- en 1991, du 7 avril au 29 octobre ;
- en 1992, du 5 avril au 25 octobre ;
- en 1993, du 4 avril au 31 octobre ;
- en 1994, du 3 avril au 30 octobre ;
- en 1995, du 2 avril au 29 octobre ;
- en 1996, du 7 avril au 27 octobre ;
- en 1997, du 6 avril au 26 octobre ;
- en 1998, du 5 avril au 25 octobre ;

- en 1999, du 4 avril au 31 octobre ;
- en 2000, du 2 avril au 29 octobre ;
- en 2001, du 1ᵉʳ avril au 28 octobre ;
- en 2002, du 7 avril au 27 octobre ;
- en 2003, du 6 avril au 26 octobre ;
- en 2004, du 4 avril au 31 octobre ;
- en 2005, du 3 avril au 28 octobre ;
- en 2006, du 2 avril au 29 octobre ;
- en 2007, du 11 mars au 4 novembre ;
- en 2008, du 9 mars au 2 novembre ;
- en 2009, du 8 mars au 1ᵉʳ novembre ;
- en 2010, du 14 mars au 7 novembre ;
- en 2011, du 13 mars au 6 novembre ;
- en 2012, du 11 mars au 4 novembre ;
- en 2013, du 10 mars au 3 novembre ;
- en 2014, du 9 mars au 2 novembre ;
- en 2015, du 8 mars au 1ᵉʳ novembre.

**Donc, si vous êtes né entre les dates que nous venons de donner, n'oubliez pas d'enlever une heure à votre heure de naissance pour obtenir votre heure réelle de naissance.**

## 2. Le temps sidéral

Comme nous l'avons vu précédemment, pour calculer l'ascendant, il suffit d'additionner votre heure réelle de naissance au temps sidéral qui correspond à votre journée de naissance. Le temps sidéral est une heure qui correspond à une seule journée de l'année. Chaque journée a le sien ; il n'y a pas deux journées qui ont le même temps.

Pour calculer votre ascendant, vous avez donc besoin de connaître le temps sidéral qui correspond au jour de votre anniversaire. Comment faire ? Rien de plus simple.

Aux pages 54 et 55, vous trouverez un tableau : à la première ligne du tableau figurent les 12 mois de l'année, chacun correspondant à une colonne. La première colonne comporte des chiffres allant de 1 à 31. Ces chiffres correspondent, bien sûr, aux quantièmes (jours) des mois.

Il vous suffit maintenant de trouver, dans la colonne qui correspond à votre mois de naissance, la ligne de votre jour d'anniversaire, et le tour est joué.

**PAR EXEMPLE**: Si vous êtes né le 1er janvier, vous cherchez sous janvier, et à la première ligne vous voyez 6 h 36. Le temps sidéral qui correspond à votre jour de naissance est donc **6 h 36.**

De même, si vous êtes né le 14 mai, vous allez voir, sous la colonne de mai, la ligne qui correspond au 14, et vous trouvez votre temps sidéral, qui est **15 h 24**.

**NOTE**: Pour vous faciliter la tâche, les tableaux des pages 54 et 55 indiquent le temps sidéral corrigé et simplifié. Suivez la ligne qui correspond à votre jour d'anniversaire jusqu'à la colonne de votre mois de naissance: vous avez maintenant le temps sidéral qui correspond à votre jour de naissance.

## 3. Et puis vous additionnez

Vous avez donc maintenant votre heure réelle de naissance et le temps sidéral qui correspond à votre journée de naissance: il vous suffit de faire une toute petite addition. Bien sûr, vous avez pris soin de vous assurer que votre heure de naissance est inscrite **en système de 0 à 24 heures,** surtout si vous êtes né en après-midi ou en soirée.

**ATTENTION:** Vous avez des heures et des minutes. Vous savez qu'il y a 60 minutes dans une heure et 24 heures dans une journée.

Donc si, en additionnant, vous avez un total de minutes supérieur à 60, vous soustrayez 60 du nombre des minutes et vous ajoutez 1 au nombre des heures.

Si, en additionnant, vous avez un total d'heures supérieur à 24, vous soustrayez 24.

Vous avez maintenant un total en heures et en minutes; vous n'avez plus qu'à consulter le petit tableau de la page 56, à trouver la section qui correspond à la vôtre et à lire votre ascendant.

Voici un exemple pour illustrer cette méthode. Supposons qu'une personne soit née le 24 juin 1967, à 2 h 25 de l'après-midi. Nous savons que, pour calculer l'ascendant, il faut utiliser l'heure en système de 0 à 24 heures. Donc, 2 h 25 de l'après-midi, c'est en réalité 14 h 25. Comme l'heure était avancée (voir le tableau de l'heure avancée), il faut soustraire 1 heure, ce qui donne 14 h 25 - 1 h = 13 h 25. Maintenant que nous avons l'heure réelle de naissance, faisons le calcul:

| | | |
|---|---:|---|
| Heure réelle de naissance | 13 h | 25 |
| Temps sidéral (du 24 juin) + | 18 h | 06 |
| Total | 31 h | 31 |

Comme le nombre des heures est supérieur à 24, nous sous-trayons 24 heures à 31 h 31, ce qui donne :

$$
\begin{array}{r}
31 \text{ h } 31 \\
- \ 24 \text{ h } 00 \\
\hline
7 \text{ h } 31
\end{array}
$$

En consultant la **Table des ascendants** (en page 56), on voit bien que l'ascendant de cette personne est Balance.

### Faites vous-même vos calculs

1.  Inscrivez votre heure de naissance           \_\_\_\_ h \_\_\_\_
    (en système de 0 à 24 heures).

2.  Enlevez 1 heure,                                      (- 1 heure)
    mais seulement si vous êtes né
    en période d'heure avancée.        =   \_\_\_\_ h \_\_\_\_

### Cela vous donne votre heure de naissance réelle

3.  Inscrivez le temps sidéral qui
    correspond à votre jour de naissance.   +   \_\_\_\_ h \_\_\_\_

4.  Additionnez les deux lignes
    précédentes.                              =   \_\_\_\_ h \_\_\_\_

5.  Si le nombre des minutes dépasse 60,
    enlevez 60 minutes et ajoutez 1 heure ;
    sinon, laissez tel quel.

    Si le nombre des heures dépasse 24,
    enlevez 24 heures ; sinon, laissez tel quel.

### Vous obtenez           \_\_\_\_ h \_\_\_\_

**Maintenant, consultez
la Table des ascendants et trouvez le vôtre.**

## Temps sidéral
Du 1<sup>er</sup> janvier au 30 juin

| JOUR | JANV. | FÉV. | MARS | AVRIL | MAI | JUIN |
|------|-------|------|------|-------|-----|------|
| 1 | 6 h 36 | 8 h 38 | 10 h 33 | 12 h 36 | 14 h 33 | 16 h 36 |
| 2 | 6 h 40 | 8 h 42 | 10 h 37 | 12 h 40 | 14 h 37 | 16 h 40 |
| 3 | 6 h 44 | 8 h 46 | 10 h 40 | 12 h 44 | 14 h 41 | 16 h 43 |
| 4 | 6 h 48 | 8 h 50 | 10 h 44 | 12 h 48 | 14 h 45 | 16 h 47 |
| 5 | 6 h 52 | 8 h 54 | 10 h 48 | 12 h 52 | 14 h 49 | 16 h 51 |
| 6 | 6 h 56 | 8 h 58 | 10 h 52 | 12 h 55 | 14 h 53 | 16 h 55 |
| 7 | 7 h 00 | 9 h 02 | 10 h 56 | 12 h 58 | 14 h 57 | 16 h 59 |
| 8 | 7 h 04 | 9 h 06 | 11 h 00 | 13 h 02 | 15 h 01 | 17 h 03 |
| 9 | 7 h 08 | 9 h 10 | 11 h 04 | 13 h 06 | 15 h 05 | 17 h 07 |
| 10 | 7 h 12 | 9 h 14 | 11 h 08 | 13 h 10 | 15 h 09 | 17 h 11 |
| 11 | 7 h 15 | 9 h 18 | 11 h 12 | 13 h 14 | 15 h 13 | 17 h 15 |
| 12 | 7 h 19 | 9 h 22 | 11 h 16 | 13 h 18 | 15 h 17 | 17 h 19 |
| 13 | 7 h 23 | 9 h 26 | 11 h 20 | 13 h 22 | 15 h 21 | 17 h 23 |
| 14 | 7 h 27 | 9 h 30 | 11 h 24 | 13 h 26 | 15 h 24 | 17 h 27 |
| 15 | 7 h 31 | 9 h 33 | 11 h 28 | 13 h 30 | 15 h 28 | 17 h 31 |
| 16 | 7 h 35 | 9 h 37 | 11 h 32 | 13 h 34 | 15 h 32 | 17 h 34 |
| 17 | 7 h 39 | 9 h 41 | 11 h 36 | 13 h 38 | 15 h 36 | 17 h 38 |
| 18 | 7 h 43 | 9 h 45 | 11 h 40 | 13 h 42 | 15 h 40 | 17 h 42 |
| 19 | 7 h 47 | 9 h 49 | 11 h 44 | 13 h 46 | 15 h 44 | 17 h 46 |
| 20 | 7 h 51 | 9 h 53 | 11 h 48 | 13 h 50 | 15 h 48 | 17 h 50 |
| 21 | 7 h 55 | 9 h 57 | 11 h 52 | 13 h 54 | 15 h 52 | 17 h 54 |
| 22 | 7 h 59 | 10 h 01 | 11 h 55 | 13 h 58 | 15 h 56 | 17 h 58 |
| 23 | 8 h 03 | 10 h 05 | 11 h 58 | 14 h 02 | 16 h 00 | 18 h 02 |
| 24 | 8 h 07 | 10 h 09 | 12 h 02 | 14 h 06 | 16 h 04 | 18 h 06 |
| 25 | 8 h 11 | 10 h 13 | 12 h 06 | 14 h 10 | 16 h 08 | 18 h 10 |
| 26 | 8 h 15 | 10 h 17 | 12 h 10 | 14 h 14 | 16 h 12 | 18 h 14 |
| 27 | 8 h 19 | 10 h 21 | 12 h 14 | 14 h 18 | 16 h 16 | 18 h 18 |
| 28 | 8 h 23 | 10 h 25 | 12 h 18 | 14 h 22 | 16 h 20 | 18 h 22 |
| 29 | 8 h 26 | 10 h 29 | 12 h 22 | 14 h 26 | 16 h 24 | 18 h 26 |
| 30 | 8 h 30 | | 12 h 26 | 14 h 29 | 16 h 28 | 18 h 30 |
| 31 | 8 h 34 | | 12 h 30 | | 16 h 32 | |

| JOUR | JUIL. | AOÛT | SEPT. | OCT. | NOV. | DÉC. |
|------|-------|------|-------|------|------|------|
| 1 | 18 h 34 | 20 h 37 | 22 h 39 | 0 h 37 | 2 h 39 | 4 h 38 |
| 2 | 18 h 38 | 20 h 41 | 22 h 43 | 0 h 41 | 2 h 43 | 4 h 42 |
| 3 | 18 h 42 | 20 h 45 | 22 h 47 | 0 h 45 | 2 h 47 | 4 h 46 |
| 4 | 18 h 46 | 20 h 49 | 22 h 51 | 0 h 49 | 2 h 51 | 4 h 50 |
| 5 | 18 h 50 | 20 h 53 | 22 h 55 | 0 h 53 | 2 h 55 | 4 h 54 |
| 6 | 18 h 54 | 20 h 57 | 22 h 59 | 0 h 57 | 2 h 59 | 4 h 57 |
| 7 | 18 h 58 | 21 h 00 | 23 h 03 | 1 h 01 | 3 h 03 | 5 h 01 |
| 8 | 19 h 02 | 21 h 04 | 23 h 07 | 1 h 05 | 3 h 07 | 5 h 05 |
| 9 | 19 h 06 | 21 h 08 | 23 h 11 | 1 h 09 | 3 h 11 | 5 h 09 |
| 10 | 19 h 10 | 21 h 12 | 23 h 14 | 1 h 13 | 3 h 15 | 5 h 13 |
| 11 | 19 h 14 | 21 h 16 | 23 h 18 | 1 h 17 | 3 h 19 | 5 h 17 |
| 12 | 19 h 18 | 21 h 20 | 23 h 22 | 1 h 21 | 3 h 23 | 5 h 21 |
| 13 | 19 h 22 | 21 h 24 | 23 h 26 | 1 h 25 | 3 h 27 | 5 h 25 |
| 14 | 19 h 26 | 21 h 28 | 23 h 30 | 1 h 29 | 3 h 31 | 5 h 29 |
| 15 | 19 h 30 | 21 h 32 | 23 h 34 | 1 h 32 | 3 h 35 | 5 h 33 |
| 16 | 19 h 34 | 21 h 36 | 23 h 38 | 1 h 36 | 3 h 39 | 5 h 37 |
| 17 | 19 h 38 | 21 h 40 | 23 h 42 | 1 h 40 | 3 h 43 | 5 h 41 |
| 18 | 19 h 42 | 21 h 44 | 23 h 46 | 1 h 44 | 3 h 47 | 5 h 45 |
| 19 | 19 h 46 | 21 h 48 | 23 h 50 | 1 h 48 | 3 h 50 | 5 h 49 |
| 20 | 19 h 49 | 21 h 52 | 23 h 54 | 1 h 52 | 3 h 54 | 5 h 53 |
| 21 | 19 h 53 | 21 h 56 | 23 h 58 | 1 h 56 | 3 h 58 | 5 h 57 |
| 22 | 19 h 57 | 22 h 00 | 0 h 02 | 2 h 00 | 4 h 02 | 6 h 01 |
| 23 | 20 h 02 | 22 h 04 | 0 h 06 | 2 h 04 | 4 h 06 | 6 h 05 |
| 24 | 20 h 06 | 22 h 08 | 0 h 10 | 2 h 06 | 4 h 10 | 6 h 09 |
| 25 | 20 h 10 | 22 h 12 | 0 h 14 | 2 h 12 | 4 h 14 | 6 h 13 |
| 26 | 20 h 14 | 22 h 16 | 0 h 18 | 2 h 16 | 4 h 18 | 6 h 17 |
| 27 | 20 h 18 | 22 h 20 | 0 h 23 | 2 h 20 | 4 h 22 | 6 h 21 |
| 28 | 20 h 22 | 22 h 24 | 0 h 26 | 2 h 24 | 4 h 26 | 6 h 24 |
| 29 | 20 h 26 | 22 h 27 | 0 h 30 | 2 h 28 | 4 h 30 | 6 h 28 |
| 30 | 20 h 30 | 22 h 31 | 0 h 34 | 2 h 32 | 4 h 34 | 6 h 32 |
| 31 | 20 h 33 | 22 h 35 | | 2 h 36 | | 6 h 36 |

# Table des ascendants

Comparez le total obtenu en additionnant votre heure de naissance réelle et le temps sidéral du jour de votre naissance aux tranches d'heures ci-dessous pour connaître votre ascendant.

| Heures | Ascendants |
|---|---|
| - de 0 h 00 à 0 h 34 | Cancer |
| - de 0 h 35 à 3 h 21 | Lion |
| - de 3 h 22 à 5 h 59 | Vierge |
| - de 6 h 00 à 8 h 40 | Balance |
| - de 8 h 41 à 11 h 18 | Scorpion |
| - de 11 h 19 à 13 h 43 | Sagittaire |
| - de 13 h 44 à 15 h 35 | Capricorne |
| - de 15 h 36 à 16 h 58 | Verseau |
| - de 16 h 59 à 17 h 59 | Poissons |
| - de 18 h 00 à 19 h 04 | Bélier |
| - de 19 h 05 à 20 h 24 | Taureau |
| - de 20 h 25 à 22 h 22 | Gémeaux |
| - de 22 h 23 à 24 h 00 | Cancer |

## Définition des ascendants

**Bélier** : ce signe prédispose à l'impulsivité et même à l'agressivité. Vous êtes franc, mais vous vous faites souvent des ennemis, car votre entourage n'est pas toujours prêt à admettre la vérité. Vous êtes essentiellement un être dynamique ; toutefois, il vous arrive fréquemment de commencer mille et un projets et de n'en terminer aucun. Vos sentiments sont vifs et entiers. Nous devons souligner ici que vous détenez le record des accidents.

**Taureau** : vous êtes tenace, persévérant, mais bien souvent têtu. Vous allez toujours au bout de ce que vous entreprenez. Vous refusez les échecs et vous vous battez jusqu'à la mort pour réussir. L'argent est essentiel à votre bien-être, et vous avez constamment peur d'en manquer. Vous êtes lent à vous attacher, mais vos sentiments sont d'une profondeur et d'une stabilité peu communes. Il est vrai que vous n'êtes pas bavard mais, quand vous parlez, on sait à quoi s'en tenir.

**Gémeaux** : j'ai surnommé cet ascendant « le courant d'air ». Effectivement, vous bougez sans cesse, vous êtes partout à la fois et vous ne voulez rien manquer. C'est d'ailleurs pour cette raison que vous avez tellement tendance à vous éparpiller. Vos réflexes et vos réactions sont très rapides. Vous adorez parler et communiquer ; voilà pourquoi vous êtes si doué pour travailler avec le public. Même si vous parlez beaucoup, vous n'exprimez pas toujours facilement vos sentiments.

**Cancer** : cet ascendant confère une nature très maternelle ou paternelle, selon le cas. Vous avez énormément besoin de vous sentir aimé. Vous dorlotez les vôtres et vous comblez leurs besoins avant même qu'ils ne les aient exprimés. Votre hypersensibilité et votre naïveté vous jouent bien souvent de vilains tours. Pour vous, l'amour, l'amitié et la famille sont sacrés. D'ailleurs, les sentiments sont votre meilleur carburant.

**Lion** : vous êtes le roi des animaux et, effectivement, vous ne détestez pas régner sur votre entourage. Vous n'acceptez pas de passer inaperçu et, finalement, vous avez presque toujours besoin d'un public. Il y a cependant une exception : quand vous êtes triste ou déprimé, vous ne voulez plus voir personne. Vous partagez facilement vos gains et vos succès, mais vous ne voulez aucun témoin de vos chagrins. Assurément, vous êtes doué pour l'administration... et pour le vedettariat.

**Vierge** : cet ascendant rend méthodique, méticuleux, logique et rationnel. Avouons toutefois que vous êtes souvent maniaque des détails, de l'hygiène et de la propreté. On peut vous compter parmi les êtres les plus responsables et les plus dévoués du zodiaque. Malheureusement, vous vous sentez toujours coupable de tout et vous estimez que vous n'en avez jamais assez fait. Votre mémoire est davantage axée sur les mauvais souvenirs que sur les bons. Si je peux me permettre de vous donner un conseil, je vous dirais de moins penser et de mettre plus de fantaisie dans votre vie.

**Balance** : votre charme est incontestable, vous trouvez tout beau et, avec vous, rien n'est jamais totalement négatif. Vous détestez la solitude et vous éprouvez constamment le besoin d'être entouré, que ce soit au travail ou dans votre vie privée. Vous ne pouvez supporter ni le mensonge, ni l'hypocrisie, ni l'injustice. Le seul problème que vous ayez, c'est quand il s'agit de prendre une décision : vous n'en finissez plus de balancer.

**Scorpion** : vous avez bien mauvaise réputation et, pourtant, elle n'est absolument pas fondée. Il n'y a pas de bons ni de mauvais signes ; chacun a ses qualités et ses défauts. Ces rumeurs qui circulent sur votre compte viennent sûrement d'un astrologue qui n'aimait pas les Scorpion ; moi, je vous aime bien. N'oublions pas que vous êtes méfiant et que vous ne laissez pas facilement paraître vos sentiments. Vous êtes un travailleur acharné et votre mémoire est phénoménale. D'ailleurs, ne vous souvenez-vous pas toujours de ce qu'on vous a fait ?

**Sagittaire** : votre indépendance frise souvent les extrêmes. Vous ne voulez rien devoir à personne et vous remettez chaque fois au centuple les faveurs qu'on vous fait. Vous avez la bougeotte, vous ne tenez pas en place et vous adorez voyager. La nature et les animaux vous attirent beaucoup. Un emploi sédentaire ne vous convient pas tellement ; cependant, s'il est question de mouvement au travail, vous serez parfaitement satisfait.

**Capricorne** : vous êtes comme le bon vin, plus vous vieillissez, plus vous prenez de la force et du piquant. Et puisque vous vous bonifiez avec le temps, la deuxième partie de votre vie est toujours bien meilleure que la première. Il est vrai que vous mettez sans cesse les bouchées doubles lorsqu'il s'agit de travail et que vous êtes plutôt perfectionniste. Vous parlez peu et, souvent, votre entourage vous reprochera d'être renfermé et replié sur vous-même.

**Verseau** : vous êtes très humain, mais votre bonté se retourne facilement contre vous. En effet, vous êtes fréquemment victime de profiteurs, de parasites et de faux amis qui abusent carrément de vous. Apprenez à dire non et vous serez gagnant. Vous jugez d'après vous-même et vous êtes constamment déçu. Votre intuition est pourtant surprenante : vous auriez intérêt à vous y fier davantage.

**Poissons** : de tous les signes, vous êtes le plus sensible et le plus vulnérable. Vous vous découragez facilement et vous abandonnez la partie après le premier échec. Par peur de la solitude, vous vous entourez de gens qui vous causent beaucoup plus de chagrin que de joie. Attention ! Vous avez une âme de missionnaire et vous êtes incapable de refuser quoi que ce soit à votre prochain. Les paradis artificiels et les croyances utopiques exercent une forte attraction sur vous.

**IMPORTANT** : Il n'existe pas de signes purs ; ainsi, il est impossible d'être un pur Bélier, un pur Taureau, etc. L'influence de votre ascendant et celle des positions planétaires à votre naissance sont tout aussi importantes. J'ai constaté que l'influence de l'ascendant est de plus en plus forte avec le temps. En vieillissant, c'est l'ascendant qui prédomine et, dans la deuxième partie de la vie, il prend une valeur significative. Toutefois, on compte deux exceptions : l'ascendant Capricorne et l'ascendant Vierge, qui obéissent à la règle inverse.

# Les 12 signes et les 36 décans

| Signe | 1er décan | 2e décan | 3e décan |
|---|---|---|---|
| **Bélier** 21 mars au 20 avril | 21 mars au 31 mars | 1er avril au 10 avril | 11 avril au 20 avril |
| **Taureau** 21 avril au 20 mai | 21 avril au 29 avril | 30 avril au 10 mai | 11 mai au 20 mai |
| **Gémeaux** 21 mai au 21 juin | 21 mai au 1er juin | 2 juin au 11 juin | 12 juin au 21 juin |
| **Cancer** 22 juin au 23 juillet | 22 juin au 1er juillet | 2 juillet au 12 juillet | 13 juillet au 23 juillet |
| **Lion** 24 juillet au 23 août | 24 juillet au 3 août | 4 août au 13 août | 14 août au 23 août |
| **Vierge** 24 août au 23 septembre | 24 août au 3 septembre | 4 septembre au 13 septembre | 14 septembre au 23 septembre |
| **Balance** 24 septembre au 23 octobre | 24 septembre au 3 octobre | 4 octobre au 13 octobre | 14 octobre au 23 octobre |
| **Scorpion** 24 octobre au 22 novembre | 24 octobre au 2 novembre | 3 novembre au 12 novembre | 13 novembre au 22 novembre |
| **Sagittaire** 23 novembre au 20 décembre | 23 novembre au 2 décembre | 3 décembre au 12 décembre | 13 décembre au 20 décembre |
| **Capricorne** 21 décembre au 20 janvier | 21 décembre au 31 décembre | 1er janvier au 10 janvier | 11 janvier au 20 janvier |
| **Verseau** 21 janvier au 19 février | 21 janvier au 31 janvier | 1er février au 10 février | 11 février au 19 février |
| **Poissons** 20 février au 20 mars | 20 février au 29 février | 1er mars au 10 mars | 11 mars au 20 mars |

# LES SUBTILITÉS DE VOTRE DÉCAN

On entend souvent parler des différents décans, et vous connaissez peut-être le vôtre. Pourtant, la plupart des gens ne savent pas trop ce que c'est ni à quoi cela correspond. Vous avez dû constater que les natifs de votre signe sont loin d'être tous comme vous. En fait, chaque décan a une influence bien particulière et renseigne sur votre personnalité, mais aussi sur vos tendances, vos goûts et vos besoins. Dans les lignes qui suivent, signe par signe, vous trouverez quelle est l'influence du décan et comment il touche votre façon d'être.

## Bélier (du 21 mars au 20 avril)

*Ce que vous avez en commun avec les autres natifs de votre signe*

Vous êtes actif et dynamique, vous avez constamment quelque chose en tête et, comme vous n'aimez pas attendre, vous allez droit au but. Ardent, compétitif, vous êtes très stimulé par les défis, ce qui vous pousse à commencer un tas de choses ; pourtant, lorsque ça démarre, votre motivation baisse, et vous vous attaquez à un autre projet. Franc mais brusque, vous dites tout ce que vous pensez, ce qui crée parfois des frictions. Vous ne supportez pas la contrariété, vous piquez des colères terribles, mais vous n'êtes pas rancunier pour deux sous. En amour, vous êtes fougueux : c'est la passion et rien d'autre qui vous attire.

*Quelle sorte de Bélier êtes-vous ?*

- **Bélier du 1er décan** (du 21 au 31 mars)

Votre vitalité est incroyable, vous êtes une vraie dynamo. Vous vous sentez vivre lorsque vous êtes dans le feu de l'action, vous avez donc tout le temps besoin de bouger, d'accomplir quelque chose. Les obstacles ne vous font pas peur, vous avez même tendance à les oublier, ce qui joue parfois contre vous, dans les questions matérielles notamment. Rapide en tout, vous ne supportez pas qu'on vous fasse attendre : sur la route, vous faites des excès, ce qui peut vous occasionner accidents et contraventions. Leader de nature, vous avez tendance à diriger les gens autour de vous : les collègues, parfois même les supérieurs. Vous contrôlez, vous donnez des ordres, mais n'aimez pas en recevoir.

• **Bélier du 2e décan** (du 1er au 10 avril)

Décidément, on vous remarque de loin ! Vous avez une personnalité éclatante, vous aimez les vêtements luxueux, le beau : vous attachez une grande importance à votre image. Pour vous, réussir est la priorité : vous vous arrangez pour y arriver, vous gardez votre direction. Votre attitude reflète la confiance, ce qui vous aide beaucoup sur le plan professionnel. Dans votre petit univers comme dans votre bande d'amis, c'est vous le roi, pourtant vous êtes très généreux avec ceux qui vous entourent. Vous êtes droit et fier de nature, mais vous ne pardonnez pas lorsqu'on vous critique ou qu'on vous met en boîte.

• **Bélier du 3e décan** (du 11 au 20 avril)

Vous êtes le plus affectueux des Bélier. Vous bouillonnez d'énergie, mais vous avez un peu de mal à prendre des décisions et fonctionnez mieux en équipe que seul. Les tensions interpersonnelles et la chicane vous indisposent au plus haut point ; heureusement, votre sens de la diplomatie vous permet d'éviter bien des affrontements. Vous êtes fort habile sur le plan humain, ce qui vous aide à atteindre vos buts. Votre vie sociale est remplie, mais le centre de votre existence, ce sont vos amours. Votre couple est très important pour vous, vous êtes passionné, aimant, mais vos attentes ne sont pas toujours réalistes.

## Taureau (du 21 avril au 20 mai)

*Ce que vous avez en commun avec les autres natifs de votre signe*

Votre sens pratique est incroyable. Déterminé et travailleur, vous atteignez presque toujours les buts que vous vous êtes fixés. Vous êtes prudent, vous pesez le pour et le contre avant de vous décider, mais une fois que votre idée est faite, vous n'en changez plus. Il faut dire que vous êtes un peu anxieux, que les changements et les risques ne vous plaisent pas du tout. Un brin casanier, vous appréciez la nature, le calme et les bonnes choses de la vie. Sur le plan interpersonnel, vous êtes plutôt timide, mais en amour comme en amitié, vous êtes fidèle et loyal.

*Quelle sorte de Taureau êtes-vous ?*

- **Taureau du 1er décan** (du 21 au 29 avril)

De tous les Taureau, c'est vous le plus rapide et le plus curieux. Votre esprit est vif, votre sens du commerce, incroyable. Vous ne perdez jamais vos intérêts de vue. Vous êtes très communicatif, vous parlez beaucoup (quoique vous soyez assez discret sur vous-même), vous savez vous attirer des sympathies, surtout vous avez le don de convaincre les autres. En affaires, vous jouez habilement vos cartes, vous réussissez toujours à obtenir l'aide ou les faveurs nécessaires pour atteindre vos buts. Assez mondain, vous aimez les sorties, rencontrer du monde : vous connaissez bien des gens, mais ce sont davantage des relations sociales que de vrais amis.

- **Taureau du 2e décan** (du 30 avril au 10 mai)

Vous avez le sens de la famille, vous misez beaucoup sur votre petit monde, vous faites de gros efforts pour votre partenaire et vos enfants. Même avec vos amis, vous êtes un papa gâteau ou une maman poule. Plutôt inquiet de nature, vous vous tracassez pour ceux que vous aimez, vous cherchez constamment à les protéger. Généreux, hospitalier, vous aimez recevoir et gâter ceux qui sont à votre table. On vous apprécie beaucoup et avec raison. Assez rêveur par moments, vous avez de fortes émotions et une grande sensibilité.

- **Taureau du 3e décan** (du 11 au 20 mai)

Vous avez le sens pratique, le tangible est très important pour vous. Sage, prévoyant, vous prenez votre temps, ce qui vous évite bien des erreurs, en affaires notamment. Assez matérialiste, vous êtes fort avisé dans les questions d'argent et vous pensez à long terme ; vous gardez de petites réserves en cas de besoin, et votre compte en banque est certainement plus rondelet que vous ne le dites. Avec les autres, vous êtes discret, vous parlez peu, pourtant vos gestes en disent long et l'on peut toujours compter sur vous.

## Gémeaux (du 21 mai au 21 juin)

*Ce que vous avez en commun avec les autres natifs de votre signe*

Votre intelligence est remarquable, votre esprit aussi. Curieux, vous vous intéressez à un tas de choses, vous allez spontanément vers les gens, vous nouez des amitiés, voire des flirts, mais vous êtes un peu changeant, et ce qui vous intéresse un jour peut vous ennuyer le lendemain. Intellectuel, brillant, vous avez presque toujours le dernier mot. Vos champs d'intérêt sont variés, vous connaissez un tas de choses, quoique pas toujours en profondeur. Très mondain, vous raffolez des sorties, des réunions sociales. Vous êtes constamment « sur la trotte ».

*Quelle sorte de Gémeaux êtes-vous ?*

- **Gémeaux du 1er décan** (du 21 mai au 1er juin)

La réussite compte beaucoup à vos yeux, vous appréciez les belles choses, vous avez des goûts luxueux, et vous savez que cela prend des sous pour vous les offrir. Vous aimez bien être le centre d'attraction, être admiré, et vous misez beaucoup sur la réussite professionnelle ou sociale. Communicatif et plein d'entrain, vous avez le talent d'aller chercher les appuis ou les faveurs et, en affaires, vous possédez un flair incroyable. Vous avez donc toutes les chances de finir vos jours bien à l'aise.

- **Gémeaux du 2e décan** (du 2 au 11 juin)

Vous êtes pétillant, vous aimez bouger, vous avez toujours envie de faire quelque chose, de vous investir dans un projet. Que ce soit dans vos loisirs ou sur le plan professionnel, votre esprit compétitif vous pousse constamment à vous surpasser. Démonstratif, franc, vous n'avez pas peur de dire ce que vous pensez, même si cela peut blesser vos interlocuteurs. Vous êtes très chaleureux, vous prenez les devants dans votre groupe d'amis, d'ailleurs vous ne supportez pas qu'on vous contredise. En amour, quand vous voulez quelque chose, rien ne peut vous arrêter.

- **Gémeaux du 3e décan** (du 12 au 21 juin)

Quelle vedette vous êtes ! Que ce soit dans votre cercle d'amis ou avec des inconnus, on apprécie votre esprit, votre humour et votre intelligence. Vous rayonnez sur votre entourage, vous ne dérogez jamais à votre sens des valeurs. Confiant, vous aimez bien qu'on remarque votre intelligence, votre humour, votre allure ; vous prenez spontanément la première place, que ce soit dans votre milieu de travail, dans votre groupe d'amis ou dans votre couple. Très mondain, hyper séduisant, vous avez le don de charmer les gens, et l'on ne vous résiste pas longtemps. Comédien-né, confiant, voire un brin snob, vous ne passez pas inaperçu.

# Cancer (du 22 juin au 23 juillet)

*Ce que vous avez en commun avec les autres natifs de votre signe*

Vous êtes né sous le signe des émotions et de la famille : vous êtes donc sensible, fragile, même si vous vous faites une carapace en société. Doux, affectueux, un peu rêveur, vous avez du mal à supporter qu'il y ait de la chicane autour de vous. Votre petite famille est le centre de votre vie ; vous adorez votre conjoint, vos enfants. Généreux, accueillant, vous êtes bien chez vous, entouré des vieux copains et des vôtres. Vous avez une nature d'artiste et une très grande créativité.

*Quelle sorte de Cancer êtes-vous ?*

- **Cancer du 1er décan** (du 22 juin au 1er juillet)

Vous avez soif d'harmonie et de tendresse, vous êtes un grand romantique, mais vous avez beaucoup de mal à passer aux actes, à faire des choix. Être bien entouré est essentiel à votre équilibre ; vous avez besoin de rapports agréables avec les gens. La dispute et l'injustice vous horripilent. Votre gentillesse et votre charme font qu'on vous apprécie, mais vous avez souvent du mal à vous affirmer par peur des conflits. La vie sentimentale est très importante à vos yeux, vous rêvez tellement d'aimer et d'être aimé.

- **Cancer du 2e décan** (du 2 au 12 juillet)

Quel esprit vous avez ! Très communicatif, vous éprouvez de fortes émotions, mais vous dites ce que vous ressentez, vous exprimez vos opinions, vous faites valoir vos arguments avec brio. Votre vie sociale est bien remplie ; vous avez de nombreuses activités, un tas d'amis et vous vous déplacez beaucoup. Indépendant de nature, même si vous adorez votre conjoint, vous aimez bien avoir vos propres occupations, vos relations, votre métier... et surtout votre propre compte en banque.

- **Cancer du 3e décan** (du 13 au 23 juillet)

Votre sensibilité est vraiment à fleur de peau. Très généreux, toujours aux aguets, vous cherchez à faire plaisir à votre petit monde, à dorloter ceux que vous aimez et à les protéger, car vous êtes un peu inquiet de nature. Hyper-maternel ou paternel, vous en faites beaucoup pour les vôtres, peut-être trop même ; vous avez du mal à établir vos limites, à dire non. Vous changez constamment d'humeur, d'idée : prendre des décisions est parfois un tour de force pour vous. Par bonheur, vous êtes très souple et vous vous adaptez bien aux circonstances.

# Lion (du 24 juillet au 23 août)

*Ce que vous avez en commun avec les autres natifs de votre signe*

Vous avez une personnalité forte, vous vous affirmez, que ce soit parmi vos intimes ou avec des inconnus. Sûr de vous, vous consacrez énormément d'énergie à gravir des échelons, vous voulez réussir tant sur le plan social que financier. Tout semble facile pour vous, et pourtant vous y mettez beaucoup d'efforts. On vous remarque, on vous estime, et cela fait parfois l'envie de certaines personnes de votre entourage. Vous êtes d'une très grande générosité et vous avez horreur de l'hypocrisie. En amour, vous donnez sans compter, mais vous exigez beaucoup aussi.

*Quelle sorte de Lion êtes-vous ?*

- **Lion du 1ᵉʳ décan** (du 24 juillet au 3 août)

Vous êtes le plus sage, mais aussi le plus ambitieux des Lion. Vous êtes responsable, sérieux. Votre diplomatie et votre sens politique servent vos intérêts. Vous êtes habile avec les gens, vous pouvez même les manipuler au besoin. Côté sous, vous êtes très prévoyant, vous misez sur le solide, sur le long terme, et cela finit chaque fois par rapporter. Perfectionniste, malgré vos réalisations, vous voulez toujours faire plus, faire mieux. En amour et sur le plan personnel, vous êtes entier, stable, mais il faut que le partenaire soit à la hauteur.

- **Lion du 2ᵉ décan** (du 4 au 13 août)

On vous remarque de loin, vous êtes tellement flamboyant ! Votre optimisme fait plaisir à voir. Confiant, chef-né, vous prenez des initiatives, vous donnez forme à vos projets. Même en affaires, le risque ne vous fait pas peur ; généralement, cela vous avantage, mais il ne faut pas sous-estimer les difficultés ou donner votre confiance trop facilement. En général, c'est seul que vous maximiserez vos chances de réussite. Vous régnez dans votre milieu de travail, dans votre cercle d'amis, à la maison et aussi en amour.

- **Lion du 3ᵉ décan** (du 14 au 23 août)

Vous êtes le plus intrépide des Lion, vous avez une énergie prodigieuse, rien ne vous arrête ni ne vous résiste. Les défis ne vous font pas peur ; vous surmontez les obstacles, mais quelquefois vous allez trop vite, ce qui vous expose à des erreurs coûteuses. Une bonne planification vous permettrait d'atteindre plus rapidement vos objectifs ambitieux. Vous êtes très entier en amour comme en amitié. Vous êtes franc, direct, quoique parfois un peu trop contrôlant avec votre entourage. Laissez davantage de place aux autres, vos rapports humains n'en seront que plus agréables.

## Vierge (du 24 août au 23 septembre)

*Ce que vous avez en commun avec les autres natifs de votre signe*

Vous avez soif de perfection. Votre intelligence est vive ; vous raisonnez beaucoup, un peu trop même. Pratique, minutieux, vous êtes prévoyant, et ce, dans toutes les sphères de votre vie. Travailleur, assidu, responsable, sans faire de bruit vous faites votre chemin. Souvent d'ailleurs votre timidité vous empêche de prendre vraiment le crédit de vos réalisations. Avec votre entourage, vous avez peur de déplaire, de faire de la peine ; cela fait en sorte que vous n'arrivez pas toujours à imposer des limites. Votre sens du dévouement est remarquable.

*Quelle sorte de Vierge êtes-vous ?*

- **Vierge du 1er décan** (du 24 août au 3 septembre)

Très logique, vous raisonnez bien, vous savez faire passer vos opinions, vos idées sans qu'on s'en rende compte. Votre entourage se fie largement à votre jugement. Votre bon sens et votre esprit constructif peuvent vous mener très loin, d'ailleurs vous êtes un excellent administrateur. Économe, prudent, vous réussissez à vous imposer sur le plan professionnel et à avoir un compte en banque bien garni. Vos amis sont peu nombreux, mais leur fidélité est à toute épreuve. En amour, vous savez ce que vous voulez : très entier, vous vous investissez beaucoup dans votre couple.

- **Vierge du 2e décan** (du 4 au 13 septembre)

Vous êtes le plus affectueux des Vierge. Sur le plan professionnel, vous êtes travailleur, organisé, mais vous manquez un peu d'initiative. Tranquille, discret, vous avez soif de romantisme et vous rêvez de l'Amour parfait. Conciliant, vous faites beaucoup de compromis et d'efforts pour que tout aille bien dans votre couple. Vous avez même tendance à esquiver les discussions tant vous avez peur de la chicane ; pourtant certaines sont nécessaires. Avec les années, vous vous affirmerez davantage, ce qui sera pour le mieux.

- **Vierge du 3e décan** (du 14 au 23 septembre)

Que vous êtes sociable ! Vous recherchez les contacts humains, vous raffolez des sorties et des réceptions, vous faites bonne impression sur les gens que vous croisez. Votre logique est brillante ; vous avez un sens de l'humour bien à vous. Dans vos activités, on apprécie votre sens critique, votre esprit d'équipe et votre efficacité. Habile communicateur, vous avez la bosse du commerce et gardez toujours vos intérêts en tête. Le renouveau vous stimule, et vous avez certainement une allure beaucoup plus jeune que votre âge.

## Balance (du 24 septembre au 23 octobre)

*Ce que vous avez en commun avec les autres natifs de votre signe*

Votre désir de plaire vous ouvre bien des portes ! Votre gentillesse et votre côté humain charment ceux que vous rencontrez. Positif, sociable, vous aimez beaucoup les rapports interpersonnels. Vous appréciez les arts, la beauté, l'harmonie ; d'ailleurs la chicane vous déplaît tellement que, parfois, vous avez du mal à vous affirmer. Votre sens de la justice est marqué ; à vrai dire, vous recherchez la perfection en tout, ce qui vous rend par moments indécis, hésitant. Vous êtes hyper-romantique, et l'amour occupe une place très importante dans votre cœur. La solitude vous fait peur, une vie à deux agréable et sereine est donc essentielle à votre bonheur.

*Quelle sorte de Balance êtes-vous ?*

- **Balance du 1er décan** (du 24 septembre au 3 octobre)

Vous êtes d'une sensibilité extrême ; c'est vous le plus tendre des Balance. Imaginatif, romanesque, vous êtes constamment à la recherche du partenaire idéal. Cela peut même vous empêcher de vous engager avec un être en chair et en os. C'est dommage, car vous avez vraiment soif d'amour et de tendresse. Vous avez des attentions délicieuses pour ceux qui vous entourent, vous cherchez à faire plaisir à tous ; cela fait en sorte que vous hésitez à établir vos limites, à dire non. Sur le plan professionnel, vous avez une grande créativité et beaucoup de potentiel, mais vous manquez d'initiative et vous attendez trop, ce qui peut parfois retarder vos réalisations.

- **Balance du 2e décan** (du 4 au 13 octobre)

Vous êtes le plus sage et le plus sérieux des Balance. Idéaliste, vous recherchez sans cesse la perfection. Cela fait en sorte que vous avez toujours peur de commettre des erreurs. Vous cherchez toujours à en faire plus, à vous surpasser. Dans les questions financières, vous

vous trompez rarement; économe, vous misez sur le long terme, vous finissez invariablement par atteindre vos objectifs matériels. Sur le plan affectif, vous avez soif de stabilité; vous n'êtes pas très démonstratif, pourtant vos actes parlent pour vous. Vous êtes tendre, fidèle et dévoué. Vous vous investissez pleinement dans votre vie intime et, avec le temps, vous trouverez le bonheur dont vous rêvez.

- **Balance du 3e décan** (du 14 au 23 octobre)

Vous avez une personnalité expansive, vous prenez votre place, vous vous affirmez. Optimiste, vous avez des goûts artistiques, vous appréciez les belles choses, le luxe, et vous dépensez sans compter. Heureusement que vous avez des aptitudes pour gagner de l'argent! Votre tact et votre diplomatie vous aident sur le plan professionnel, vous permettent de trouver des appuis. Vous aimez la vie mondaine, les rencontres, les belles sorties: vous avez beaucoup de charme et vous en êtes conscient. Pourtant, lorsque vous aimez, vous devenez très stable, très aimant et vous déployez nombre d'efforts pour que votre couple fonctionne.

## Scorpion (du 24 octobre au 22 novembre)

*Ce que vous avez en commun avec les autres natifs de votre signe*

Vous avez un charme énigmatique qui fait tourner bien des têtes. Votre charisme est fort, mais les gens ne savent pas trop comment réagir avec vous. Vous êtes passionné, entier et vous ne faites aucune concession. Émotif, vous vous cachez sous une carapace, vous testez les gens. Vous devinez même ce qu'ils ont derrière la tête. Vous avez une mémoire d'éléphant, vous ressassez longtemps ce qu'on vous a fait. Vous êtes déterminé, volontaire et très tenace; lorsque vous voulez quelque chose, aucune difficulté ne vous rebute. Pas surprenant qu'on vous trouve un peu mystérieux.

*Quelle sorte de Scorpion êtes-vous?*

- **Scorpion du 1er décan** (du 24 octobre au 2 novembre)

Quel caractère! Quand vous vous fâchez, ce n'est pas drôle. Vous savez ce que vous voulez, vous n'avez pas peur des affrontements, vous dites ce que vous pensez. Vos sentiments sont d'une intensité incroyable, que ce soit l'amour ou la haine. Dans vos occupations, les défis vous stimulent. Vous déployez une telle volonté que vous surmontez les obstacles, celle-ci est étonnante. Vous avez toutefois peu de vrais amis. Sur le plan intime, vous recherchez la passion : vous êtes impulsif, ardent, mais jaloux avec ceux que vous aimez.

• **Scorpion du 2ᵉ décan** (du 3 au 12 novembre)

Vous avez une personnalité très «magnétique». Même si vous ne vous en rendez pas compte, vous faites tourner les têtes. Vous êtes très généreux avec votre entourage, vos proches notamment, mais vous ne supportez pas qu'on essaie d'abuser de vous ou qu'on vous mente. En amour, vous donnez sans compter, mais vous êtes possessif : la fidélité est très importante à vos yeux. Vous avez du flair en affaires. Intense dans tout ce que vous faites, vous vous engagez beaucoup dans vos activités professionnelles, vous planifiez, vous savez utiliser les gens qui vous entourent ; vous avez donc tous les atouts pour atteindre les plus hautes sphères.

• **Scorpion du 3ᵉ décan** (du 13 au 22 novembre)

Vous êtes le plus doux et le plus sociable des Scorpion. Très sensible, vous placez votre vie intime au centre de votre existence : vous savez faire naître et entretenir la passion dans votre couple. Les sacrifices ne vous font pas peur lorsqu'il s'agit de faire plaisir à ceux que vous aimez. Perspicace, vous devinez tout. Votre intuition est phénoménale et vous permet de découvrir ce qu'on voulait vous cacher. Côté carrière, vous savez vous faire aimer et apprécier de vos collaborateurs, et vous utilisez votre pouvoir de séduction. En société, vous êtes aimable, charmant en apparence, quoique toujours un peu sur vos gardes. Fin observateur, vous voyez tout.

## Sagittaire (du 23 novembre au 20 décembre)

*Ce que vous avez en commun avec les autres natifs de votre signe*

Quel entrain vous avez ! Vous êtes confiant, positif, vous bougez sans cesse. Ouvert à tout, aux autres cultures, aux gens, vous êtes toujours bien entouré. Très indépendant, vous dites ce que vous pensez, vous ne supportez pas qu'on vous empêche d'agir ; conseils et contraintes vous font horreur, en ce qui concerne vos finances notamment. Le renouveau vous stimule, d'ailleurs vous rêvez constamment de voyages, de nouvelles activités ; vous appréciez beaucoup les plaisirs, la bonne bouffe. Sur le plan sentimental, vous êtes fougueux, passionné, mais vous tenez à votre autonomie.

*Quelle sorte de Sagittaire êtes-vous ?*

- **Sagittaire du 1er décan** (du 23 novembre au 2 décembre)

Vous êtes le plus communicatif et le plus spirituel des Sagittaire. Enjoué, amusant, vous parlez beaucoup, vous vous faites spontanément des amis, mais vous en changez souvent. En fait, vous êtes tellement changeant qu'on a du mal à vous suivre. Cela ne vous empêche pas d'avoir du plaisir en société, de vous faire remarquer. Vos sentiments sont vifs quoique pas toujours profonds. Très doué pour les affaires ou le commerce, vous avez une grande aptitude à gagner des sous, mais vous dépensez libéralement ; avec vous, l'argent roule, et étrangement vous vous en sortez chaque fois brillamment.

- **Sagittaire du 2e décan** (du 3 au 12 décembre)

C'est vous le plus sensible et le plus affectueux des Sagittaire. Vous avez une énergie incroyable quoique fluctuante : tantôt vous déplacez des montagnes, tantôt vous restez passif, sans bouger. Les gens vous stimulent. Vous adorez les déplacements, les sorties, les voyages, en fait vous seriez toujours prêt à partir. Recevant, hospitalier, votre maison est continuellement pleine de monde, et votre table, bien garnie. Votre petite famille est très importante pour vous ; vous adorez votre conjoint et vos enfants.

- **Sagittaire du 3e décan** (du 13 au 20 décembre)

De tous les Sagittaire, c'est vous le plus stable, le plus raisonnable. Vous misez sur l'avenir, vous avez des idées constructives et la ténacité nécessaire pour les mettre à exécution. Dans les questions d'argent, vous calculez tout, vous finissez toujours par tirer avantage de toutes les situations. Tant mieux parce que vous appréciez les bonnes choses, les plaisirs, les voyages, et cela prend des sous. Votre indépendance financière vous est essentielle ; vous mettez beaucoup d'efforts pour réussir sur le plan professionnel et, tôt ou tard, vous y arriverez. Socialement, vous êtes chaleureux, plein d'entrain, pourtant vous gardez une certaine réserve. Vous savez ce que vous voulez. Avec votre petit monde et votre partenaire, votre loyauté ne fait aucun doute.

## Capricorne (du 21 décembre au 20 janvier)

*Ce que vous avez en commun avec les autres natifs de votre signe*

Sans faire de bruit, vous finissez toujours par atteindre vos objectifs. Très jeune, vous étiez déjà sage, mûr et intelligent. Votre ténacité et votre détermination vous permettent d'atteindre vos buts, lentement mais sûrement. Prévoyant, vous mettez beaucoup de cœur dans ce que vous faites, et vos résultats sont spectaculaires, sur le plan matériel notamment. Le temps travaille pour vous et vous finirez vos jours à l'abri du besoin. Vous êtes pourtant bien discret, timide même, mais très stable, tant en amitié qu'en amour. Vos proches savent qu'ils peuvent vraiment compter sur vous. Étrangement, vous rajeunissez avec les ans.

*Quelle sorte de Capricorne êtes-vous ?*

- **Capricorne du 1er décan** (du 21 au 31 décembre)

Vous êtes enthousiaste, votre optimisme fait plaisir à voir. Capable de vous vendre, de faire passer vos idées, vous travaillez fort pour atteindre le succès professionnel et financier. Avec le temps, vous dépassez même vos objectifs, et un certain facteur chance peut vous avantager épisodiquement. Votre sens des valeurs est fort, vous respectez l'ordre, les traditions, et vous avez la faculté de trouver des gens qui vous aident à réaliser vos projets. Vous aimez les plaisirs de la vie, mais avec modération. Sur le plan interpersonnel, vous êtes enjoué, affectueux et stable.

- **Capricorne du 2e décan** (du 1er au 10 janvier)

Vous êtes le plus énergique des Capricorne, le plus pétillant. Votre tête est pleine de projets, d'idées, et en même temps vous avez tout ce qu'il faut pour les mener à terme. Vous ne perdez pas une minute, les défis vous stimulent, et vous êtes d'ailleurs plutôt compétitif : cela vous permet de vous hisser assez haut dans votre sphère d'activité. En finances, vous prenez des risques bien calculés, ce qui sert vos intérêts. Malgré votre diplomatie naturelle, vous n'hésitez pas à affirmer vos idées. Sur le plan affectif, vous êtes ardent, intense, mais vous misez sur la stabilité et le long terme.

- **Capricorne du 3e décan** (du 11 au 20 janvier)

Bien des têtes se retournent sur votre passage, et cela ne vous déplaît pas. Votre bon goût vous permet d'apprécier les belles choses, les objets luxueux, mais vous demeurez discret. Cela fait en sorte qu'on vous trouve parfois un peu froid. Vous faites nombre d'efforts pour que les gens qui vous entourent soient heureux, vous êtes exceptionnellement loyal dans vos affections. À la fois ambitieux et déterminé, vous finirez par connaître la réussite tant sociale que matérielle : les deux comptent beaucoup à vos yeux. En fait, vous finissez toujours par atteindre vos buts, si élevés soient-ils.

## Verseau (du 21 janvier au 19 février)

*Ce que vous avez en commun avec les autres natifs de votre signe*

Il n'y a pas à dire, vous êtes quelqu'un d'original, vous avez vos idées, vos valeurs bien à vous, et cela ne vous dérange pas de choquer les bien-pensants. Avant-gardiste, un brin artiste, vous avez une allure qu'on remarque. Vous appréciez le changement, les technologies de pointe. Vous avez des éclairs de génie, mais côté pratique vous ne faites pas preuve d'assiduité, vous remettez à plus tard, ce qui vous empêche de donner forme à vos projets. Dans les questions de sous, vous manquez de persévérance. Les contacts humains comptent beaucoup pour vous, vos amis passent avant tout. Côté cœur, vous êtes fougueux mais un peu volage : chose certaine, les conventions, ce n'est pas pour vous.

*Quelle sorte de Verseau êtes-vous ?*

- **Verseau du 1er décan** (du 21 au 31 janvier)

Vous êtes un rêveur, vous idéalisez l'amour, vous cherchez le conjoint idéal, l'âme sœur. Vos attentes ne sont pas toujours réalistes. Cela vous fait papillonner d'un partenaire à l'autre, jusqu'au jour où vous comprenez que la perfection n'existe pas. Hypersociable, vous adorez rencontrer des gens, vous vous faites des amis de toutes sortes ; ceux que vous côtoyez apprécient beaucoup vos qualités humaines. Côté carrière, vous êtes créatif, vous avez de bonnes idées, quoique la ténacité vous fasse parfois défaut.

- **Verseau du 2e décan** (du 1er au 10 février)

Vous êtes le plus intellectuel et le plus vif des Verseau. Vous comprenez rapidement les concepts et les théories, vous donnez l'impression de tout savoir, vous êtes dangereusement convaincant. Vous avez soif d'apprendre, il y a constamment de nouveaux champs d'intérêt qui vous stimulent. En affaires, vous avez le sens de l'opportunité et vous jouez bien vos cartes. Votre vie sociale est trépidante, votre réseau social s'élargit sans cesse, toutefois vos relations interpersonnelles demeurent souvent un brin superficielles.

- **Verseau du 3ᵉ décan** (du 11 au 19 février)

Votre sensibilité est grande, vos émotions vous gouvernent toujours. Sur le plan intime, vous êtes plein d'amour pour votre conjoint, pour vos enfants, pourtant vos relations avec eux sont loin d'être traditionnelles : c'est la complicité qui compte pour vous. Très sociable, vous adorez rencontrer des gens, vous êtes sensible aux ambiances, vous ressentez les problèmes des autres avec beaucoup d'intensité, un peu trop même. Généreux, accueillant, vous rêvez de vous engager socialement, d'être utile dans votre milieu.

## Poissons (du 20 février au 20 mars)

*Ce que vous avez en commun avec les autres natifs de votre signe*

Vous vivez au rythme de vos émotions, vous êtes hypersensible. En fait, vous avez de très belles valeurs humaines, vous êtes compatissant, vous cherchez toujours à faire plaisir, à aider ceux qui vous entourent. Intuitif, vous devinez bien des choses, mais vous avez tendance à rêver plutôt qu'à agir, et certaines facettes de votre vie en pâtissent. Sur le plan matériel notamment, vous êtes négligent. Cela ne vous empêche pas d'être toujours prêt à dépanner ceux qui sont dans le besoin, et il y en a probablement beaucoup dans votre entourage. Vous adorez vos amis, votre famille et votre partenaire, vous cherchez à les dorloter, à les gâter, bref, vous avez bien du mal à dire non.

*Quelle sorte de Poissons êtes-vous ?*

- **Poissons du 1ᵉʳ décan** (du 20 au 29 février)

Vous êtes nettement plus structuré que les autres Poissons. Certes, vous êtes souple sur le plan humain, mais lorsque vous avez un but, vous savez être tenace, ce qui vous sert tant sur le plan professionnel que dans les questions d'argent. Vous êtes bon gestionnaire, économe, mais votre grand cœur vous coûte parfois cher. Sur le plan intime, vous êtes sérieux, tendre, vous en faites beaucoup pour ceux que vous aimez, un peu trop même. Plutôt anxieux, vous attendez avant de donner votre confiance ou votre cœur, mais lorsque vous le faites, c'est pour la vie. Avec le temps, vous vous affirmerez davantage, vous serez plus ferme, et votre existence n'en sera que plus agréable.

- **Poissons du 2e décan** (du 1er au 10 mars)

Vous êtes la générosité en personne, vous cherchez constamment à faire le bonheur des autres. Boute-en-train et optimiste, vous adorez les contacts humains, les sorties, les voyages, vous profitez des bonnes choses. À vrai dire, la modération n'est pas votre fort. Dans vos activités, vous faites plus que votre part ; sur le plan matériel, par contre, vous auriez avantage à calculer plus, à être plus prudent. Heureusement, vous avez souvent beaucoup de flair, et de bonnes occasions peuvent vous tirer d'embarras à la dernière minute. Parfois des personnes influentes peuvent vous donner un petit coup de pouce. En amour, vous êtes exalté, vous vous donnez sans réserve.

- **Poissons du 3e décan** (du 11 au 20 mars)

Il n'y a pas à dire, vous êtes le plus actif et le plus dynamique des Poissons. Lorsque vous êtes en forme, vous pouvez déplacer des montagnes, vous élaborez des projets, vous entraînez les gens à vous suivre. Si les défis vous stimulent, la petite routine a tôt fait de vous ennuyer : vous devenez alors négligent, vous avez la tête ailleurs. Vous avez des qualités humaines exceptionnelles, mais l'organisation et la prévoyance ne sont pas votre fort : cela joue souvent contre vous en affaires. Vous vivez des émotions à fleur de peau ; vous dites ce que vous avez sur le cœur, quoique en de nombreux cas vous le regrettiez après coup. Côté cœur, vous êtes amoureux, insatiable même : la passion vous donne des ailes.

# BÉLIER

## DU 21 MARS AU 20 AVRIL

**D**ynamique, énergique, tels sont les qualificatifs qui décrivent le mieux votre signe. Entreprendre ne vous fait pas peur, et vous n'hésitez pas un instant à aller de l'avant dans mille et un projets. En fait, vous êtes infatigable.

Tout comme la nature qui se réveille après un long hiver dans votre signe, votre activité est débordante. Avec autant d'idées en tête et une aussi grande envie de bouger, il n'est pas étonnant de vous voir mettre plusieurs projets en marche simultanément. Toutefois, comme il est presque impossible de tout mener de front, vous ne pouvez tout réaliser, et ce sont souvent les autres qui terminent votre travail ou en tirent profit.

Chez vous, les demi-mesures n'existent pas. Vous aimez ou vous détestez ; c'est clair et net. Le mot « compromis » ne fait pas partie de votre vocabulaire. Vous n'avez pas un tempérament qui vous porte à faire des courbettes devant les gens qui vous irritent ou dont le comportement vous déplaît ; votre franchise est parfois bien mal perçue et peut créer des froids ou des inimitiés. Mais ce n'est sûrement pas cela qui vous fera changer d'avis ou de façon d'être.

Homme ou femme d'action, seule l'inactivité parvient à vous perturber. N'avoir rien à faire ou devoir attendre vous met les nerfs à fleur de peau : vous trépignez, vous ne tenez pas en place, vous vous rongez les sangs en pensant à tout ce que vous pourriez faire au lieu d'attendre, et vous n'en pouvez plus. Non, la patience n'est pas votre fort.

Votre dynamisme et votre ardeur au travail font de vous un être sensationnel pour amorcer ou même lancer les activités, et, dans les sprints de dernière minute, personne ne vous égale. Mais le revers de la médaille d'une telle énergie, c'est qu'elle n'est pas éternelle. Votre intérêt commence à s'émousser dès qu'une autre idée prend forme. Les travaux de longue haleine, les projets à long terme et les études poussées ne vous conviennent pas très bien. Pour vous, il n'y a que le changement qui soit un véritable défi.

Évidemment, le plan émotif n'est pas en reste. Encore une fois, il vous faut de l'action ; vos sentiments ne sont pas mitigés, loin de là. Il n'est pas rare de vous voir piquer une crise terrible pour une bagatelle ; heureusement, la rancune n'est pas un trait de votre caractère, et vous ne restez pas fâché longtemps. La personne à qui vous en vouliez tant peut devenir celle que vous aimez le plus en quelques minutes.

Direct, franc, vous ne mâchez pas vos mots, notamment envers les gens qui tardent à se décider et qui hésitent sans cesse. Ils vous mettent les nerfs en boule, et vous ne vous gênez pas pour le leur faire savoir. Attendre, c'est déjà difficile, mais attendre à cause des autres, c'est carrément insupportable.

Avec un caractère aussi net, la petite vie de « pépère pantoufle », un travail routinier et le train-train quotidien ne sont décidément pas pour vous. Que l'on parle défis de taille, choses à accomplir, gens à convaincre, voilà qui vous plaît et vous passionne.

En amour, que vous soyez homme ou femme, c'est vous qui choisissez votre partenaire, et plus l'entreprise vous semble difficile, plus la personne vous attire. Vous avez un tempérament ardent et entreprenant, et rien ne vous empêchera de défendre ceux que vous aimez, au risque de vous mettre vous-même en danger.

Enfin, même si la colère vous submerge facilement, avec vos fameux coups de tête, et qu'il faut vous prendre avec des pincettes dans ces moments-là, vous avez un cœur d'or et savez vous faire pardonner.

## Comment se comporter avec un Bélier ?

Le meilleur moyen de bien s'entendre avec un Bélier est de ne pas le contrarier. Puisqu'il a l'esprit de contradiction, il suffit de dire blanc pour qu'il dise noir. Donc, en se rangeant à son avis, on évite bien des problèmes. Il pourrait même piquer une de ses célèbres colères sous prétexte de défendre son point de vue ; dans ce cas, attendre que l'orage soit passé est encore la meilleure attitude à adopter. Si vous tentez de le raisonner sur le coup, à force d'arguments logiques, vous ne ferez qu'attiser sa colère. Lorsque la tempête se sera apaisée, il sera temps de discuter.

N'oubliez pas que le Bélier est extrêmement actif. Alors ne tentez pas de lui demander de vous attendre toute une soirée, assis à ne rien faire. Rester tranquille, se reposer sont des choses qu'il ne peut concevoir. Pour développer une relation agréable avec lui, il faut le stimuler, lui trouver des activités, l'appuyer dans tous ses projets... et ne pas se décourager s'il abandonne après avoir commencé.

En somme, il vous faudra de la patience pour deux, mais comme il a de l'énergie pour quatre, sinon plus, vous ne vous ennuierez jamais.

## Ses goûts

Ses vêtements sont plutôt voyants et de couleur vive. Il porte de gros bijoux, et en grande quantité. Son intérieur est chargé, coloré, parfois hétéroclite aux yeux des autres, mais cela lui plaît ; c'est le plus important, après tout !

Ses goûts le portent vers ce qui se voit, va vite ou fait du bruit. Il aime montrer ce qu'il possède et n'hésite pas à faire étalage de ses avoirs en public.

Ce n'est pas un fin gastronome : on le voit plus souvent fréquenter les endroits de restauration rapide que les salles de nouvelle cuisine. Il mange rapidement, avale sans mastiquer. Si c'est lui qui prépare le repas, gare aux casseroles brûlées, car évidemment, pour gagner du temps, il ne fera pas mijoter les petits plats à feu doux mais les fera plutôt cuire à gros bouillons.

## Son potentiel

Comme il s'agit d'un être rempli d'énergie, débordant d'idées, il est toujours en train de commencer quelque chose. Par contre, quand il est question de fignoler, il préfère confier la finition à quelqu'un d'autre. Il n'a pas la patience qu'il faut pour remettre cent fois son ouvrage sur le métier.

Son raisonnement est surtout logique et pratique ; ce n'est pas lui qui pourra disserter sur la philosophie taoïste. Très habile de ses mains, le Bélier fera des merveilles avec le métal, le feu, la soudure, le génie et la chirurgie. Il est aussi très doué pour la politique et ferait un excellent stratège militaire, dans le domaine de la Défense. Son dynamisme et ses nombreuses idées lui permettent également d'ouvrir sa propre entreprise, mais comme il a du mal à penser à long terme, cela pourrait ne pas durer éternellement. Son caractère autoritaire en fait un chef naturel ; il est donc bien placé pour commander... et déléguer.

## Ses loisirs

Puisque c'est le dynamisme qui l'anime, le Bélier adore les activités qui lui permettent de se mesurer aux autres. Il sera donc naturellement attiré par les sports de compétition. Mais il y a tant de disciplines qui le fascinent qu'il aura bien des difficultés à s'en tenir à une seule, il en changera souvent. Dès qu'il maîtrise les rudiments d'une activité, qu'il sait comment elle fonctionne et qu'il s'est frotté aux autres, cela l'intéresse moins et il s'envole pour aller voir ailleurs. Comme c'est la rapidité qui le passionne, on le verra plus souvent au volant d'une Formule 1 que derrière une table pour une partie d'échecs. On ne le verra pas non plus assis avec un livre, mais plutôt en train de s'élancer d'une falaise en deltaplane. Puisqu'il est superactif et ne semble pas rebuté par le danger, au grand désespoir de ceux qui l'aiment, il optera pour la course automobile (il conduit vite « naturellement »), le saut en parachute, l'alpinisme ou le saut à l'élastique... Il n'est donc pas étonnant de le voir revenir couvert de plaies et de bosses, qui ne le ralentiront certes pas ! Si vous voulez le retenir à la maison pour la soirée, proposez-lui de visionner le plus récent film d'action et non un film philosophique japonais.

## Sa décoration

Ça brille, ça attire le regard, alors c'est pour lui. Pour son décor, proposez-lui des objets aux couleurs gaies, et même vives ; par exemple, le rouge franc que les décorateurs hésitent à utiliser ne lui fait pas peur. Les teintes pastel et les nuances subtiles ne sont pas franchement de son goût ; ça le déprime même. Il choisira son mobilier dans le style moderne ou contemporain. Il aime aussi les objets inusités, les meubles imposants, et les accessoires et bibelots en grand nombre. Chez lui, le décor est plutôt surchargé, et il n'hésite pas à le renouveler de fond en comble. Les souvenirs l'encombrent. Il ne faut donc pas s'étonner de trouver le vieux fauteuil de grand-père au fond du garage ou, pire, dans la remise au bout de la cour. Bref, son environnement lui ressemble. On aime ou on n'aime pas, mais une chose est sûre, il ne laisse personne indifférent.

## Son budget

Puisque le Bélier démarre au quart de tour et agit généralement sur un coup de tête, il ne faut certes pas lui demander de faire preuve de prévoyance, pas même sur le plan financier. De temps en temps, il décidera de faire un budget et d'économiser. Vous serez très étonné, car il le fera... durant quelques jours ! Mais il est tellement sujet aux coups de foudre qu'il finit souvent par vider son compte en banque pour un objet qui attirera son attention dans un magasin, pour de nouveaux vêtements à la mode, pour des appareils qui lui feront gagner du temps... Bref, il videra son portefeuille et n'hésitera pas longtemps à surcharger ses cartes de crédit. Et, bien entendu, il attendra de recevoir les « derniers rappels » avant de remettre de l'ordre dans ses affaires. Devant un tel comportement, on est toujours étonné de constater qu'il arrive à s'en sortir sans trop de problèmes.

## Quel cadeau lui offrir ?

Il n'est pas facile d'offrir un cadeau à une personne qui se procure elle-même tout ce qui la tente et qui semble posséder tout ce qu'il lui faut. Le meilleur cadeau est donc celui qui le surprendra. Il adore les nouveautés. Soyez aux aguets pour dénicher des articles dernier cri, ceux qui viennent de sortir et qu'il n'a pas encore vus. Vous pouvez aussi orienter votre choix sur le modèle «revu et amélioré». Un vêtement à la dernière mode, un gros bijou, un accessoire énorme, et bien sûr tout cela dans les couleurs les plus vives, le raviront. N'essayez pas de lui offrir un casse-tête ou un jeu d'échecs; allez-y plutôt avec le plus récent jeu vidéo, mais pas un jeu d'énigmes à résoudre. Il appréciera plus une course de Formule 1. Il aime que ça aille vite, que ça fasse du bruit et que ça se voie. N'oubliez jamais que c'est un être impatient. S'il lui faut commander un article et attendre de quatre à huit semaines avant de le recevoir, il ne tiendra pas en place; faites-lui la surprise, commandez-le pour lui.

## Les enfants Bélier

Les enfants Bélier marchent et parlent souvent plus tôt que les autres enfants du même âge. Ils courent, bougent, sautent, grimpent, rien ne les effraie; ils sont même un peu casse-cou. Ils ont peu conscience du danger, ne regardent pas souvent où ils posent leurs pieds et, pour cela, sont les champions des accidents. Leurs parents doivent se montrer très vigilants avec eux. Attention aussi aux allumettes: ils adorent jouer avec le feu. Ils sont étourdissants; il faut avoir des yeux tout autour de la tête pour les surveiller.

Ce sont aussi des chefs de bande qui aiment commander et prendre des initiatives. Colériques, batailleurs et parfois hyperactifs, ils ont besoin d'activités qui leur permettront de dépenser leur surplus d'énergie. En classe, le jeune Bélier, qui a un esprit vif, sera porté à s'intéresser à tout. Il faudra donc redoubler d'efforts pour capter son intérêt et l'amener à se concentrer sur un seul sujet à la fois. Autant à l'école qu'à la maison, il faut l'encourager à terminer ce qu'il entreprend, lui inculquer la patience et la détermination, deux qualités qu'il n'a pas naturellement, mais qui lui permettront d'aller très loin s'il sait les utiliser.

## L'ado Bélier

L'élément qui régit ton signe est le feu, ce qui te donne une énergie puissante, le goût d'entreprendre, de bouger. On remarque souvent ton enthousiasme, tes idées du tonnerre, ton courage et même ta témérité. Ton entourage te reproche de ne pas réfléchir, d'aller trop vite, de commencer mille et une choses sans rien terminer, tout simplement parce que tu aimes expérimenter, essayer, relever de nouveaux défis et ne pas t'attarder sur ce qui prend trop de temps. Tu n'aimes pas la routine, le train-train, mais avoue que ce qui te demande des efforts ne te plaît guère non plus. Tu as tendance à te démotiver et à t'ennuyer rapidement ; il te faut toujours du nouveau.

Tu aimes les sports qui te permettent de bouger, de démontrer ta force et ton endurance. Tu as besoin de te défouler, de te dépenser physiquement, car tu es rempli d'énergie. Mais tu fais tout très rapidement, même manger. Tu avales trop vite et n'importe quoi. N'oublie pas que tu es en pleine croissance et qu'il te faut de bons aliments sains pour renouveler toute l'énergie que tu dépenses sans compter. Méfie-toi aussi des accidents, car tu agis souvent sans réfléchir, et cela peut te causer des problèmes.

Ta spontanéité et ta franchise sont de belles qualités, mais il faut savoir les utiliser avec discernement. Tu ne mâches pas tes mots lorsque tu as quelque chose à dire, et parfois cela blesse tes proches. Pourtant, ta sincérité est aussi très appréciée par tes amis.

### Tes études

Tu aimes quand ça bouge ; il te faut donc trouver des projets à court terme qui te permettront de franchir les étapes avec rapidité. Tu seras fier lorsque tu les réussiras. Par contre, tu as tendance à te décourager lorsque tu dois exécuter des travaux à long terme ; tu as l'impression de piétiner et tu voudrais rapidement faire autre chose. Pour tes études, il faudra trouver un programme court qui débouche vite sur un emploi concret, accessible. Ne te lance pas dans de longues années d'études ; tu ne le supporterais pas.

### Ton orientation

Un métier où il y a du nouveau, où ça bouge te conviendra parfaitement. Les métiers qui demandent des idées et un esprit vif t'attireront, que ce soit la vente, la publicité, le marketing, les affaires, la mécanique, la justice, les forces policières, les soins dentaires, le journalisme, les emplois où l'on travaille le métal ou avec le feu, bref tout ce qui nécessite de l'initiative et un esprit d'entreprise te

BÉLIER

passionnera. Tu pourrais même avoir l'idée de créer une entreprise et d'être ton propre patron. Tu es un chef-né.

### Tes rapports avec les autres

Puisque tu ne restes jamais en place, tu rencontreras beaucoup de gens et connaîtras de nombreuses personnes ; c'est ce que tu recherches. Tu aimes confronter tes idées à celles des autres, mais tu veux toujours avoir le dernier mot. En fait, tu n'es pas très réceptif aux idées des gens ; ce que tu aimes surtout, c'est la compétition. Tu as beaucoup d'amis, mais tu en changes souvent. Dans ton groupe, tu chercheras constamment à diriger. Tu seras un meneur. Cela t'exposera aussi à des conflits de personnalité, et tu pourrais perdre de très bons amis.

# LE BÉLIER DANS LA CUISINE

### Votre façon de cuisiner

Vous aimez l'action, mais la patience n'est pas votre point fort. Savez-vous que votre cuisinière a d'autres réglages que «maximum»? Vous êtes le champion de la vitesse, vous voulez cuisiner rapidement, mais vous avez tendance à brûler vos plats.

Il faut que ce soit goûteux pour qu'une recette vous plaise. Vous voulez que les plats chauds soient servis très chauds, surtout pas tièdes.

### Vous adorez :

- expérimenter ; vous êtes toujours à l'affût de nouvelles recettes ;
- les aliments colorés, rouges, orangés et jaunes ;
- les combinaisons inhabituelles ;
- la variété (vous êtes incapable de manger deux fois de suite la même chose) ;
- les repas en une seule casserole ;
- les plats relevés ;
- l'ail et les épices.

---

**CE QUE LA NATUROPATHE VOUS SUGGÈRE**

- Mastiquez davantage vos aliments, cela améliorera votre digestion. En effet, vous avalez à toute vitesse.
- Ajoutez une touche de verdure à vos plats.
- Réduisez vos quantités de viande.
- Modérez aussi la restauration rapide (le *fast food*).
- Buvez plus d'eau pour tempérer votre signe de feu !

# ILS SONT BÉLIER EUX AUSSI

Jehane Benoît, Janette Bertrand, Hélène Bourgeois-Leclerc, Susan Boyle, Mariah Carey, Alain Choquette, Corneille, Marcia Cross, Russell Crowe, France D'Amour, Céline Dion, Angèle Dubeau, Sophie Faucher, Liza Frulla, Lady Gaga, Denis Gagné, Jennifer Garner, Patrice Godin, Élise Guilbault, Kate Hudson, Norah Jones, Dany Laferrière, Stéphanie Lapointe, David Letterman, Pauline Martin, Martin Matte, Pascale Nadeau, François Paradis, Jean-Marc Parent, Sarah Jessica Parker, Yann Perreau, Daniel Pinard, Marie-Hélène Proulx, Francis Reddy, Michèle Richard, Joss Stone, Marie-Élaine Thibert, Jacques Villeneuve, Roch Voisine, Reese Witherspoon, Noémie Yelle, Alain Zouvi.

### Pensée positive pour le Bélier

Je reçois les cadeaux de la vie avec reconnaissance et je les partage dans la joie. Plus je donne et plus je reçois.

### Pensée positive spéciale pour 2015

Je saisis toutes les bonnes opportunités qui se présentent en me disant que je mérite la chance qui passe. Je redistribue ses bienfaits avec joie et confiance.

*Le subconscient nous dirige toujours selon nos pensées. En répétant le plus souvent possible ces pensées conçues tout spécialement pour vous, vous vous attirerez plein de belles choses.*

### Outils pour transformer votre destinée

- Acceptez que les choses ne soient pas forcément toutes blanches ou toutes noires. La vie est plus nuancée, et vous êtes parfois trop catégorique.
- Méfiez-vous des « toujours » et des « jamais ». Vous êtes si passionné que vos paroles dépassent souvent votre pensée.
- Donnez-vous du temps ; en voulant aller trop vite, vous risquez de compromettre votre succès.

**Signe :** Bélier

**Élément :** Feu

**Catégorie :** Cardinal

**Symbole :** ♈

**Points sensibles :** Dents, vertèbres cervicales, fièvre, blessures et accidents, à la tête notamment.

**Planète maîtresse :** Mars, planète de l'énergie.

**Pierres précieuses :** Sanguine, rubis, diamant.

**Couleurs :** Rouge, orange, jaune ; les teintes vives.

**Fleurs :** Tulipe, marguerite, œillet.

**Chiffres chanceux :** 4-7-13-16-20-24-31-36.

**Qualités :** Énergique, actif, dynamique, entreprenant, courageux.

**Défauts :** Imprudent, égocentrique, pas assez tenace.

**Ce qu'il pense en lui-même :** Je n'ai pas de temps à perdre...

**Ce que les autres disent de lui :** Quelle bombe d'énergie... Impossible de le suivre !

# PRÉDICTIONS ANNUELLES

**V**ous voici à l'orée d'une année faste, une année comme vous n'en avez pas connu depuis fort longtemps, d'ailleurs. Certains d'entre vous goûtent déjà à la chance, tandis que pour les autres, ce cycle de bonne fortune est sur le point de commencer. Avec un minimum d'efforts, vous pourrez transformer votre vie en un véritable triomphe, peu importe les rêves que vous caressez ; mieux encore, vous pourrez bâtir un bonheur à long terme. De fait, il s'agit d'une année déterminante durant laquelle une foule de bonnes choses vous arriveront et durant laquelle vous pourrez aussi asseoir votre avenir. Si vous le voulez vraiment, il n'y a rien de trop beau pour vous en 2015.

SANTÉ. Les bons aspects de Jupiter augmenteront votre vitalité ainsi que votre positivisme. Vous aurez un moral beaucoup plus solide que par le passé, vous serez même en mesure de rompre avec certaines mauvaises habitudes qui vous empêchaient de profiter pleinement de votre potentiel. Ceux qui ont eu des ennuis de santé entrent dans une phase de récupération. Il s'agit donc d'une bonne année pour vous débarrasser de vos bobos et repartir du bon pied. Si Jupiter a une influence positive sur la santé, elle en a également une sur l'appétit ; la gourmandise est le seul problème qui vous guette, particulièrement durant la seconde moitié de l'année.

SENTIMENTS. La conjoncture est tellement encourageante que vous êtes en droit de vous attendre à plusieurs bonnes surprises. Vous qui détestez la monotonie et qui déprimez quand vos relations interpersonnelles laissent à désirer, vous serez entouré d'êtres parfaitement compatibles. En plus de jouir d'une vie sociale exaltante, vous connaîtrez un grand et profond bonheur en amour. Un rapprochement avec votre bien-aimé, un engagement sérieux ou une rencontre pour les personnes seules sont au programme. Une année en or pour les fiançailles, les mariages, les projets de vie commune ou pour fonder une famille. Si vous avez des enfants, de bonnes nouvelles les concernant vous feront chaud au cœur.

AFFAIRES. Les insatisfactions passées font place à une ère de réalisation. Votre carrière évoluera de façon favorable : on peut parler de déblocages. Les chômeurs trouveront un emploi à la hauteur de leurs aspirations, les salariés graviront d'importants échelons, tandis que les commerçants connaîtront une phase d'expansion. Vos placements, vos transactions et vos investissements pourraient rapporter gros, pour peu que vous agissiez avec sérieux. Cela dit, même si les rentrées sont importantes, vous ne devriez pas prendre de risques avec votre argent entre la mi-juin et la fin de septembre. Au jeu, vous ferez des envieux. Vous traversez également une excellente période pour voyager.

# Janvier

| DIM | LUN | MAR | MER | JEU | VEN | SAM |
|---|---|---|---|---|---|---|
| | | | | 1 | 2 | 3 |
| 4 ○ D | 5 D | 6 D | 7 F | 8 F | 9 | 10 |
| 11 | 12 | 13 | 14 | 15 | 16 F | 17 F |
| 18 D | 19 D | 20 ● | 21 | 22 | 23 | 24 |
| 25 | 26 | 27 | 28 | 29 | 30 | 31 D |

| F Jour favorable | | D Jour difficile | |
|---|---|---|---|
| ○ Pleine lune | | ● Nouvelle lune | |

SANTÉ. Jusqu'au 12, tout ira comme sur des roulettes. L'énergie, l'ardeur ainsi que la résistance physique et morale se maintiendront parfaitement. Le reste du mois s'annonce cependant un peu plus délicat. L'arrivée de la planète Mars dans votre douzième secteur risque de vous rendre plus vulnérable aux infections et à différents malaises ; à vous d'y voir !

SENTIMENTS. Vénus visite votre maison onze entre le 3 et le 27. Les possibilités de rencontres seront très élevées pour les célibataires, alors que les autres fileront le parfait amour. Sur le plan social, vous serez la vedette, si bien que parfois vous ne saurez plus où donner de la tête tant on vous proposera d'activités différentes.

AFFAIRES. Si vous devez présenter une demande officielle ou si vous comptez mettre un important projet sur pied, agissez avant le 12, car c'est à cette période que vos chances sont les meilleures. Ce n'est pas que le reste du mois soit désastreux, mais il vous faudra déployer davantage d'efforts pour arriver à vos fins, et encore, ce n'est pas certain que cela fonctionnera immédiatement. La première partie du mois vous réserve également quelques chances dans les tirages.

# Février

| DIM | LUN | MAR | MER | JEU | VEN | SAM |
|-----|-----|-----|-----|-----|-----|-----|
| 1 D | 2 | 3 ○ F | 4 F | 5 | 6 | 7 |
| 8 | 9 | 10 | 11 | 12 | 13 F | 14 F |
| 15 D | 16 D | 17 | 18 ● | 19 | 20 | 21 |
| 22 | 23 | 24 | 25 | 26 | 27 | 28 D |

| F  Jour favorable | | D  Jour difficile | |
|-------------------|---|-------------------|---|
| ○  Pleine lune | | ●  Nouvelle lune | |

SANTÉ. Vous qui débordez habituellement d'énergie semblez fonctionner au ralenti; vous traînez de la patte et vous remettez bien des choses au lendemain. Mais cela ne saurait durer puisque vous retrouverez votre ardeur et votre dynamisme quand Mars arrivera dans votre signe, le 19. Vous vous sentirez renaître et aurez même tendance à mettre les bouchées doubles. Attention cependant aux accidents bêtes que ce transit engendre souvent.

SENTIMENTS. La première partie du mois s'annonce agréable mais surtout très relaxante. Le tourbillon du mois dernier vous a quelque peu épuisé, alors cette période d'accalmie est la bienvenue. Vous reprendrez votre souffle, puis à partir du 20 les activités repartiront en grand. Sorties, invitations, réunions entre amis se succéderont à nouveau à un rythme effréné. En amour, ce sera le retour électrisant de la passion.

AFFAIRES. Les choses ne vont pas tout à fait comme vous le souhaiteriez. Les retards, les contretemps et les petits conflits s'enchaînent, et vous avez tendance à faire des drames avec des riens. Gardez votre sang-froid : la chance revient en force le 19, et vous réussirez tout ce que vous entreprendrez. De belles surprises vous attendent alors, peut-être même à la loterie.

# Mars

| DIM | LUN | MAR | MER | JEU | VEN | SAM |
|-----|-----|-----|-----|-----|-----|-----|
| 1 D | 2 F | 3 F | 4 | 5 ○ | 6 | 7 |
| 8 | 9 | 10 | 11 | 12 F | 13 F | 14 F |
| 15 F | 16 | 17 | 18 | 19 | 20 ● | 21 |
| 22 | 23 | 24 | 25 | 26 | 27 D | 28 D |
| 29 F | 30 F | 31 | | | | |

| F  Jour favorable | D  Jour difficile |
|-------------------|-------------------|
| ○  Pleine lune | ●  Nouvelle lune et éclipse solaire totale |

SANTÉ. L'éclipse solaire, combinée à la présence de Mars dans votre signe, risque d'avoir un effet déstabilisant. Pour ne pas en ressentir les conséquences, faites davantage attention à vous. Ne tenez pas votre santé pour acquise et redoublez de prudence sur la route, de même que lorsque vous manipulez des objets avec lesquels vous pourriez vous couper ou vous brûler.

SENTIMENTS. Les dix-sept premiers jours s'annoncent exquis à tous les points de vue ; les copains, la marmaille et votre partenaire ont tous votre bonheur à cœur. Sur le plan social, ça demeure emballant, et vous pourriez nouer de nouvelles amitiés. Durant le reste du mois, vous au-riez tout intérêt à vous montrer conciliant et à bien peser vos mots.

AFFAIRES. Les choses bougent en diable et on dirait que tout arrive en même temps. Vous avez le choix entre diverses opportunités, mais vous vous décidez rapidement, parce que c'est dans votre nature et que votre flair aiguisé vous sert à merveille. Vous avez une montagne de besogne devant vous et vous passez au travers avec une rapidité et une dextérité qui en renverseront plusieurs. L'argent rentre, et vous avez même des chances au jeu. Bon mois pour voyager et pour cher-cher un nouveau logis ou un emploi.

# Avril

| DIM | LUN | MAR | MER | JEU | VEN | SAM |
|-----|-----|-----|-----|-----|-----|-----|
|     |     |     | 1   | 2   | 3   | 4 ○ |
| 5   | 6   | 7   | 8 F | 9 F | 10 D | 11 D |
| 12  | 13  | 14  | 15  | 16  | 17  | 18 ● |
| 19  | 20  | 21  | 22  | 23 D | 24 D | 25  |
| 26 F | 27 F | 28  | 29  | 30  |     |     |

| F  Jour favorable | D  Jour difficile |
|-------------------|-------------------|
| ○  Pleine lune et éclipse lunaire partielle | ●  Nouvelle lune |

SANTÉ. Mars vous a quitté et les risques d'accidents aussi. Vous êtes moins survolté qu'au cours des dernières semaines et vous gérez vos ressources de manière adéquate. Le mois serait même idéal pour mettre un peu d'ordre dans votre vie. L'éclipse lunaire se produit à l'opposé de votre signe, ce qui pourrait provoquer des épisodes d'anxiété ou d'indécision.

SENTIMENTS. Vénus vous réserve une période extraordinaire pour toutes les questions affectives entre le 11 avril et le 7 mai. Vous retomberez en amour avec votre partenaire, et ce sera parfaitement réciproque. Les solitaires, quant à eux, pourraient avoir la surprise de leur vie lors d'une sortie. Vous continuez de voir énormément de gens et ce ne sont pas les occasions de vous amuser qui font défaut.

AFFAIRES. Bousculer les événements ou les gens ne donnerait pas grand-chose. Au lieu de faire avancer votre situation, cela risquerait au contraire de se retourner contre vous. Lors d'un conflit, la diplomatie demeure encore votre meilleure alliée; si vous élevez le ton, vous ne ferez qu'envenimer les choses. À vrai dire, mieux vaut prendre les retards et les intempéries avec un grain de sel. Vous êtes protégé et vous finirez par vous en sortir.

# Mai

| DIM | LUN | MAR | MER | JEU | VEN | SAM |
|-----|-----|-----|-----|-----|-----|-----|
|  |  |  |  |  | 1 | 2 |
| 3 ○ | 4 | 5 F | 6 F | 7 | 8 D | 9 D |
| 10 | 11 | 12 | 13 | 14 | 15 | 16 |
| 17 ● | 18 | 19 | 20 | 21 D | 22 D | 23 F |
| 24 F / 31 | 25 | 26 | 27 | 28 | 29 | 30 |

| F  Jour favorable | | D  Jour difficile | |
|-------------------|--|-------------------|--|
| ○  Pleine lune | | ●  Nouvelle lune | |

SANTÉ. À partir du 11, vous serez dans une forme superbe. En plus d'avoir de l'énergie à revendre, vous saurez vous en servir adéquatement. En mettant vos priorités à la bonne place, vous éviterez de vous fatiguer inutilement. Vous ferez des progrès aussi sur le plan moral et vous pourrez dire adieu au temps où la moindre contrariété vous jetait à terre. Bonne période également pour vous attaquer à tout ce qui vous tracassait.

SENTIMENTS. La première semaine est splendide : les amours et la vie mondaine dépassent vos attentes. Après, ce sera nettement plus calme, peut-être trop à votre goût. Vous aurez tendance à vous ennuyer, à trouver le temps long. Vous pourriez même aller jusqu'à vous imaginer qu'on vous aime moins ou qu'on se désintéresse de vous, ce qui est tout à fait faux. Ce sentiment de crainte risque de vous faire poser une foule de questions à vos proches. Mauvaise idée : si vous les harcelez, ils finiront par sortir de leurs gonds.

AFFAIRES. Par où commencer, puisque tout vous réussira entre le 11 mai et le 24 juin ? Les démarches pour un nouvel emploi, une nouvelle demeure, un prêt ou un transfert seront couronnées de succès. Vous êtes en position de force ; on vous respecte et on est même prêt à vous offrir de nombreux avantages. Bon mois aussi pour les voyages, les investissements et les achats sérieux, sans compter que vous avez de belles opportunités dans les tirages.

BÉLIER

# Juin

| DIM | LUN | MAR | MER | JEU | VEN | SAM |
|-----|-----|-----|-----|-----|-----|-----|
|  | 1 | 2 ○ F | 3 F | 4 D | 5 D | 6 |
| 7 | 8 | 9 | 10 | 11 | 12 | 13 |
| 14 | 15 | 16 ● | 17 D | 18 D | 19 F | 20 F |
| 21 | 22 | 23 | 24 | 25 | 26 | 27 |
| 28 | 29 F | 30 F |  |  |  |  |

| F  Jour favorable | D  Jour difficile |
|-------------------|-------------------|
| ○  Pleine lune | ●  Nouvelle lune |

SANTÉ. La dernière semaine comporte quelques risques de blessures et de malaises, mieux vaudra donc faire preuve de prudence et de discernement. Avant, c'est magnifique, vous êtes resplendissant et donnez même l'impression de rajeunir. Vous avez le goût de bouger davantage, de vous occuper de vous et d'investir dans votre mieux-être. Génial !

SENTIMENTS. Vénus avantagera fortement votre signe entre le 5 juin et le 18 juillet. Ce transit, amplifié par Jupiter, la grande bénéfique, devrait régénérer complètement votre destinée amoureuse : une réconciliation, un rapprochement passionné, une belle déclaration – voire une rencontre électrisante pour les solitaires – sont autant de possibilités. En société, votre cote de popularité sera à la hausse ; de nombreuses invitations et propositions de sorties vous réjouiront.

AFFAIRES. Votre côté décidé joue pour vous dans ce domaine. Vous savez parfaitement ce que vous voulez et découvrez vite les moyens d'y parvenir. Rien ne vous arrête, tant pis pour les hésitants ou pour ceux qui tentent de freiner vos élans. À vrai dire, vous jouez gagnant sur toute la ligne jusqu'au 24, y compris à la loterie. Ne perdez pas de temps et agissez, votre succès sera fulgurant.

# Juillet

| DIM | LUN | MAR | MER | JEU | VEN | SAM |
|-----|-----|-----|-----|-----|-----|-----|
| | | | 1 ○ D | 2 D | 3 | 4 |
| 5 | 6 | 7 | 8 | 9 | 10 | 11 |
| 12 | 13 | 14 D | 15 ● D | 16 F | 17 F | 18 F |
| 19 | 20 | 21 | 22 | 23 | 24 | 25 |
| 26 | 27 F | 28 F | 29 D | 30 D | 31 ○ | |

| F Jour favorable | | D Jour difficile | |
|---|---|---|---|
| ○ Pleine lune | | ● Nouvelle lune | |

SANTÉ. La quadrature de Mars vous recommande de demeurer sur le qui-vive. Vous vous sentez ébranlé, vos réflexes ne sont pas aussi vifs que d'habitude et un rien vous fait de la peine. Ajoutons que le danger de vous blesser, de contracter une infection ou d'éprouver un malaise est accru. Si vous prenez vos précautions, vous déjouerez la conjoncture.

SENTIMENTS. Vénus vous promet d'énormes joies tant sur le plan mondain que dans votre vie intime avant le 18. Le reste du mois se déroulera plus tranquillement, il y aura peut-être moins de magie mais certainement autant d'affection. Si les amours vont bien, on ne peut pas en dire autant de vos relations familiales; un parent ou un enfant risque de vous causer quelques inquiétudes, et il est à prévoir que vous devrez intervenir même si ça ne vous tente pas.

AFFAIRES. Vous avez besoin de changement. Reste à voir si cela vous convient. Vous risquez de faire un geste précipité ou une folie avec votre budget, ce que vous regretteriez par la suite. N'allez pas tout balancer par-dessus bord sous l'impulsion du moment; prenez le temps de réfléchir, de peser le pour et le contre. Mieux encore, attendez le mois prochain pour agir, vous y verrez plus clair. D'ici là, on note quelques chances au jeu durant la première quinzaine, puis entre le 23 et le 31.

BÉLIER

95

# Août

| DIM | LUN | MAR | MER | JEU | VEN | SAM |
|-----|-----|-----|-----|-----|-----|-----|
|     |     |     |     |     |     | 1 |
| 2 | 3 | 4 | 5 | 6 | 7 | 8 |
| 9 | 10 D | 11 D | 12 | 13 F | 14 ● F | 15 |
| 16 | 17 | 18 | 19 | 20 | 21 | 22 |
| 23 F / 30 | 24 F / 31 | 25 D | 26 D | 27 | 28 | 29 ○ |

| F  Jour favorable | D  Jour difficile |
|-------------------|-------------------|
| ○  Pleine lune | ●  Nouvelle lune |

SANTÉ. Dès le 8, vous serez débarrassé de l'influence perturbatrice de Mars. Vous reprendrez des forces et récupérerez toute votre vitalité ainsi que votre résistance. Les nerfs, quant à eux, demeurent un peu ébranlés, mais quelques exercices de relaxation vous aideront à retrouver votre équilibre. Bon mois pour se refaire une beauté ou commencer un régime.

SENTIMENTS. En plus d'avoir un charme fou, vous vous exprimez de manière ultraconvaincante. On vous admire, on boit vos paroles, bref, vous fascinez autant votre entourage immédiat que tous ceux que vous rencontrez, et ce ne sont assurément pas les occasions de voir du monde qui manquent! Un enfant ou un membre de la famille regrette ses gestes, il revient à de meilleurs sentiments et tente même de se rapprocher de vous.

AFFAIRES. Une fois la première semaine écoulée, vous pourrez faire ce que bon vous semble. Vos efforts pour améliorer votre situation financière ou professionnelle donneront des résultats probants. Vos démarches seront couronnées de succès, tandis que vos projets commenceront enfin à se concrétiser. Quelques chances dans les tirages.

# Septembre

| DIM | LUN | MAR | MER | JEU | VEN | SAM |
|-----|-----|-----|-----|-----|-----|-----|
|     |     | 1   | 2   | 3   | 4   | 5   |
| 6   | 7 D | 8 D | 9 F | 10 F | 11 | 12 |
| 13 ● | 14 | 15 | 16 | 17 | 18 | 19 F |
| 20 F | 21 D | 22 D | 23 | 24 | 25 | 26 |
| 27 ○ | 28 | 29 | 30 |     |     |     |

| F  Jour favorable | D  Jour difficile |
|-------------------|-------------------|
| ○  Pleine lune et éclipse lunaire totale | ●  Nouvelle lune et éclipse solaire partielle |

SANTÉ. Les éclipses ne vous affectent pratiquement pas. Elles engendrent un peu plus de nervosité, mais certainement pas assez pour vous empêcher de fonctionner. Physiquement, vous continuez à remonter la pente ; votre détermination à améliorer votre sort y est pour beaucoup. Vos efforts portent leurs fruits, vous vous sentez rajeunir et tout le monde remarque votre mine resplendissante.

SENTIMENTS. Vous bénéficiez toujours d'un transit exceptionnel de Vénus, planète des amours. Les couples se rapprocheront, tandis que les célibataires rencontreront enfin l'âme sœur. Autres bonnes nouvelles, la vie sociale s'annonce excitante, votre cote de popularité ne cesse de grimper et vous aurez mille et une occasions de vous amuser. Profitez-en !

AFFAIRES. Ici aussi, les influences sont très encourageantes, particulièrement avant le 24 ; voilà pourquoi il faut agir sans attendre. Excellente période pour chercher un emploi, pour obtenir une permanence ou une promotion. Les finances sont à la hausse, la chance vous sourit. Ajoutons que les voyages, les démarches, les transactions et le commerce sont d'autres secteurs favorisés.

# Octobre

| DIM | LUN | MAR | MER | JEU | VEN | SAM |
|-----|-----|-----|-----|-----|-----|-----|
|     |     |     |     | 1 | 2 | 3 |
| 4 D | 5 D | 6 F | 7 F | 8 | 9 | 10 |
| 11 | 12 ● | 13 | 14 | 15 | 16 F | 17 F |
| 18 | 19 D | 20 D | 21 | 22 | 23 | 24 |
| 25 | 26 | 27 ○ | 28 | 29 | 30 | 31 D |

| F  Jour favorable | D  Jour difficile |
|-------------------|-------------------|
| ○  Pleine lune | ●  Nouvelle lune |

SANTÉ. L'anxiété semble s'intensifier, et il ne faut pas grand-chose pour vous déstabiliser. Sur le plan physique, vous vous sentez plus abattu et votre résistance faiblit légèrement. Mieux vaut vous en occuper avant que la fatigue s'installe. Ce n'est pas le moment de vous laisser aller ni d'oublier les bonnes habitudes que vous aviez prises dans les derniers mois.

SENTIMENTS. La première quinzaine est idyllique, tout le monde vous aime et cherche à vous faire plaisir. Les choses risquent de se corser par la suite si vous vous montrez trop directif ou intransigeant. Vos proches pourraient en effet se rebeller et choisir de s'éloigner temporairement de vous. Un petit effort de votre part préserverait l'harmonie tout en vous gardant dans les bonnes grâces de votre entourage.

AFFAIRES. Ce n'est pas que ça va mal, au contraire, mais le climat de stagnation qui prévaut ce mois-ci vous contrarie. Il faut toutefois avouer que, malgré vos bonnes idées, la motivation fait défaut. En effet, vous avez des traits de génie, mais rien n'aboutit car vous ne passez pas à l'action. Dommage, car si vous vous donniez la peine d'agir, vous seriez agréablement surpris des retombées.

# Novembre

| DIM | LUN | MAR | MER | JEU | VEN | SAM |
|---|---|---|---|---|---|---|
| 1 D | 2 F | 3 F | 4 F | 5 | 6 | 7 |
| 8 | 9 | 10 | 11 ● | 12 | 13 F | 14 F |
| 15 D | 16 D | 17 | 18 | 19 | 20 | 21 |
| 22 | 23 | 24 | 25 ○ | 26 | 27 | 28 D |
| 29 D | 30 F | | | | | |

| F Jour favorable | | D Jour difficile | |
|---|---|---|---|
| ○ Pleine lune | | ● Nouvelle lune | |

SANTÉ. Le 12, vous cesserez d'être léthargique et deviendrez survolté. Il y aura tellement d'idées qui trotteront dans votre esprit que vous ne saurez plus par quoi commencer. Mille et une activités vous attireront, vous en mènerez plusieurs de front, ce qui risque à la fois de vous faire perdre votre objectif et de vous épuiser. Avec tout ce qui mijotera dans votre tête, la distraction risque de prendre le dessus. Attention, vous pourriez vous faire mal !

SENTIMENTS. La première quinzaine ressemble étrangement au mois précédent. Vous vous ennuyez, malgré la gentillesse de vos proches. Vous attendez probablement trop après les autres, essayez plutôt de prendre quelques initiatives. Puis, le vent tournera. Les invitations se feront plus nombreuses, vous rencontrerez de nouvelles personnes et reverrez d'anciens amis. Ce rythme de vie vous convient davantage et vous vous sentirez plus heureux.

AFFAIRES. Il règne encore de la confusion, mais, peu à peu, vous arriverez à tout démêler si vous vous en donnez la peine. Des changements pourraient survenir, certains que vous aurez décidés, d'autres qui arriveront sans prévenir. Quelques difficultés d'ajustement sont possibles au début, mais vos efforts pour vous adapter donneront des résultats encourageants. Un conseil: ne prenez pas de risques avec votre argent.

# Décembre

| DIM | LUN | MAR | MER | JEU | VEN | SAM |
|-----|-----|-----|-----|-----|-----|-----|
|     |     | 1 F | 2 | 3 | 4 | 5 |
| 6 | 7 | 8 | 9 | 10 F | 11 ● F | 12 D |
| 13 D | 14 | 15 | 16 | 17 | 18 | 19 |
| 20 | 21 | 22 | 23 | 24 | 25 ○ D | 26 D |
| 27 F | 28 F | 29 | 30 | 31 |     |     |

| F  Jour favorable | D  Jour difficile |
|-------------------|-------------------|
| ○  Pleine lune | ●  Nouvelle lune |

SANTÉ. Vous êtes toujours soumis à l'opposition de Mars, ce qui risque de vous donner du fil à retordre ; demeurez donc particulièrement prudent. Ce n'est pas le moment de jouer au casse-cou ni de vous mettre à terre. Ne prenez aucun risque, faites attention aux distractions et bannissez les excès. En agissant de la sorte, vous resterez à l'abri des problèmes et serez en pleine forme pour profiter des festivités qui s'en viennent.

SENTIMENTS. Les dissensions sont nombreuses, mais en agissant avec doigté vous pourriez éclaircir les situations nébuleuses et faire le point avec votre entourage. Même si les discussions sont parfois enflammées, le résultat sera bénéfique. Un ami traverse des moments pénibles, c'est à votre tour de lui remonter le moral ; vous vous sentirez utile et cela vous fera le plus grand bien. Les invitations se multiplient, vous verrez plein de beau monde.

AFFAIRES. Entre le 1er et le 10, vous aurez des idées de génie, un flair du tonnerre ainsi qu'une capacité surprenante à vous exprimer. Ce serait donc le moment propice pour présenter une demande, faire valoir vos droits ou tout simplement défendre votre point de vue. Par la suite, le rythme risque de devenir très irrégulier. Toutefois, cela ne donnerait rien de paniquer ni de piquer une crise. Vous devriez plutôt profiter de cette période pour réfléchir à vos projets d'avenir.

# TAUREAU

## DU 21 AVRIL
## AU 20 MAI

Quand on parle des taureaux, on pense souvent à ceux qui, vifs et combatifs, hantent les arènes d'Espagne. Ils ont peu de choses en commun avec vous, qui êtes un être lent et tranquille. En fait de taureau, vous ressembleriez plutôt à cette bonne vache des prés qui broute paisiblement, sans se compliquer l'existence.

Amoureux de la nature, de la campagne, de la verdure, vous trouvez le moyen d'avoir une boîte à fleurs ou un jardinet même au cœur de la ville. Il vous faut absolument un espace vert pour égayer votre paysage.

Ce qui frappe au premier abord, lorsqu'on vous rencontre, c'est votre fidélité et votre stabilité. Vous n'êtes pas du genre à déménager tous les ans ni à vous faire de nouveaux amis toutes les semaines. Votre domicile, vos biens, vos amis, vous y tenez et vous les gardez précieusement. Le temps qui passe n'émousse pas vos sentiments : au contraire, il les renforce. Pour vous, vos petites habitudes, vos vieilles pantoufles, vos vieux amis et vos bons voisins sont très importants, et vous n'êtes pas prêt à tout chambarder. En amour, c'est la même chose. Vous ne recherchez pas la passion dévorante, mais plutôt un attachement, une grande amitié et une forte complicité avec l'élu de votre cœur. Vous vous montrez dévoué et sincère, mais vous avez aussi le souvenir tenace. Vous n'acceptez ni le mensonge ni la tromperie, et s'il arrivait que vous subissiez ces outrages vous vous en souviendriez longtemps. D'ailleurs, votre mémoire est remarquable.

Vous savez retrouver la moindre de vos petites choses : les papiers, les petits cadeaux que les enfants vous ont faits trois ans plus tôt, vous vous rappelez ce que votre patron vous a dit au téléphone le mois précédent. Peu importe ce dont il s'agit, vous en oubliez fort peu.

Les mauvaises langues se moqueront de cette faculté en disant que vous avez un esprit lent, que vous mettez du temps à comprendre les explications ou les raisonnements et que, pour cette raison, vous apprenez tout par cœur. Laissez-les parler ! Chez vous, il n'y a pas de place pour la désorganisation : tout est classé, rien ne se perd. Vous êtes méthodique, responsable et déterminé... un peu têtu, parfois ! L'important, c'est d'arriver au but, pas à pas. Vous connaîtrez parfois des retards, des délais parce qu'il vous faudra surmonter des obstacles ; mais en prenant votre temps vous réussirez à éviter l'échec.

Ce dont vous avez une sainte horreur, c'est d'être poussé dans le dos. Vous ne fonctionnez bien qu'en allant à votre propre rythme. Les échéances trop rapprochées et les situations urgentes vous déplaisent ; vous connaissez vos capacités et vos limites, et vous savez que travailler dans l'urgence vous empêche d'exprimer tout votre talent.

En fait, vous détestez les changements trop radicaux. Que ce soit au boulot ou à la maison, qu'il s'agisse d'implanter un système informatique, d'être muté dans le quartier voisin, de changer de couvre-lit ou de déménager, tout cela crée un petit sentiment de panique en vous. Pourtant, une fois habitué à votre nouvelle réalité (ça prend un certain temps), vous reconnaîtrez que ce changement en valait la peine. Mais sur le coup, vous ne trouvez pas ça drôle ni attrayant.

Vous avancez lentement mais sûrement, ce qui vous permet d'atteindre votre but, même si c'est parfois long. Vous avez une patience d'ange, mais puisque vous vous montrez craintif, vos peurs peuvent vous empêcher d'agir ou miner votre moral.

Ce n'est pas parce que vous prenez tout votre temps que vous n'appréciez pas les plaisirs de la vie, au contraire. Vous avez un faible pour la bonne chère, les vins capiteux, les belles choses. Sérieux et prévoyant, vous savez exactement ce qu'il faut faire pour vous les procurer. Comme vous souffrez d'insécurité, vous savez aussi prévoir les coups durs et vous vous ménagez des portes de sortie. Vous êtes rarement pris au dépourvu et vous savez faire de petites économies pour les jours plus difficiles.

Vous êtes une personne terre à terre qui attache de l'importance à l'univers matériel. Cet aspect de la vie n'est pas sans vous causer quelques inquiétudes qui font sourire vos proches. Petit à petit, vous faites votre nid et vous parvenez sans grand sacrifice à vivre avec une certaine aisance. Et évidemment, c'est là que les cigales qui ont chanté tout l'été viennent voir le Taureau, qui a su se faire fourmi.

## Comment se comporter avec un Taureau ?

Le Taureau possède un esprit très cartésien. Avec lui, un plus un, ça fait toujours deux. Il refuse les généralités, les on-dit, les « je pense bien », les « peut-être que »; quand vous discutez avec un Taureau, il vaut mieux être sûr de ce que vous dites. Oubliez aussi les théories métaphysiques vaseuses. Il comprend mieux ce qu'il voit que ce qu'il entend. Donc, si vous le pouvez, prouvez vos assertions par A + B, et autant que possible par écrit.

Ne tentez pas de l'entraîner dans des projets à peine ébauchés ou fantaisistes. De toute façon, il sera incapable de prendre une décision sur-le-champ; il lui faudra peser le pour et le contre, et il s'assurera d'avoir tout bien compris avant de se décider. Il doit y penser et se faire une idée, ce qui, vous le constaterez, peut demander un temps fou. De bonnes occasions lui passent ainsi sous le nez, mais il ne s'en formalise pas.

Le Taureau est quelqu'un de méthodique qui ne peut pas partir sur les chapeaux de roues. Ce sera à vous de l'encourager et de l'aider à se lancer. Mais une fois qu'il est parti, vous verrez qu'il ira loin. Il appréciera votre aide, mais surtout de ne pas être poussé dans le dos. S'il se sent pressé et obligé d'agir à la hâte, il refusera tout simplement d'avancer.

Vos relations avec un Taureau seront harmonieuses si vous évitez tout conflit. N'oubliez pas qu'il possède une mémoire phénoménale et qu'il n'oublie jamais rien, que ce soit le bien ou le mal qu'on lui a fait. En respectant son besoin essentiel de calme et de sécurité, vous développerez une bonne relation avec lui.

Si vous voulez qu'il vous suive dans une activité qui vous plaît mais qui n'est pas forcément de son goût, essayez le «donnant-donnant»; normalement, ça marche très bien avec un Taureau. Après tout, un plus un, ça fait deux.

## Ses goûts

On l'a vu, le Taureau adore la campagne et la nature. S'il n'y habite pas, il la recréera chez lui avec des plantes, des meubles anciens ou rustiques. Être propriétaire de sa maison est une autre de ses priorités. Il aime porter des vêtements sobres et classiques. Ce n'est décidément pas quelqu'un qui suit la mode de près; il préfère garder ses vêtements longtemps.

À table, le Taureau fait honneur à la bonne chère. N'hésitez pas à lui servir des portions généreuses. Les plats en sauce, les salades et les produits laitiers lui plaisent beaucoup. Il savoure, il déguste; cela fait plaisir à voir. Par contre, il a tendance à abuser et à manger trop.

## Son potentiel

Pas à pas, le Taureau va son petit bonhomme de chemin, avec détermination, sans se laisser arrêter par quoi que ce soit. Il n'est pas un être vif et il réagit mal sous la pression et les urgences. Le court terme, ce n'est pas dans ses cordes. Mais dans les projets à longue échéance, il se révèle fantastique. Il ne prend pas de risques, mais ne commet pas d'erreurs. On l'a dit, le Taureau est matérialiste. Pour cette raison, il est imbattable dans les métiers de la gestion, de l'administration, de la construction, de l'ébénisterie et de l'immobilier. Il réussira bien dans l'artisanat, l'esthétique, la coiffure, l'alimentation et la restauration. Il a beau être craintif, il ne perd pas de vue ses intérêts personnels. Avec un dollar, il est capable d'en faire dix.

## Ses loisirs

C'est un être terre à terre. Il préférera donc les loisirs paisibles et rentables: il peut s'occuper en bricolant ou en réparant un objet utile. Vous voulez lui faire plaisir? Alors proposez-lui de réparer le robinet qui coule, de construire une terrasse ou de coudre des rideaux pour la chambre d'amis plutôt que de l'emmener danser. Imaginez les économies ainsi réalisées ; lui, il y a déjà pensé ! C'est une personne très habile de ses mains pour bâtir, pour fabriquer ; il n'est pas rapide, mais ce qu'il fait est bien fait, et c'est du solide ! Au jardin aussi, il connaît la réussite. Il aime la nature et a le pouce vert.

Les jours de pluie, le Taureau aime jouer à des jeux de société où son sens de la stratégie et son intelligence seront mis au défi. Il apprécie les cartes, le bridge et les échecs, où il se révèle un excellent stratège. De tels loisirs lui permettent de mettre sa timidité de côté pour socialiser avec des partenaires de jeu.

À la cuisine, homme ou femme, le Taureau consacrera des heures à mijoter des petits plats que vous n'oublierez pas de sitôt. Pour lui, cuisiner est un véritable plaisir, et même un art.

Le natif du Taureau a de nombreux talents dans différents domaines : artisanat, poterie, céramique. Bref, il sait créer de ses propres mains. Comme le signe du Taureau correspond à la gorge, beaucoup d'entre eux chantent et ont une très belle voix.

Paradoxe de sa nature, au cinéma ou en lecture, il préfère des œuvres d'aventures ou des comédies, malgré sa personnalité pantouflarde. Peut-être préfère-t-il vivre la grande aventure par l'entremise de personnages de fiction ?

## Sa décoration

Le Taureau aime être à l'aise dans son environnement. Il dispose d'un intérieur très confortable : de gros fauteuils moelleux, des meubles robustes et, bien souvent, une table de salle à manger de grandes dimensions (il aime tant manger). En bon amoureux de la campagne, le Taureau optera souvent pour un mobilier rustique. En général, il s'entoure d'objets anciens, mais sans pour cela sacrifier son confort ; une belle armoire antique lui conviendra, mais une chaise qui branle, ce n'est guère pour lui. Signe de terre, le Taureau est attaché aux possessions matérielles ; il préfère avoir sa propre maison, qu'il considère comme un bon investissement. Il la choisira solide, agréable et, si possible, entourée d'un lopin de terre verdoyant. La céramique, le bois, la brique et la pierre sont les matériaux qu'il préfère, et il les utilise, même si sa résidence se situe au centre-ville. À peine la porte de sa demeure franchie, on s'y sent comme à la campagne. Le Taureau n'est pas non plus du genre à tout chambouler. Les meubles changent rarement de place et, si son intérieur n'est pas moderne, il est très chaleureux.

## Son budget

Le Taureau est un être sérieux qui a le sens de l'économie et qui est habile de ses mains. Donc, sur le plan financier, il pourrait être avantagé par rapport à d'autres. Néanmoins, on l'entend souvent dire que les temps sont durs, que les taxes sont élevées, que les enfants dépensent trop. Bref, il n'a pas d'argent à jeter par les fenêtres. Il compte et recompte chaque sou. Et même s'il vient de gagner le gros lot, n'ayez crainte, ce n'est pas lui qui aura la folie des grandeurs et qui dilapidera sa fortune sans réfléchir. Toutefois, il n'est pas non plus comme un écureuil qui engrange sans dépenser. Il sait saisir au vol d'excellentes occasions, et peu de bonnes affaires lui passent sous le nez. Pour lui, l'épargne est un mode de vie. Sage au travail, sage en amour, pourquoi serait-il différent lorsqu'il pense à son porte-monnaie? L'argent ne pousse pas dans les arbres, et il en est conscient. C'est un être prévoyant, mais qui semble souffrir un peu d'insécurité. On ne sait jamais ce qui peut arriver. Il aurait même tendance à exagérer sur ce point: la famine et la disette rôdent... Bien sûr, rien de cela n'arrive, mais il s'inquiète et ne se laissera jamais surprendre dans une mauvaise posture financière. Ses proches le taquinent même sur son côté pingre... tout en sachant bien à quelle porte frapper lorsqu'eux-mêmes sont en difficulté. Notre Taureau a probablement un petit bas de laine bien gonflé; il ne l'avouera jamais, mais il trouvera toujours quelques dollars cachés çà et là, si le besoin s'en fait sentir.

## Quel cadeau lui offrir?

Puisqu'il a le sens pratique, offrez-lui quelque chose d'utile, tout simplement. Son petit côté bricoleur sera servi si vous lui donnez des outils ou du matériel pour faire travailler ses dix doigts. Jardinage, couture ou artisanat sont aussi des passe-temps qui l'occupent; ce sont donc de bonnes pistes à explorer pour lui faire plaisir. Offrez-lui un portefeuille, un logiciel de comptabilité personnelle, une boîte ouvragée pour classer ses certificats de placement ou un petit coffre-fort: il s'en servira, puisque l'argent compte beaucoup pour lui. On l'a vu, le Taureau a une bonne fourchette et il ne résistera pas à un grand vin, à du caviar, à des gâteaux raffinés ou encore à un dîner gastronomique. Un parfum bien choisi peut également le mettre en joie, car le Taureau est très sensible aux odeurs.

## Les enfants Taureau

Sages, très sages, les bébés Taureau sont dociles, souriants, faciles à vivre et beaux à croquer! Ils le resteront même en grandissant. Il suffit de discuter avec eux, de leur expliquer les choses et de les prendre avec douceur, et tout se passera bien. S'ils sont contrariés, ils boudent et peuvent le faire longtemps, car même très jeunes ils ont déjà une bonne mémoire et n'oublient rien. Manquant parfois d'assurance et de confiance en eux, ces enfants Taureau ont besoin d'être entourés, aimés et soutenus par leurs proches. Sur le plan scolaire, quelques difficultés peuvent surgir, car ils ne sont pas très rapides et demandent beaucoup d'explications. Par contre, ce sont des élèves appliqués et motivés lorsqu'ils savent qu'on les soutient. Ils feront leur chemin dans la vie si, très jeunes, on les habitue à des changements, car ils cherchent plutôt la stabilité. On leur donnera ainsi une meilleure confiance dans leurs moyens et on les incitera à repousser leurs limites.

## L'ado Taureau

Tu es un être réfléchi, sérieux et prudent. Tu ne peux évoluer que dans le calme et la stabilité, et tu es très perturbé dès que l'on te bouscule ou que tu te sens menacé dans ta tranquillité.

Même si certaines personnes te disent que tu es trop lent, tu leur prouveras que tu fais rarement des erreurs, car tu réfléchis beaucoup avant d'entreprendre quoi que ce soit, et avec ton talent tu deviens très doué pour réussir tout ce que tu fais. D'ailleurs, tu peux accomplir n'importe quoi, du moment que tu n'es pas dérangé et que tu as du temps pour analyser la situation avant de te lancer dans une entreprise quelconque. Tes goûts musicaux et tes talents artistiques sont importants, et tu adores tout ce qui se rapporte à l'art. Tu es également un être très près de la nature, ce qui te permet de te ressourcer et de faire le point. Tu aimes te retrouver à la campagne pour préparer tes plans, mais surtout pour oublier les petits tracas quotidiens.

Par contre, un imprévu, un chambardement, un changement brusque, et te voilà bien ennuyé. Tu supportes mal le stress et tu ne te sens pas bien lorsqu'il y a trop de transformations autour de toi.

Tu es têtu, et il est bien difficile de te faire changer d'idée. Mais tu es aussi quelqu'un de loyal et d'honnête, une personne sur qui l'on peut compter. Par contre, tu es sensible ; alors prends garde de ne pas te faire manipuler. Sur le plan financier, puisque tu es raisonnable, ne t'en fais pas, tu iras loin.

### Tes études

Tu es très assidu et appliqué ; il n'y a pas grand-chose à ton épreuve. Tes travaux sont généralement faits longtemps d'avance, tu révises bien pour réussir tes examens et tu planifies tes études et ton avenir. Tu possèdes la détermination et la persévérance nécessaires pour mener tes projets à terme. Tu es aussi prudent, et tu sais où tu t'en vas... Ne t'inquiète pas, le temps travaille pour toi ; tu réussiras à atteindre tous les buts que tu t'es fixés et ceux que tu te fixeras dans l'avenir.

### Ton orientation

Ton choix de carrière peut surprendre, mais ton bon jugement est ton meilleur atout. Il s'agit de ta vie, tu connais tes capacités et tu sais ce que tu peux faire. Puisque tu as de la suite dans les idées, les métiers liés à la planification, à la comptabilité, à l'administration, à la psychologie, au commerce et à l'immobilier te conviendront très bien. Le chant, la musique, l'art, l'agriculture, le travail manuel sont aussi des domaines qui t'attirent et dans lesquels tu réussiras. L'aspect financier de ta vie d'adulte t'inquiète, mais n'aie aucune crainte, tu te prépares un bel avenir.

### Tes rapports avec les autres

Les gens que tu côtoies savent qu'ils peuvent compter sur toi, car tu es quelqu'un de sérieux. Tu as des idées bien arrêtées, et il est difficile de te les faire changer. Par contre, tu ne les imposes pas aux autres. Pour être à l'aise, il te faut un environnement stable. Tu as de bons copains avec qui tu t'entends très bien, souvent même mieux qu'avec les membres de ta famille. Tu aimes tes amis, tu les protèges, tu leur donnes beaucoup. Mais il serait bon aussi que tu saches recevoir !

# LE TAUREAU DANS LA CUISINE

## Votre façon de cuisiner

Vous êtes gourmet et gourmand, et cela se voit – et se sent – lorsque vous cuisinez. Les odeurs sont très importantes pour vous. Vous choisissez des ingrédients de qualité, les meilleurs que vous pouvez trouver.

Vous êtes très patient, vous excellez donc dans les plats mijotés et les recettes élaborées.

## Vous adorez :

- les mets riches et complexes ;
- les portions généreuses, et non un petit cube de viande et deux carottes ;
- la cuisine traditionnelle, parfois un peu champêtre ou rustique ;
- les plats réconfortants ;
- les mets en sauce : vous n'aimez pas les plats secs, vous préférez les textures moelleuses ;
- une cuisine fonctionnelle et bien organisée.

### CE QUE LA NATUROPATHE VOUS SUGGÈRE

- Réduisez légèrement vos portions ou, du moins, ne vous servez pas une seconde fois.
- Vous aimez un peu trop les hydrates de carbone (pain, pâtes, pommes de terre) et en abusez souvent. Ici aussi, de la modération s'impose. Cela vous aidera à maintenir votre poids tout en augmentant votre énergie.

# ILS SONT TAUREAU EUX AUSSI

Adele, Andre Agassi, Paul Arcand, Michel Barrette, Patrice Bélanger, Dorothée Berryman, Cate Blanchett, Isabelle Brouillette, Cher, George Clooney Sylvain Cossette, Pénélope Cruz, Frédérick De Grandpré, Arielle Dombasle, Claude Dubois, Mario Dumont, Kirsten Dunst, Roy Dupuis, Denise Filiatrault, Megan Fox, Vincent Graton, James Hyndman, Enrique Iglesias, Ima, Janet Jackson, Yves Jacques, Linda Johnson, Micheline Lanctôt, Jean Lapierre, Jean Leloup, Ariane Moffatt, Guy Mongrain, Joëlle Morin, Jack Nicholson, Al Pacino, Alex Perron, Marie Plourde, Louise Portal, Ginette Reno, Jerry Seinfeld, Sophie Thibault, Uma Thurman, Annie et Suzie Villeneuve, Renée Zellweger.

### Pensée positive pour le Taureau

J'avance avec confiance sur le chemin de ma vie. J'accepte tous les bienfaits présents et futurs, en me donnant le droit d'en profiter.

### Pensée positive spéciale pour 2015

Je n'accepte que ce qu'il y a de mieux car je sais que je suis un être privilégié.

*Le subconscient nous dirige toujours selon nos pensées. En répétant le plus souvent possible ces pensées conçues tout spécialement pour vous, vous vous attirerez plein de belles choses.*

### Outils pour transformer votre destinée

- Vous êtes meilleur que vous le croyez : arrêtez de vous dénigrer et laissez la timidité de côté.
- Il faut accepter les changements. Vous aimez bien être en terrain connu, mais ce n'est pas toujours possible, alors soyez plus souple : cela facilitera les transitions et vous permettra de tirer le meilleur parti de ce qui se présente.
- Votre valeur ne se limite pas à ce que vous possédez ; cessez de vous juger en fonction de ce que vous avez ou n'avez pas.

**Signe :** Taureau

**Élément :** Terre

**Catégorie :** Fixe

**Symbole :** ♉

**Points sensibles :** Gorge, sinus, nuque, thyroïde, seins, système glandulaire. Bonne résistance générale.

**Planète maîtresse :** Vénus, planète du bonheur intime.

**Pierres précieuses :** Émeraude, jade, corail.

**Couleurs :** Les couleurs pastel et les tons de vert.

**Fleurs :** Muguet, pivoine, toutes les fleurs des champs.

**Chiffres chanceux :** 3-9-13-18-23-36-39-45-49.

**Qualités :** Persévérant, méthodique, pondéré, d'une patience à toute épreuve.

**Défauts :** Anxieux, matérialiste, lent.

**Ce qu'il pense en lui-même :** Pourquoi vouloir changer quelque chose quand ça peut rester pareil ?

**Ce que les autres disent de lui :** Si on ne le pousse pas, il sera encore à la même place dans dix ans !

# PRÉDICTIONS ANNUELLES

**V**otre bel enthousiasme ne cesse de croître. Plus le temps avance, plus vous arrivez à apprivoiser vos peurs et même à vous en défaire. On ne vous en impose plus, vous vous connaissez désormais beaucoup trop bien pour ça. De surcroît, vous continuez à vous ouvrir au monde extérieur, et votre soif d'apprendre et de découvrir de nouveaux horizons vous pousse constamment à vous dépasser. Bref, vous avez d'excellentes dispositions et vous vous sentez parfaitement d'attaque pour commencer cette nouvelle année. Mieux encore, vous amorcerez une période de chance importante le 11 août et pourrez dès lors donner à votre destinée l'orientation dont vous rêviez depuis si longtemps.

SANTÉ. Saturne, responsable de la tension nerveuse et de la fragilité physique qui vous ont affecté depuis un bon moment, est sortie du portrait : il n'est donc pas étonnant que votre moral et votre résistance gagnent en solidité. Peu importe votre décan, Jupiter vous a à l'œil durant les sept premiers mois, et vous risquez d'avoir des ennuis si vous dérogez aux règles d'une saine hygiène de vie. Attention aux excès de toutes sortes : votre silhouette et même votre état général pourraient en pâtir. À compter de la fin de l'été, vous aurez moins de mal à vous contrôler, vous commencerez même une période d'importante remontée. Ceux qui sont mal en point pourraient trouver remède à leurs problèmes.

SENTIMENTS. Vous continuez à faire du ménage parmi vos relations. D'ailleurs, si on y regarde de près, vous avez déjà éliminé quelques personnes qui ne correspondaient pas ou plus à vos attentes, tandis que d'autres se sont éloignées d'elles-mêmes quand vous avez commencé à ne plus répondre à tous leurs caprices. Dorénavant, vous misez davantage sur la qualité de vos relations que sur leur quantité. Dès le 11 août, vous entrerez dans un cycle d'incroyable popularité au cours duquel vous rencontrerez plein de gens extraordinaires, et même un nouvel amour si vous êtes seul.

AFFAIRES. Rien de tragique à l'horizon, mais vos finances seront parfois en dents de scie durant les sept premiers mois. Des situations inattendues pourraient vous forcer à réviser votre budget et à vous organiser autrement. N'empêche que, comme toujours, vous passerez au travers. Afin de ne pas envenimer les choses, restez loin des investissements risqués, ne prêtez pas d'argent et exigez des garanties sérieuses en affaires. À partir de la mi-août, vous serez sur une excellente lancée : vos finances se stabiliseront et se mettront même à progresser. Un nouveau travail, l'arrivée de contrats bien rémunérés ou le paiement d'une somme que vous attendiez sont à prévoir. Ce sera alors un bon moment pour négocier, faire des placements et même pour tenter votre chance au jeu. Excellente période aussi pour voyager.

# Janvier

| DIM | LUN | MAR | MER | JEU | VEN | SAM |
|-----|-----|-----|-----|-----|-----|-----|
|     |     |     |     | 1   | 2   | 3   |
| 4 ○ | 5   | 6   | 7 D | 8 D | 9 F | 10 F |
| 11  | 12  | 13  | 14  | 15  | 16  | 17  |
| 18 F | 19 F | 20 ● D | 21 D | 22  | 23  | 24  |
| 25  | 26  | 27  | 28  | 29  | 30  | 31  |

| F  Jour favorable | D  Jour difficile |
|-------------------|-------------------|
| ○  Pleine lune    | ●  Nouvelle lune  |

SANTÉ. Avec Mars au carré de votre signe jusqu'au 12, mieux vaut être sur vos gardes. La négligence, l'imprudence ou le laisser-aller risquent d'avoir des conséquences négatives sur votre état. Toutefois, si vous êtes vigilant, vous pourrez éviter les malaises et les accidents bêtes. Sur le plan moral, rien de grave, mais c'est loin d'être stable : vous passez de la nonchalance à l'agressivité le temps de le dire et on a du mal à vous suivre !

SENTIMENTS. Essayez justement de ne pas être trop dur avec vos proches, de ne pas vous impatienter, car vous pourriez heurter quelqu'un qui tient à vous. Le comportement ou l'état de santé d'un membre de la famille vous inquiète. On sollicite votre intervention, qui s'avère d'ailleurs fort utile. Du côté de votre vie sociale, la seconde moitié de janvier s'annonce plus reluisante et une surprise vous attend vers la fin du mois.

AFFAIRES. Pas facile d'avancer durant la première quinzaine : on vous contredit sans cesse, et vous commencez à en avoir assez de tous ces affrontements inutiles qui vous font perdre un temps précieux. Vos projets semblent stagner, voire régresser, malgré les nombreux efforts que vous déployez. Laissez passer la grisaille, la conjoncture sera beaucoup plus clémente par la suite. Un conseil : protégez vos possessions et votre argent.

# Février

| DIM | LUN | MAR | MER | JEU | VEN | SAM |
|-----|-----|-----|-----|-----|-----|-----|
| 1 | 2 | 3 ○ D | 4 D | 5 | 6 F | 7 F |
| 8 | 9 | 10 | 11 | 12 | 13 | 14 |
| 15 F | 16 F | 17 D | 18 ● D | 19 | 20 | 21 |
| 22 | 23 | 24 | 25 | 26 | 27 | 28 |

| F  Jour favorable | | D  Jour difficile | |
|-----|-----|-----|-----|
| ○  Pleine lune | | ●  Nouvelle lune | |

SANTÉ. Ce mois vous retrouve ardent et énergique. Vous avez le vent dans les voiles, rien ni personne n'arrivera à brimer votre ardeur. Si vous avez eu des ennuis au cours des dernières semaines, vous devriez rapidement trouver une solution à vos problèmes. Vous avez le goût de bouger, ce qui vous fait le plus grand bien tant physiquement que moralement. Vous êtes beau comme un cœur et on ne manque pas de vous le souligner.

SENTIMENTS. En plus de votre mine radieuse, vous possédez un charisme exceptionnel : pas étonnant qu'on n'ait d'yeux que pour vous. Vos amis vous réclament de tous les côtés, tandis que vous épatez ceux dont vous faites la connaissance. Parlant de rencontre, les célibataires pourraient en faire une qui serait déterminante. Quant aux couples, ils vivent un retour en force de la tendresse, et même de la passion.

AFFAIRES. Ne perdez pas un seul instant, vous disposez d'une conjoncture favorable pour aller de l'avant jusqu'au 20. Les démarches et les efforts en vue d'améliorer votre carrière ou votre situation financière donneront des résultats rapides et très positifs. Votre brillante personnalité, l'originalité de vos idées et la richesse de vos arguments vous ouvriront bien des portes.

# Mars

| DIM | LUN | MAR | MER | JEU | VEN | SAM |
|-----|-----|-----|-----|-----|-----|-----|
| 1 | 2 D | 3 D | 4 F | 5 ○ F | 6 F | 7 |
| 8 | 9 | 10 | 11 | 12 | 13 | 14 F |
| 15 F | 16 D | 17 D | 18 | 19 | 20 ● | 21 |
| 22 | 23 | 24 | 25 | 26 | 27 | 28 |
| 29 D | 30 D | 31 | | | | |

| F Jour favorable | | D Jour difficile | |
|---|---|---|---|
| ○ Pleine lune | | ● Nouvelle lune et éclipse solaire totale | |

SANTÉ. L'éclipse n'affecte pas trop votre moral. À partir du 12, vous devriez retrouver toute votre solidité. Hélas, on ne peut pas en dire autant sur le plan physique. Vous vous sentez fatigué et avez tendance à attraper tout virus qui passe : prenez le temps de vous reposer et alimentez-vous mieux, ça aidera.

SENTIMENTS. Vénus entrera dans votre signe le 17. Grâce à elle, vous rencontrerez toutes sortes de gens fascinants, ce qui peut s'avérer fort intéressant si votre cœur est libre. Vos copains vous traiteront aux petits oignons, tandis que votre partenaire vous démontrera avec empressement la profondeur de ses sentiments. Et ce n'est pas tout : vous recevrez de bonnes nouvelles concernant un enfant, un frère ou une sœur.

AFFAIRES. Voici un autre secteur où les astres vous recommandent la prudence. Ne vous fiez pas au premier venu, évitez les actes irréfléchis et, de grâce, ne prenez aucun risque avec votre argent. Un dégât, une perte ou un vol pourraient aussi être évités. Ce n'est surtout pas le moment de défier l'autorité ni la loi, car cela risquerait de vous coûter cher. Bientôt, les choses se replaceront.

**TAUREAU**

**115**

# Avril

| DIM | LUN | MAR | MER | JEU | VEN | SAM |
|-----|-----|-----|-----|-----|-----|-----|
|  |  |  | 1 F | 2 F | 3 | 4 ○ |
| 5 | 6 | 7 | 8 | 9 | 10 F | 11 F |
| 12 | 13 D | 14 D | 15 | 16 | 17 | 18 ● |
| 19 | 20 | 21 | 22 | 23 | 24 | 25 |
| 26 D | 27 D | 28 F | 29 F | 30 |  |  |

| F  Jour favorable | D  Jour difficile |
|-------------------|-------------------|
| ○  Pleine lune et éclipse lunaire partielle | ●  Nouvelle lune |

SANTÉ. Mars vient s'installer dans votre signe, ce qui aura tôt fait de remplacer la fatigue du mois dernier par une énergie débordante. Vous voudriez tout faire en même temps, mais attention de ne pas brûler la chandelle par les deux bouts ! Ce transit comporte également des dangers de se blesser, une autre raison de ralentir un peu la cadence.

SENTIMENTS. Vénus demeure chez vous jusqu'au 11, et le conte de fées se poursuit. Après, votre destinée sera légèrement plus tranquille, mais vous n'aurez guère l'occasion de vous en plaindre puisque votre entourage immédiat se montrera d'une gentillesse exemplaire. Un parent pourrait traverser des moments ardus : vous aurez probablement à intervenir.

AFFAIRES. Le moment est venu de balayer le passé, de tourner certaines pages et de renoncer aux projets qui ne mènent nulle part. Inutile de vous entêter, la vie vous appelle ailleurs. En faisant preuve d'ouverture d'esprit, vous serez en mesure de saisir au vol les bonnes occasions qui se présenteront ; évitez malgré tout l'impulsivité et les actions précipitées. Une dépense imprévue vous tombe dessus et vous fait sortir de vos gonds.

# Mai

| DIM | LUN | MAR | MER | JEU | VEN | SAM |
|-----|-----|-----|-----|-----|-----|-----|
|     |     |     |     |     | 1 | 2 |
| 3 ○ | 4 | 5 | 6 | 7 | 8 F | 9 F |
| 10 D | 11 D | 12 | 13 | 14 | 15 | 16 |
| 17 ● | 18 | 19 | 20 | 21 | 22 | 23 D |
| 24 D / 31 | 25 F | 26 F | 27 | 28 | 29 | 30 |

| F  Jour favorable | | | D  Jour difficile | |
|---|---|---|---|---|
| ○  Pleine lune | | | ●  Nouvelle lune | |

SANTÉ. La libération arrivera le 11 : tout ira infiniment mieux, sur le plan tant moral que physique. Avant, cependant, vous devrez absolument continuer de faire attention à vous, car les menaces de blessure et de défaillance demeurent bien présentes. Prenez vos précautions, n'attendez pas qu'une tuile vous tombe dessus, et tout ira bien.

SENTIMENTS. Entre le 7 mai et le 5 juin, vos amours revêtiront un intérêt capital. Il pourrait être question d'une rencontre électrisante pour certains ou d'un nouveau départ sur des bases différentes pour d'autres. Vous recevrez également une foule d'invitations, et on ne pourra pas rester insensible au charme dont vous ferez preuve. Quant à la famille, elle devrait cesser de vous causer des soucis durant la seconde quinzaine.

AFFAIRES. Ici aussi, on sent des courants positifs à partir du 11. Un nouvel emploi, de meilleures conditions de travail ou un contrat apporteront de l'eau au moulin. Bon temps pour les démarches, les revendications et les négociations. Les déplacements de loisir ou d'affaires donnent des résultats plus que satisfaisants.

# Juin

| DIM | LUN | MAR | MER | JEU | VEN | SAM |
|-----|-----|-----|-----|-----|-----|-----|
|  | 1 | 2 ○ | 3 | 4 F | 5 F | 6 D |
| 7 D | 8 | 9 | 10 | 11 | 12 | 13 |
| 14 | 15 | 16 ● | 17 | 18 | 19 D | 20 D |
| 21 | 22 F | 23 F | 24 | 25 | 26 | 27 |
| 28 | 29 | 30 | | | | |

| F  Jour favorable | | | D  Jour difficile | | |
|---|---|---|---|---|---|
| ○  Pleine lune | | | ●  Nouvelle lune | | |

SANTÉ. Vous allez de mieux en mieux. Vous débordez d'énergie et de joie de vivre, ça fait plaisir à voir. Il est donc temps de vous attaquer à ce qui cloche, de consulter au besoin et de mettre de l'ordre dans votre vie. Parlant de bonnes habitudes, vous devrez apprendre à contrôler votre insatiable appétit, sans quoi votre silhouette risque de s'alourdir.

SENTIMENTS. N'oubliez pas que les cinq premiers jours sont avantagés par un transit positif. Vous verrez du bien beau monde, vous vous amuserez, vous échangerez avec les autres et ça vous fera le plus grand bien. Par la suite, la communication risque de passer plus difficilement, et vous vous poserez énormément de questions. Celles-ci demeureront sans réponses, du moins pour l'instant.

AFFAIRES. Malgré la pression et le climat de confusion qui règnent, vous tirez très bien votre épingle du jeu. En agissant de manière réfléchie et en usant de stratégie, vous pourrez transformer les problèmes en triomphe. Quelques conseils : ne croyez pas tout ce qu'un vendeur vous racontera, évitez de prêter de l'argent et freinez vos ardeurs en magasinant !

# Juillet

| DIM | LUN | MAR | MER | JEU | VEN | SAM |
|-----|-----|-----|-----|-----|-----|-----|
|  |  |  | 1 ○ F | 2 F | 3 D | 4 D |
| 5 | 6 | 7 | 8 | 9 | 10 | 11 |
| 12 | 13 | 14 | 15 ● | 16 D | 17 D | 18 D |
| 19 F | 20 F | 21 | 22 | 23 | 24 | 25 |
| 26 | 27 | 28 | 29 F | 30 F | 31 ○ D | |

| F  Jour favorable | | | D  Jour difficile | | |
|---|---|---|---|---|---|
| ○  Pleine lune | | | ●  Nouvelle lune | | |

SANTÉ. Vous disposez désormais d'une vitalité et d'une énergie incroyables. Même le moral se maintient, malgré un bref épisode d'anxiété dans la dernière semaine. Bon mois pour faire de l'exercice, mettre le nez dehors et vous attaquer à ces quelques kilos superflus.

SENTIMENTS. La première partie de juillet comporte encore des insatisfactions et des soucis, mais le ciel se dégagera rapidement à partir du 18. Non seulement vous vous entendrez mieux avec vos proches, mais vous serez aussi en mesure de discerner qui sont les bonnes personnes pour vous. D'autres se retrouveront sur votre liste noire : tant pis pour elles ! Sur le plan social, les choses redémarreront en grand, le téléphone ne dérougira pas.

AFFAIRES. Vous devriez constater un énorme relâchement des tensions. Vous ressentez le besoin d'aller de l'avant, et vous le ferez avec une aisance exceptionnelle. Grâce à vos arguments percutants et à votre ténacité, toutes les portes s'ouvriront devant vous. De nouveaux éléments rendent vos activités plus intéressantes, plus stimulantes. C'est une magnifique période pour faire des changements ou pour prendre le large.

# Août

| DIM | LUN | MAR | MER | JEU | VEN | SAM |
|-----|-----|-----|-----|-----|-----|-----|
|  |  |  |  |  |  | 1 D |
| 2 | 3 | 4 | 5 | 6 | 7 | 8 |
| 9 | 10 | 11 | 12 | 13 D | 14 ● D | 15 F |
| 16 F | 17 | 18 | 19 | 20 | 21 | 22 |
| 23 / 30 | 24 / 31 | 25 F | 26 F | 27 D | 28 D | 29 ○ |

| F  Jour favorable | | D  Jour difficile | |
|---|---|---|---|
| ○  Pleine lune | | ●  Nouvelle lune | |

SANTÉ. À partir du 8, les mauvais aspects de Mars et de Saturne devraient vous inciter à la plus grande sagesse. Si vous faites attention à vous, si vous prenez soin de votre santé, vous traverserez ce transit sans aucune difficulté. Prenez également quelques précautions supplémentaires lors de vos déplacements et lorsque vous manipulez des objets dangereux.

SENTIMENTS. L'ambiance semble plus lourde entre le 9 et le 31 car les prises de bec et les déceptions ont tendance à se multiplier. Les problèmes des autres ont des répercussions sur vous, et vous trouvez que ça fait beaucoup en même temps. Heureusement, votre popularité vous permet de vous changer les idées en revoyant d'anciens copains et en vous faisant de nouveaux amis.

AFFAIRES. Si Mars et Saturne vous compliquent la vie, vous pourrez compter sur une nouvelle alliée dès le 11. En effet, Jupiter, la grande bénéfique, commencera alors à influencer favorablement votre signe. Vous trouverez des solutions à tous vos problèmes, sans compter que les efforts visant à améliorer votre situation se mettront à porter leurs fruits. On décèle même quelques chances au jeu.

# Septembre

| DIM | LUN | MAR | MER | JEU | VEN | SAM |
|-----|-----|-----|-----|-----|-----|-----|
|  |  | 1 | 2 | 3 | 4 | 5 |
| 6 | 7 | 8 | 9 D | 10 D | 11 F | 12 F |
| 13 ● F | 14 | 15 | 16 | 17 | 18 | 19 |
| 20 | 21 F | 22 F | 23 | 24 D | 25 D | 26 |
| 27 ○ | 28 | 29 | 30 |  |  |  |

| F  Jour favorable | D  Jour difficile |
|-------------------|-------------------|
| ○  Pleine lune et éclipse lunaire totale | ●  Nouvelle lune et éclipse solaire partielle |

SANTÉ. Saturne sortira du portrait le 17, et Mars cessera de vous embêter le 24. Vous vous sentirez renaître sur le plan tant physique que psychologique. D'ici là, il faut cependant continuer à vous protéger contre les accidents et les problèmes de santé. La prudence et la sagesse demeurent essentielles.

SENTIMENTS. Ce n'est pas facile de plaire à tout le monde, surtout simultanément. Il est temps de réviser vos positions ; si vous n'y prenez garde, vous allez à nouveau vous laisser envahir. Redéfinissez vos limites et assurez-vous qu'on les respecte. Au besoin, soyez ferme. Tant pis pour ceux qui seront froissés et qui croient que tout leur est dû. Ne refusez pas les invitations qu'on vous lance, elles vous permettront de vous aérer l'esprit et même de vous amuser ferme.

AFFAIRES. Les tensions sont grandes et, par moments, vous ne savez plus à quel saint vous vouer. Essayez de rester calme : après tout, ce n'est que temporaire. En effet, la chance se range de votre côté à partir du 24, et vous jouerez alors gagnant sur toute la ligne, y compris dans les jeux de hasard. Le meilleur est à venir !

TAUREAU

121

# Octobre

| DIM | LUN | MAR | MER | JEU | VEN | SAM |
|-----|-----|-----|-----|-----|-----|-----|
|     |     |     |     | 1 | 2 | 3 |
| 4 | 5 | 6 D | 7 D | 8 | 9 F | 10 F |
| 11 | 12 ● | 13 | 14 | 15 | 16 | 17 |
| 18 | 19 F | 20 F | 21 D | 22 D | 23 | 24 |
| 25 | 26 | 27 ○ | 28 | 29 | 30 | 31 |

| F  Jour favorable | D  Jour difficile |
|-------------------|-------------------|
| ○  Pleine lune | ●  Nouvelle lune |

SANTÉ. C'est un ciel parfaitement dégagé qui vous attend ce mois-ci, vous pourrez donc faire ce que bon vous semble, sans avoir à vous soucier outre mesure d'un quelconque pépin. Mieux encore, vous disposez d'une conjoncture propice aux remises en forme, aux régimes ou aux transformations beauté. Même le moral redevient robuste.

SENTIMENTS. La vie sociale est toujours aussi exquise, mais elle ne constitue plus votre unique source de gratifications. À la maison, l'atmosphère est beaucoup plus détendue : vous réglez tous les petits conflits et arrivez à éclaircir les situations ténébreuses. Si vous êtes seul, un coup de foudre transformera radicalement votre destinée. Vos amis sont de bon conseil et vous appuient dans ce que vous entreprenez.

AFFAIRES. Ici aussi, les astres sont avec vous et, pour peu que vous mettiez la main à la pâte, vous vivrez un mois particulièrement satisfaisant. Le renouveau sous toutes ses formes vous avantage au plus haut point, c'est le moment ou jamais de foncer et de mettre vos projets en branle. Vous ferez plus que vos preuves, la victoire vous appartient déjà ! Excellentes chances dans les tirages.

# Novembre

| DIM | LUN | MAR | MER | JEU | VEN | SAM |
|-----|-----|-----|-----|-----|-----|-----|
| 1 | 2 D | 3 D | 4 D | 5 F | 6 F | 7 |
| 8 | 9 | 10 | 11 ● | 12 | 13 | 14 |
| 15 F | 16 F | 17 D | 18 D | 19 | 20 | 21 |
| 22 | 23 | 24 | 25 ○ | 26 | 27 | 28 |
| 29 | 30 D | | | | | |

| F Jour favorable | D Jour difficile |
|------------------|------------------|
| ○ Pleine lune | ● Nouvelle lune |

SANTÉ. Il y a tellement de choses qui trottent dans votre esprit que votre sommeil devient agité. Vous pensez, vous mijotez, vous rêvez beaucoup, et le tout demande une bonne dose d'énergie nerveuse. Ça ira, pour peu que vous vous alimentiez bien et que vous gardiez un peu de temps pour relaxer.

SENTIMENTS. Sur le plan social, la vie demeure emballante, les invitations arrivent de tous les côtés, et ce ne sont pas les occasions de vous divertir qui manquent. Si vous n'avez pas encore comblé le vide de votre existence, l'une de ces sorties pourrait tout changer. Avec la famille et la marmaille, ça s'annonce plus ardu jusqu'au 20 : vous avez beau faire des efforts, rien ne bouge. Pensez donc un peu plus à vous.

AFFAIRES. Si vous avez des demandes à présenter ou un projet à mettre en chantier, il vaut mieux agir avant le 12, car c'est à cette période que vos chances de succès sont les plus fortes. Parlant de chance, vous pourriez avoir une surprise dans un tirage. Le reste du mois comporte quelques irritants ; inutile de paniquer, il n'y a rien de dramatique en vue.

# Décembre

| DIM | LUN | MAR | MER | JEU | VEN | SAM |
|-----|-----|-----|-----|-----|-----|-----|
| | | 1 D | 2 F | 3 F | 4 | 5 |
| 6 | 7 | 8 | 9 | 10 | 11 ● | 12 F |
| 13 F | 14 D | 15 D | 16 | 17 | 18 | 19 |
| 20 | 21 | 22 | 23 | 24 | 25 ○ | 26 |
| 27 D | 28 D | 29 | 30 F | 31 F | | |

| F  Jour favorable | D  Jour difficile |
|-------------------|-------------------|
| ○  Pleine lune | ●  Nouvelle lune |

SANTÉ. Voici un excellent mois en perspective, où vous êtes à nouveau au mieux de votre forme. Vous vous sentez plus brave que par le passé, et avec raison. D'ailleurs, vous arrivez à affronter certaines peurs et, désormais, c'est vous qui avez le dessus. À partir du 9, les bons aspects de Mercure vous aideront à mettre de l'ordre dans vos idées et à baisser votre niveau de stress.

SENTIMENTS. Vous pourrez compter sur la tendresse de certains. Un proche s'avère un excellent psychologue et un extraordinaire conseiller ; grâce à lui, vous démêlerez une situation complexe et prendrez de bonnes décisions. Plusieurs rencontres attendent les solitaires, mais faire un choix semble bien compliqué.

AFFAIRES. Entre le 9 et le 31, vous jouirez d'une période exceptionnelle pour faire vos démarches, postuler un emploi à votre goût ou mettre vos projets en œuvre. Préparez-vous à travailler fort, mais rassurez-vous : la récolte sera impressionnante. Toute cette fougue, cette créativité et ces longues heures que vous investirez dans vos entreprises rapporteront gros. Ce serait le temps idéal pour les déplacements et les voyages. Une petite rentrée d'argent imprévue est possible.

# GÉMEAUX

## DU 21 MAI AU 21 JUIN

**L**es deux personnages que votre signe représente sont significatifs de votre double personnalité. Vous pouvez rapidement passer d'un extrême à l'autre, et même faire les choses en double. Vous ne passez pas inaperçu : toujours actif, toujours à gesticuler et à discuter vivement, vous donnez parfois l'impression d'être une vraie tornade.

Vous êtes aussi un habile communicateur, qui peut donner son opinion sur une multitude de sujets, même lorsque vous en ignorez les tenants et les aboutissants. Personne ne peut vous prendre en défaut, tellement vous donnez l'impression de tout connaître.

Vous êtes un être qui a besoin de contacts humains pour s'épanouir pleinement. La solitude et l'isolement vous donnent froid dans le dos. Vous avez besoin de donner votre point de vue et d'avoir un public pour l'écouter. Vous êtes quelqu'un de très populaire, de bien entouré ; vous avez besoin d'une vie sociale bien remplie.

Parfois, on vous pense frivole et léger. À première vue, vos amitiés semblent superficielles, et vous êtes un touche-à-tout qui ne peut s'arrêter pour développer un aspect particulier de ses relations ou de ses connaissances. En fait, vous fuyez simplement l'ennui. Qui pourrait vous en vouloir ?

Mais vous possédez surtout d'énormes dons pour œuvrer en communication, dans les médias, en journalisme, dans la vente ou dans l'enseignement. La nouveauté est votre moteur. Chaque jour qui passe vous permet d'apprendre et de découvrir de nouvelles facettes de la vie, d'essayer une multitude de choses, de relever de nouveaux défis. Il faut que votre vie bouge, et vous n'avez pas de temps à perdre avec des questionnements inutiles et stériles. D'ailleurs, avec un esprit aussi vif et curieux, vous vous ouvrez de larges horizons ; vos champs d'intérêt sont variés et nombreux, et vous ne pouvez vous limiter à ne faire qu'une chose à la fois.

Vous êtes capable de mener deux ou trois activités de front, à la surprise de tous. Vous pouvez téléphoner tout en écrivant un texte à votre ordinateur, vous raser en conduisant, préparer un repas en aidant les enfants à faire leurs devoirs, regarder la télévision en faisant des exercices, bref, vous êtes étourdissant ! Ce que vous faites dans une journée nécessiterait plusieurs jours à n'importe qui d'autre. Ainsi, votre agenda est plus que rempli : sorties, rencontres, cours du soir, invitations de dernière minute, travail, passe-temps préférés : vous voulez tout faire, ne rien manquer de la vie. Par conséquent, vous êtes une personne un peu stressée, voire nerveuse. On le serait à moins. Vous avez une âme d'adolescent et, physiquement, vous ne faites pas votre âge. Vous représentez tant la jeunesse éternelle que vieillir vous fait peur. Pourtant, vous garderez toujours votre cœur de 20 ans, même quand vous en aurez 90 ; ne vous tracassez pas trop.

En amour aussi, butiner ne vous fait pas peur. On pourrait même croire à certains moments que c'est un loisir. Cependant, vous êtes attaché à votre partenaire. Mais vous pensez qu'il n'y a pas de mal à regarder ailleurs, simplement pour voir. C'est sans doute un Gémeaux qui a inventé le flirt, car vous adorez vous amuser. En véritable paon que vous êtes, vous déployez vos charmes, faites des yeux de biche et savez séduire comme personne. Mais lorsque votre proie se rend et succombe, vous filez à toute vitesse... Vous vous rappelez soudainement que vous aviez un autre rendez-vous.

Vous garder à la maison, vous empêcher de sortir et de voir des gens est impossible. Vous êtes un courant d'air et avez besoin de votre liberté.

## Comment se comporter avec un Gémeaux ?

Puisque le Gémeaux est le signe de la liberté, l'imprévu sera toujours la norme. Changer d'activités, d'amis ou même d'humeur, souvent sans raison, n'est pas une exception dans son cas, mais bien la règle. Un Gémeaux peut se dire fatigué et avoir envie de passer une soirée tranquille à regarder la télévision, puis se lever brusquement pour aller faire la fête dans la boîte de nuit la plus proche de son domicile. Avec lui, une existence de tout repos n'est pas possible. L'ennui le gagne rapidement et l'horripile. Pour le rendre heureux, il faut lui concocter un programme époustouflant, avec une multitude d'activités et de gens. Le mieux est de le déstabiliser, de jouer de multiples personnages, de fuir la conformité et de le surprendre. Ce n'est qu'ainsi qu'il sera heureux et ravi.

Pour se ressourcer, il doit à tout prix se dépenser et s'étourdir avec des activités à l'extérieur, sans vous, et rencontrer des gens différents. Ouvrez-lui la porte, et il en profitera au maximum avant de vous revenir avec mille et une histoires à vous raconter. Chercher à le retenir, c'est le perdre à coup sûr.

Pour se faire apprécier d'un Gémeaux, il faut être prêt à parler, à discuter, à se livrer et surtout à le contredire parfois, car il adore argumenter et convaincre. Si vous cherchez à avoir le dernier mot, il sera ravi, car il aime les gens qui savent lui tenir tête et qui ont un esprit vif et inventif. Pour gagner son estime, montrez-lui votre indépendance, ayez vos propres occupations, rencontrez vos amis. Il ne cherche pas la docilité chez son partenaire, car pour lui elle devient vite de l'ennui, et l'ennui le fait fuir.

Alors sortez, intéressez-vous à de multiples sujets et, lorsque vous le croiserez entre la cuisine et le salon, entre deux portes, vous aurez plein de trucs surprenants à lui raconter ; vous éveillerez son intérêt, vous l'intriguerez, et il cherchera à se rapprocher de vous. Il sera là pour vous écouter d'une oreille attentive et pour discuter de tout ce que vous aurez découvert.

## Ses goûts

Le Gémeaux s'intéresse à tout et à tous. Par contre, il ne peut fixer son attention très longtemps sur un sujet, et dès qu'il a découvert le pourquoi du comment, il passe à autre chose. Il peut se passionner pour la biologie moléculaire le lundi, l'histoire du vélo le mardi et finir la semaine en se demandant quelle est la philosophie qui sous-tend le système politique de la Corée du Nord en plein XXI$^e$ siècle. Bref, le sujet l'intéresse, mais en connaître les détails, très peu pour lui. Il survole pour se faire une idée, mais va rarement au fond des choses.

Sa demeure n'est pas non plus une petite maison convention-nelle de banlieue ; elle est plutôt à son image, accueillante et grouil-lante d'activité. Chez lui, c'est presque portes ouvertes. Sa silhouette d'adolescent est mise en valeur par ses vêtements décontractés. La cravate ou les talons aiguilles, très peu pour le Gémeaux. D'ailleurs, il se crée son propre style, qui n'est jamais le même et évolue au jour le jour, au gré de son humeur, mais surtout pas selon les circons-tances. On le remarquera... N'est-ce pas ce qu'il recherche ?

Comme il est toujours pressé, il est un habitué des établissements de restauration rapide. Il mange vite, sans goûter, car souvent il fait une autre activité en même temps qu'il se nourrit. Il n'a pas de temps à perdre à savourer. Mais il aime les repas à plusieurs services. D'ailleurs, il n'est pas rare de le voir picorer dans l'assiette des autres pour varier son menu ; mais si vous faites la même chose, il vous fera les gros yeux.

## Son potentiel

Le Gémeaux est intelligent et manie très bien les idées et les concepts ; malheureusement, parce qu'il se passionne pour trop de choses, il est superficiel et ne parvient pas à s'intéresser en profondeur à quoi que ce soit. Il est le candidat idéal pour les entreprises de com-munication et de relations publiques, pour les médias, le journalisme en particulier, mais aussi pour la vente, l'enseignement, l'animation et la comédie. D'ailleurs, quoi qu'il fasse, il est toujours en représentation. Il aime se montrer et s'amuser. Il est brillant et très habile de ses mains : sa dextérité est légendaire. Quelle que soit son occupation, le Gémeaux s'arrangera toujours pour organiser des activités et des sorties de toutes sortes. Il aime raconter des anecdotes, planifier des rencontres avec des compétiteurs, discuter de ce qu'il y a à faire. Faites-lui confiance pour vous divertir et vous organiser un emploi du temps des plus variés et chargés. Car s'il peut tout faire en même temps, il pense que les autres sont aussi aptes que lui à mener plusieurs activités de front.

## Ses loisirs

On l'a vu, le Gémeaux se désintéresse vite d'une activité lorsqu'il la maîtrise bien. Le changement, le renouveau et les découvertes sont nécessaires pour lui éviter l'ennui. Ses loisirs doivent être stimulants et non répétitifs, sinon il en changera.

Intelligent et curieux, le Gémeaux adore apprendre : il n'est pas rare de le voir s'inscrire à plusieurs cours en même temps, souvent bien différents les uns des autres. Qu'il s'agisse de cuisine méditerranéenne ou de mécanique automobile, tout l'intéresse... jusqu'à ce qu'il en comprenne les rudiments ; après, il voudra passer à une autre chose qui le captivera aussi. Il aime acquérir de nouvelles connaissances, et la lecture lui permet de s'instruire et de s'évader. Il est doué pour l'écriture, car il a une imagination très féconde.

Le Gémeaux aime par-dessus tout les contacts humains, il est très attiré par les activités mondaines ou sociales. Il n'est pas rare de le voir dans un lancement de livre, à une première au théâtre, même après une épuisante journée de travail. Il déborde d'énergie lorsqu'il est question d'être en société. Il peut même accepter deux ou trois invitations la même journée. Ça l'emballe de courir d'un endroit à l'autre, de communiquer, de discuter, de parler, de voir du monde, bref, de se montrer et de nouer des relations, même fugaces.

Il a un côté intellectuel très développé, mais il aime aussi beaucoup faire marcher ses dix doigts, car il se sait fort habile. Le piano, les activités manuelles et les arts sont les domaines qui lui plaisent le plus, et il peut exceller dans la danse, le massage ou la graphologie. Pas un domaine ne le rebute et tout l'intéresse vraiment, mais son envie d'apprendre s'émousse rapidement. Il cherche constamment de nouvelles sources d'intérêt, de nouvelles passions qui sauront l'emporter et le faire vibrer.

Au cinéma, il vaut mieux lui proposer une nouveauté, car il aura sans doute vu tous les films à l'affiche depuis quelques semaines. Emmenez-le assister au dernier succès dont tout le monde parle, celui qui fait scandale, ou encore à un spectacle qui l'étonnera. Par la suite, un souper au restaurant sera de mise, bien entendu pour discuter de ce qu'il vient de voir.

## Sa décoration

L e Gémeaux a un décor qui ressemble bien à sa personnalité, c'est-à-dire changeant. Et l'on ne parle pas juste de bouger les meubles. Non. Il n'hésitera pas à tout renouveler de fond en comble. Ainsi, il pourrait avoir un intérieur japonais avec des meubles laqués et, d'un seul coup, se retrouver avec un ameublement digne d'un film de science-fiction, avec de l'acier inoxydable et des blocs de verre dans tous les coins. En fait, à y regarder de plus près, on constatera que, quelle que soit sa décoration, il préférera un style dépouillé et plutôt moderne, mais il ne faut jurer de rien avec lui, car on ne sait jamais... Par contre, comme il s'agit d'un signe d'air, notre fameux courant d'air appréciera les fenêtres, la lumière et les pièces à aires ouvertes. Il se choisira souvent une résidence ou un appartement aux étages supérieurs, pour avoir une vue imprenable sur le monde. Il n'est pas du genre à se terrer à la campagne, car il a besoin d'une vie sociale trépidante, de recevoir et de voir beaucoup de gens. La vie citadine lui convient bien, et surtout les tours d'habitation d'où il peut contempler le monde à ses pieds. Assurément, ses goûts le portent vers le contemporain ; les nouveautés et l'exclusivité exercent un attrait puissant sur lui. Ce qui brille l'attire particulièrement, notamment les miroirs qui multiplient les espaces, les couleurs pâles, les teintes nuancées et rares, presque indéfinissables, le verre qui joue avec la lumière. Son intérieur fait jaser ceux qui le voient, et c'est justement l'effet recherché.

## Son budget

S ur le plan financier aussi, le Gémeaux est bien changeant : c'est tout ou rien. Il peut se faire écureuil, économiser sou par sou, planifier son budget, choisir ses placements, puis tout flamber en une soirée ou lors d'une expédition de magasinage... Et il ne partait pas pour ça ! Évidemment, ses finances subissent des fluctuations : l'argent rentre mais sort souvent aussi rapidement. Il n'hésite pas à dépenser pour acquérir un objet qui lui plaît, en se disant qu'il s'occupera des factures plus tard, en temps utile. Bien entendu, quand elles arrivent, il est parfois pris de court, mais il ne s'en fait pas pour si peu. Il jongle entre les rentrées d'argent et les sorties, les dettes et les surplus, et finit toujours par s'en sortir... jusqu'à la fois suivante.

## Quel cadeau lui offrir ?

Le meilleur cadeau est celui qui le surprendra et qui lui laissera un souvenir dont il pourra parler longtemps. S'il s'agit d'un passionné de lecture, les récentes parutions l'intéressent toujours. Il a l'esprit ouvert, alors n'ayez pas peur de choisir un sujet qu'il ne connaît pas du tout : il adore découvrir et bientôt il vous donnera des leçons là-dessus. Les œuvres ou les magazines qui traitent de nombreux thèmes lui plaisent bien ; les revues sur la littérature ou le cinéma aussi. Du papier à lettres, des stylos (il les perd constamment !) seront les bienvenus. Puisqu'il passe des heures au bout du fil, vous pourriez lui offrir un téléphone portable, ou encore un iPad, ou un abonnement à un quotidien en ligne, pour qu'il garde contact avec tout le monde. Certains Gémeaux sont des collectionneurs. Une pièce originale ou rare pour enrichir sa collection sera appréciée. Vous pouvez aussi lui offrir un gadget inutile mais surprenant qui l'intriguera et fera jaser lorsqu'il le montrera à ses amis.

## Les enfants Gémeaux

Les petits Gémeaux sont curieux de tout. Ils posent mille et une questions. Ils sont vifs et brillants. Leur esprit est constamment en éveil. Avant même de savoir parler, ils gazouillent sans arrêt. En fait, ils en ont tellement à dire qu'ils apprennent à parler très tôt, et dès ce moment la paix et la tranquillité de la famille sont perturbées. Les questions s'enchaînent, et ils vous laissent à peine le temps de répondre que déjà de nouvelles interrogations surgissent. Très tôt, ils ont tendance à vouloir avoir le dernier mot. Ce n'est pas de tout repos, mais ils sont si adorables. Ils sont aussi bien entourés ; ils ont de nombreux amis qu'ils inviteront à dîner ou à dormir à la maison, sans vous prévenir. Rapidement, la maison se transformera en hall de gare ; ils déborderont d'activités, et c'est tout juste s'il leur restera du temps pour aller à l'école et pour dormir... Comme ils sont toujours par monts et par vaux, il vous arrivera de les chercher, car une activité n'attend pas l'autre. On les croit occupés dans leur chambre à faire leurs devoirs, on se retourne et on les voit en train de jouer sur la pelouse. Très habiles de leurs mains, les enfants Gémeaux bricolent, dessinent admirablement et sont très adroits. Avec eux, le donnant-donnant marche bien, car ils aiment négocier. S'ils nettoient leur chambre, vous devrez les conduire à leur match de soccer. Ne cédez pas rapidement à leurs demandes, parce qu'ils en profiteront pour quémander une autre faveur, et vous n'en sortirez plus. Avec eux, vous n'aurez jamais le dernier mot. Ils sont très alertes, ont un esprit brillant, même s'ils ont déjà une petite tendance à être superficiels.

Ils ne tiennent pas en place et sont vraiment très sociables. Apprenez-leur toutefois à planifier leur horaire, à déterminer leurs priorités, à concentrer leurs efforts et stimulez-les afin qu'ils aient le goût d'approfondir les choses au lieu de papillonner constamment de l'une à l'autre. S'ils aiment le sport, proposez-leur une activité qui demande une constante remise en question de leur capacité physique, la gymnastique acrobatique, par exemple.

## L'ado Gémeaux

En astrologie, ton signe correspond à l'adolescence. Éternellement jeune, tu conserveras toute ta vie l'idéalisme qui te caractérise maintenant. Tu es un signe d'air, ce qui te donne un intérêt pour de multiples activités. Ton entourage te reprochera peut-être de changer trop souvent d'idée, mais tu évolues rapidement et tu as besoin de relever constamment de nouveaux défis, d'apprendre de nouvelles choses, de tenter de nouvelles expériences. Tu t'intéresses à tout, et cela t'ouvre des horizons et te permet de rencontrer beaucoup de gens très différents. Tu aimes t'exprimer, communiquer, côtoyer plein de monde. Tu es bavard mais, finalement, tu parles peu de ce que tu ressens. Polyvalent et spontané, tu as une soif d'apprendre immense, et ce besoin d'en savoir plus fait de toi quelqu'un de brillant et dont on recherche la compagnie. Fais attention toutefois de ne pas trop disperser tes énergies, car la superficialité te guette. Avec toi, tout va vite. Tu mènes plusieurs projets et activités de front, et tu en as d'autres en vue. Tu es aussi un être émotif : tes opinions et tes goûts changent très rapidement, et peu de gens comprennent comment tu peux dire blanc un jour et noir le lendemain, mais, en réalité, tu es fidèle à toi-même.

### Tes études

Tu t'intéresses à tellement de choses qu'il est difficile pour toi de te bâtir un programme d'études cohérent. Pense à long terme. Quels sont les domaines qui t'attirent le plus ? Concentre-toi sur ces sujets, quitte à suivre des cours complémentaires dans d'autres champs d'intérêt. Fixe-toi un objectif et essaie de ne pas le perdre de vue, même s'il y a tellement de choses passionnantes dans ce monde. Tu auras tout le temps de les découvrir plus tard. Tu as une intelligence très vive, qui te permet de te débrouiller et d'avoir des résultats plus que convenables, mais il ne faut pas te demander de te concentrer pour travailler avec assiduité et application. Tu as plutôt tendance à étudier ou à faire tes travaux à la dernière minute, à survoler la matière pour en saisir les principes plutôt qu'à bien la comprendre, ce qui peut te jouer des tours.

### Ton orientation

Choisir sa voie lorsqu'on s'intéresse à tant de choses, lorsqu'on a des talents multiples peut devenir un vrai casse-tête. Tes projets d'avenir changent constamment, et tu ne parviens pas à te fixer définitivement. Le mieux pour toi est donc d'opter pour une carrière qui te permettra de déployer tes divers talents. N'oublie pas que tu peux profiter de tes loisirs pour explorer de nombreux domaines. L'écriture, le journalisme, la traduction, la vente, le commerce, le tourisme, les relations publiques, le travail de bureau et la mécanique de précision sont des milieux professionnels qui pourraient te convenir, car le travail n'y est pas routinier. De plus, très souvent, les natifs de ton signe mènent de front deux carrières totalement différentes, tout en ayant plusieurs activités en dehors ; donc, ne t'inquiète pas, tu auras l'occasion d'essayer tout ce qui te tente, sans trop te limiter.

### Tes rapports avec les autres

Les autres sont extrêmement importants dans ta vie. Tu es très sociable et tu as besoin d'être entouré de nombreux amis pour échanger des idées et pour étaler tes connaissances, il faut bien l'avouer. En fait, tu réussis presque toujours à avoir le dernier mot, car tu connais une multitude de choses sur tout, ce qui te permet de donner ton opinion sur des sujets très variés. Tu te lies facilement, et ta vie sociale est trépidante. Tes amis prennent une très grande place dans ta vie ; il est donc important de bien les choisir, car ils sont susceptibles d'exercer une forte influence sur toi.

# LES GÉMEAUX DANS LA CUISINE

## Votre façon de cuisiner

Dans ce domaine, comme partout, vous manifestez votre dualité. Lorsque vous recevez, vous préparez une foule de plats différents, mais vous voulez que tout se fasse rapidement : vous détestez vous éterniser dans la cuisine.

Au quotidien également vous préférez la rapidité et privilégiez ce que vous pouvez manger en faisant autre chose, par exemple une soupe ou un sandwich.

## Vous adorez :

- le *finger food* et tout ce qui se mange avec les doigts ;
- les plats exotiques ;
- les mets aromatiques, mais qui ne sont pas trop goûteux (vous n'aimez pas trop les épices ni l'ail).

---

### CE QUE LA NATUROPATHE VOUS SUGGÈRE

- Efforcez-vous de manger trois repas équilibrés par jour et de cesser de grignoter : c'est votre péché mignon.
- Consommez davantage d'aliments frais.
- Prenez le temps de cuisiner, ne mangez pas toujours des plats préparés ou surgelés.
- Parlez moins lors de vos repas.
- Mangez plus lentement, et essayez de vous détendre.

# ILS SONT GÉMEAUX EUX AUSSI

Charles Aznavour, Benoît Brière, Pierre Bruneau, Anderson Cooper, Johnny Depp, Boom Desjardins, Alexandre Despatie, Boucar Diouf, Louisette Dussault, Jacques Duval, Macha Grenon, Marc Hervieux, Angelina Jolie, Nicole Kidman, Rita Lafontaine, Maxime Landry, Pierre Lapointe, Hugh Laurie, Claude Legault, Nathalie Mallette, Paul McCartney, Josélito Michaud, Marilyn Monroe, André Montmorency, François Morency, Alanis Morissette, Danielle Ouimet, Julie Perreault, Jacynthe René, Isabel Richer, Pierrette Robitaille, Chloé Sainte-Marie, Donald Trump.

### Pensée positive pour les Gémeaux

Je suis en paix avec toutes les facettes de ma personnalité; je suis en harmonie avec moi-même et j'ouvre la porte à de multiples bénédictions.

### Pensée positive spéciale pour 2015

Je sais de plus en plus ce qui est bon pour moi et je demeure centré sur mes objectifs.

*Le subconscient nous dirige toujours selon nos pensées. En répétant le plus souvent possible ces pensées conçues tout spécialement pour vous, vous vous attirerez plein de belles choses.*

### Outils pour transformer votre destinée

- Recentrez-vous au lieu de vous disperser. Vous êtes polyvalent, vous vous intéressez à tout, mais vous vous éparpillez.
- Misez sur votre capacité de créer des liens avec les autres; il s'agit d'un atout que vous possédez, mais que vous n'utilisez pas assez.
- Apprenez à être heureux dans l'instant présent: entre vos souvenirs et tous vos projets, vous n'habitez pas le «ici et maintenant».

---

**Signe:** Gémeaux

**Élément:** Air

**Catégorie:** Double

**Symbole:** Ⅱ

**Points sensibles:** Poumons, bronches, bras, épaules, mains, tension, nervosité, insomnie.

**Planète maîtresse:** Mercure, planète du commerce.

**Pierres précieuses:** Topaze, cristal, aigue-marine.

**Couleurs:** Gris, kaki, tous les bleus.

**Fleurs:** Marguerite, jasmin, rose jaune.

**Chiffres chanceux:** 3-4-16-17-23-26-34-37-43-44.

**Qualités:** Intelligent, sociable, vif, conciliant, brillant, communicateur, expressif, habile, convaincant.

**Défauts:** Bavard, superficiel, frivole, instable, parfois un peu profiteur.

**Ce qu'il pense en lui-même:**
Je peux parler de n'importe quoi.

**Ce que les autres disent de lui:**
Il parle tellement! Réussirons-nous à placer un mot?

# PRÉDICTIONS ANNUELLES

C'est dans votre nature de vous poser bien des questions, et celle qui retient l'attention en 2015 est de taille : « Que vais-je faire de ma vie ? » En effet, vous commencez à trouver que vous tournez en rond, que votre destinée manque de piquant et que trop de situations piétinent. Voilà pourquoi l'année s'annonce décisive, à tous les niveaux. Vous direz bientôt adieu à certaines facettes de votre existence pour amorcer une phase davantage satisfaisante. Bien sûr, cela implique plusieurs chambardements, mais vous vous sentez prêt à foncer.

SANTÉ. Dans ce domaine, les influences sont plutôt contradictoires. D'une part, Jupiter vous aide à conserver votre santé et même à la refaire. D'autre part, Saturne guette vos faux pas ; même lorsqu'elle cessera temporairement de s'opposer à votre signe, entre le 14 juin et le 17 septembre, vous devrez continuer à vous surveiller car ce transit lourd laisse souvent des traces. Bref, ce serait une excellente idée de miser sur de bonnes habitudes de vie, de ne pas dépasser vos limites et de rester à l'écoute de vos véritables besoins. Ces quelques recommandations devraient être suivies encore plus scrupuleusement durant la seconde partie de l'année.

SENTIMENTS. La profondeur des sentiments et la solidité des relations comptent de plus en plus pour vous. Il est donc hors de question de vous contenter d'à-peu-près ou de banalité. Bien entendu, cette quête de romantisme et de stabilité vous poussera à éliminer certaines personnes du portrait, mais comme Jupiter veille, vous aurez l'occasion de faire de nouvelles rencontres bien plus positives. La santé d'un proche ou la situation compliquée dans laquelle il pourrait se retrouver risquent de vous causer quelques tracas.

AFFAIRES. La meilleure période pour apporter des correctifs dans ce domaine est entre le 1er janvier et le 11 août. Ne perdez pas un seul instant pour prendre les choses en main et donner une nouvelle orientation à vos activités. Vous avez le goût de quelque chose de différent, et c'est en plein le moment de vous y consacrer. Les transactions, les démarches, les négociations et les changements de milieu seront couronnés de succès pour peu que vous évitiez les gestes impulsifs ou irréfléchis. Vous aurez également quelques chances dans des tirages. Par la suite, vous disposerez de moins de latitude et devrez composer avec quelques imprévus. Même chose pour vos finances, alors pensez à mettre des sous de côté et, surtout, protégez vos biens et votre argent.

# Janvier

| DIM | LUN | MAR | MER | JEU | VEN | SAM |
|-----|-----|-----|-----|-----|-----|-----|
|     |     |     |     | 1 | 2 | 3 |
| 4 ○ | 5 | 6 | 7 | 8 | 9 D | 10 D |
| 11 F | 12 F | 13 | 14 | 15 | 16 | 17 |
| 18 | 19 | 20 ● F | 21 F | 22 D | 23 D | 24 |
| 25 | 26 | 27 | 28 | 29 | 30 | 31 |

| F Jour favorable | D Jour difficile |
|------------------|------------------|
| ○ Pleine lune | ● Nouvelle lune |

SANTÉ. Jusqu'au 12, tout ira comme dans le meilleur des mondes. La robustesse de votre moral n'aura d'égale que la résistance de votre physique. Afin de continuer sur ce rythme, faites davantage attention à vous pendant la seconde quinzaine, car vous n'êtes pas à l'abri d'une blessure ou d'un malaise.

SENTIMENTS. Vous traverserez un cycle magique pour toutes vos relations intimes entre le 3 et le 27. Que ce soit avec votre partenaire, la marmaille ou votre meilleur ami, il se passera plein de trucs extra-ordinaires. Sur le plan social, vous serez également comblé, et les solitaires pourraient faire une rencontre électrisante. Quelques complications familiales dans la seconde quinzaine.

AFFAIRES. Ici aussi, ce sont les douze premiers jours qui offrent les meilleures possibilités. D'heureux concours de circonstances ou carrément un coup de chance vous permettront de marquer des points ; vous pourriez même remporter un petit prix dans un tirage. Bon temps aussi pour les recherches et les voyages. Le reste du mois exigera du doigté, de la prévention et beaucoup de circonspection.

# Février

| DIM | LUN | MAR | MER | JEU | VEN | SAM |
|-----|-----|-----|-----|-----|-----|-----|
| 1 | 2 | 3 ○ | 4 | 5 | 6 D | 7 D |
| 8 F | 9 F | 10 | 11 | 12 | 13 | 14 |
| 15 | 16 | 17 F | 18 ● F | 19 D | 20 D | 21 |
| 22 | 23 | 24 | 25 | 26 | 27 | 28 |

| F  Jour favorable | | D  Jour difficile | |
|-------------------|--|-------------------|--|
| ○  Pleine lune | | ●  Nouvelle lune | |

SANTÉ. La planète Mars continue de vous menacer jusqu'au 19 ; voilà pourquoi il faut absolument faire attention à vous. Quelques mesures préventives vous garderont à l'abri des défaillances, tandis qu'une vigilance accrue vous permettra d'éviter un accident bête. Au moins, vous gardez le moral malgré vos sautes d'humeur.

SENTIMENTS. Vous avez de bonnes idées, mais vous avez parfois du mal à les faire accepter et vous vous sentez incompris. Inutile de revenir sans cesse sur le sujet, on fait la sourde oreille ou on comprend de travers ce que vous essayez de dire. Donnez-vous un peu de temps, tout finira par rentrer dans l'ordre à partir du 20, tant dans l'intimité que sur le plan social.

AFFAIRES. Les trois premières semaines seraient mal choisies pour vous révolter ou commettre des actes irréfléchis. Vous êtes à la merci des autres, mieux vaut donc l'accepter sans faire de houle. La meilleure chose à faire est d'opter pour la souplesse et de vous donner du temps. D'ailleurs, le climat devrait s'alléger grandement par la suite, et vous reprendrez votre vitesse de croisière. En attendant, une perte matérielle ou un dégât pourraient être évités si vous prenez les précautions nécessaires.

# Mars

| DIM | LUN | MAR | MER | JEU | VEN | SAM |
|-----|-----|-----|-----|-----|-----|-----|
| 1 | 2 | 3 | 4 D | 5 ○ D | 6 D | 7 F |
| 8 F | 9 | 10 | 11 | 12 | 13 | 14 |
| 15 | 16 F | 17 F | 18 D | 19 D | 20 ● | 21 |
| 22 | 23 | 24 | 25 | 26 | 27 | 28 |
| 29 | 30 | 31 | | | | |

| F  Jour favorable | D  Jour difficile |
|-------------------|-------------------|
| ○  Pleine lune | ●  Nouvelle lune et éclipse solaire totale |

SANTÉ. En plus d'être libéré de la quadrature de la planète Mars, vous ne semblez pas trop affecté par l'éclipse. En fournissant quelques efforts, vous pourriez remonter la pente rapidement sur le plan physique. La période serait idéale pour mettre le nez dehors plus souvent, faire de l'exercice ou de la danse. En plus de vous vivifier, ça aiderait le moral, qui vacille parfois.

SENTIMENTS. La première quinzaine s'annonce exquise. De belles rencontres sont en vue, entre autres pour les célibataires. Du côté de votre vie sociale, ça demeure enlevant, on vous traite aux petits oignons. Absolument rien de mauvais par la suite, mais vous devrez apprendre à vous contenter d'un rythme de vie plus routinier. Un membre de la famille vous cause de légères inquiétudes.

AFFAIRES. N'oubliez pas que vous traversez désormais une période fort avantageuse. Ne tardez pas à agir, à présenter vos requêtes ni à mettre vos projets en branle, car les chances sont de votre côté. Parlant de chance, vous pourriez même gagner un petit quelque chose à la loterie. Bon temps pour voyager, chercher un nouveau logis ou apporter des améliorations à celui que vous avez.

# Avril

| DIM | LUN | MAR | MER | JEU | VEN | SAM |
|-----|-----|-----|-----|-----|-----|-----|
|     |     |     | 1 D | 2 D | 3 F | 4 ◯ F |
| 5   | 6   | 7   | 8   | 9   | 10  | 11  |
| 12  | 13 F | 14 F | 15 D | 16 D | 17 | 18 ● |
| 19  | 20  | 21  | 22  | 23  | 24  | 25  |
| 26  | 27  | 28 D | 29 D | 30 F |     |     |

| F  Jour favorable | D  Jour difficile |
|---|---|
| ◯  Pleine lune et éclipse lunaire partielle | ●  Nouvelle lune |

SANTÉ. Si vous pouviez arrêter de vous faire du mauvais sang pour un rien, tout irait tellement mieux. Lorsque vous analysez les situations rationnellement, vous voyez qu'il n'y a rien de grave. Pourtant, les émotions finissent par prendre le dessus et vous vous affolez inutilement. Essayez de vous occuper davantage, ça vous changera les idées. Ne laissez pas la fatigue s'installer, celle-ci minerait autant votre moral que votre vitalité.

SENTIMENTS. Du 11 avril au 7 mai, vous bénéficierez d'un transit favorable de Vénus qui illuminera votre destinée amoureuse. Avec votre partenaire, ce sera à nouveau la lune de miel, et si vous êtes seul, vous pourriez enfin rencontrer l'âme sœur. Par-dessus le marché, on vous lancera une foule d'invitations, vous verrez du bien beau monde et ferez une impression du tonnerre partout où vous passerez.

AFFAIRES. Armez-vous de patience, car vous aurez probablement à vous y reprendre plusieurs fois pour arriver à vos fins. Un juste mélange de ténacité et de souplesse vous permettra de vous en sortir haut la main. Ne vous rebiffez pas trop contre l'autorité même si c'est vous qui avez raison, vous risqueriez d'envenimer la situation. Laissez faire le temps, tout s'arrangera.

# Mai

| DIM | LUN | MAR | MER | JEU | VEN | SAM |
|-----|-----|-----|-----|-----|-----|-----|
|  |  |  |  |  | 1 F | 2 F |
| 3 ○ | 4 | 5 | 6 | 7 | 8 | 9 |
| 10 F | 11 F | 12 D | 13 D | 14 | 15 | 16 |
| 17 ● | 18 | 19 | 20 | 21 | 22 | 23 |
| 24 / 31 | 25 D | 26 D | 27 | 28 F | 29 F | 30 |

| F  Jour favorable | | D  Jour difficile | |
|:---:|:---:|:---:|:---:|
| ○  Pleine lune | | ●  Nouvelle lune | |

SANTÉ. Le 11 marque l'arrivée de la planète Mars dans votre signe, ce qui augmentera sensiblement votre motivation ainsi que votre dynamisme. Toutefois, ce transit présente également un risque accru de défaillances et d'accidents. Prenez donc davantage soin de votre santé et demeurez vigilant en toute situation périlleuse. Ce serait dommage de vous retrouver sur le carreau, alors que vous avez des projets à la tonne.

SENTIMENTS. Vénus continue de vous avantager durant la première semaine, et vous bénéficiez d'une popularité hors du commun : on s'arrache votre compagnie. Vous développerez une belle complicité avec votre partenaire, tandis que les solitaires seront enchantés de la douce amitié amoureuse qui pointe à l'horizon. Le reste du mois s'annonce nettement plus tranquille, probablement même un peu trop à votre goût.

AFFAIRES. Vos bonnes idées ne portent pas toujours leurs fruits. Ce n'est pas parce qu'elles n'ont pas de sens, c'est tout simplement une question de *timing*. Dès la fin de juin, vous les verrez se matérialiser. En attendant, profitez-en pour planifier et peaufiner vos projets ; inutile de mettre la charrue devant les bœufs. Un conseil : protégez-vous contre les dégâts matériels, les pertes et les escroqueries.

# Juin

| DIM | LUN | MAR | MER | JEU | VEN | SAM |
|-----|-----|-----|-----|-----|-----|-----|
|     | 1   | 2 ○ | 3   | 4   | 5   | 6 F |
| 7 F | 8 D | 9   | 10  | 11  | 12  | 13  |
| 14  | 15  | 16 ● | 17 | 18  | 19  | 20  |
| 21  | 22 D | 23 D | 24 F | 25 F | 26 | 27  |
| 28  | 29  | 30  |     |     |     |     |

| F Jour favorable | D Jour difficile |
|------------------|------------------|
| ○ Pleine lune | ● Nouvelle lune |

SANTÉ. Un transit plutôt délicat vous recommande d'être sur vos gardes avant le 25. En redoublant de prudence lors de vos déplacements ou quand vous utilisez des objets dangereux, vous éviterez de vous faire mal. Soignez vos petits bobos sans tarder, sans quoi ils mettront plus de temps à disparaître. Sur le plan moral, vous vivrez des alternances de bonne humeur et de déprime. Heureusement, le mois se termine sur une note optimiste.

SENTIMENTS. Vénus, planète de la bonne entente et du bonheur amoureux, fera un angle positif à votre signe du 5 juin au 18 juillet. Vos rapports avec les autres et en particulier avec votre partenaire deviendront particulièrement satisfaisants. Si vous êtes seul, vous pourriez faire une belle découverte lors d'une sortie. La vie sociale redémarre, vous voyez beaucoup de monde et ça vous fait le plus grand bien.

AFFAIRES. Les choses ne se déroulent pas comme vous l'aviez prévu. Quand ce ne sont pas des retards qui vous désarçonnent, ce sont des conflits inutiles qui vous font perdre un temps fou. Heureusement que vous êtes capable de vous ressaisir rapidement et de trouver des solutions ingénieuses. Les démarches et les déplacements se concluront par des résultats positifs durant la dernière semaine.

# Juillet

| DIM | LUN | MAR | MER | JEU | VEN | SAM |
|-----|-----|-----|-----|-----|-----|-----|
| | | | 1 ○ | 2 | 3 F | 4 F |
| 5 D | 6 D | 7 | 8 | 9 | 10 | 11 |
| 12 | 13 | 14 | 15 ● | 16 | 17 | 18 |
| 19 D | 20 D | 21 | 22 F | 23 F | 24 | 25 |
| 26 | 27 | 28 | 29 | 30 | 31 ○ F | |

| F Jour favorable | D Jour difficile |
|------------------|------------------|
| ○ Pleine lune | ● Nouvelle lune |

SANTÉ. Comme Saturne et Mars sont sorties du décor, vous pourrez régler des ennuis de santé qui persistaient. Le moral est au beau fixe, vous envisagez la vie avec davantage d'optimisme. Bonne période pour vous reprendre en main, adopter de meilleures habitudes, mettre le nez dehors et bouger un peu plus. Toutes ces initiatives ne feront qu'accroître votre bien-être.

SENTIMENTS. Vous traversez un cycle idyllique jusqu'au 18. Profitez au maximum de tout ce qu'on veut vous offrir, laissez-vous gâter. Les amis et votre partenaire sont véritablement attentifs à vos besoins. Sans être vilain, le reste du mois s'annonce plus monotone. Il se peut également que soyez obligé de consacrer temps et énergie à un proche qui pourrait traverser des moments difficiles.

AFFAIRES. Vous entrez dans un cycle de renouveau. Le moment est venu de mettre un point final aux situations qui stagnaient ou, pire encore, qui vous stressaient. Excellente période pour chercher un nouvel emploi ou pour apporter de sérieux correctifs à celui que vous avez. Des rénovations ou un réaménagement de votre domicile coûtent un peu plus cher que prévu initialement, mais les résultats vous enchantent.

# Août

| DIM | LUN | MAR | MER | JEU | VEN | SAM |
|-----|-----|-----|-----|-----|-----|-----|
|  |  |  |  |  |  | 1 F |
| 2 D | 3 D | 4 | 5 | 6 | 7 | 8 |
| 9 | 10 | 11 | 12 | 13 | 14 ● | 15 D |
| 16 D | 17 | 18 F | 19 F | 20 | 21 | 22 |
| 23 / 30 D | 24 / 31 | 25 | 26 | 27 F | 28 F | 29 ○ D |

| F  Jour favorable | D  Jour difficile |
|-------------------|-------------------|
| ○  Pleine lune | ●  Nouvelle lune |

SANTÉ. Tout ira encore mieux à partir du 8. Les bons aspects de Mars s'avéreront vivifiants, et vous serez en mesure de régler plusieurs choses qui accrochaient. À vrai dire, vous vous sentirez renaître. Profitez-en donc pour soigner vos petits bobos et refaire le plein d'énergie. La seule chose qui puisse nuire à votre bien-être serait la gourmandise. Du côté du moral, il y aura quelques soubresauts entre le 7 et le 27.

SENTIMENTS. Vénus revient vous avantager, c'est le retour d'un cycle bénéfique qui vous remplira de joie de vivre. Vos amours repartent de plus belle, les célibataires pourraient même faire la connaissance d'un être mature et parfaitement compatible. La vie sociale s'anime elle aussi ; on assiste au retour d'anciennes connaissances et vous aurez l'occasion de vous faire de nouveaux amis.

AFFAIRES. Ici aussi, les astres vous sourient à compter du 8. Ce sera le moment ou jamais de faire des démarches et de passer à de nouvelles activités. La période serait également propice aux voyages, aux transactions ainsi qu'au commerce en général. Votre brillante personnalité en impressionne plusieurs, et c'est grâce à elle qu'on pourrait vous faire une proposition alléchante.

# Septembre

| DIM | LUN | MAR | MER | JEU | VEN | SAM |
|---|---|---|---|---|---|---|
|  |  | 1 | 2 | 3 | 4 | 5 |
| 6 | 7 | 8 | 9 | 10 | 11 D | 12 D |
| 13 ● D | 14 F | 15 F | 16 | 17 | 18 | 19 |
| 20 | 21 | 22 | 23 | 24 F | 25 F | 26 D |
| 27 ○ D | 28 | 29 | 30 |  |  |  |

| F Jour favorable | | D Jour difficile | |
|---|---|---|---|
| ○ Pleine lune et éclipse lunaire totale | | ● Nouvelle lune et éclipse solaire partielle | |

SANTÉ. Tout va remarquablement bien jusqu'à la première éclipse, mais les choses pourraient se corser par la suite. Les mauvais aspects successifs de Saturne et de Mars pourraient miner votre santé et vous rendre plus vulnérable. Un accident bête risque également de vous obliger à un repos forcé. Demeurez sur vos gardes et ne dérogez pas des règles du gros bon sens.

SENTIMENTS. Au moins, sur les plans social et amoureux, la situation demeure au beau fixe. Les possibilités de rencontres agréables, de sorties stimulantes et de romantisme ne faiblissent pas, loin de là. Tout n'est pas aussi rose avec la famille ; une prise de bec ou des inquiétudes concernant l'état d'un parent sont possibles.

AFFAIRES. C'est durant la première quinzaine que vous accomplirez le plus de choses. Vous aurez d'excellentes idées qui vous permettront d'aller de l'avant ou de remédier à une situation irritante. Le reste du mois s'annonce plus contrariant, voilà pourquoi mieux vaut agir sans tarder. Ne prêtez pas d'argent, verrouillez vos portes et ne signez rien sans bien prendre connaissance du document qu'on vous propose.

# Octobre

| DIM | LUN | MAR | MER | JEU | VEN | SAM |
|-----|-----|-----|-----|-----|-----|-----|
| | | | | 1 | 2 | 3 |
| 4 | 5 | 6 | 7 | 8 | 9 D | 10 D |
| 11 F | 12 ● F | 13 F | 14 | 15 | 16 | 17 |
| 18 | 19 | 20 | 21 F | 22 F | 23 D | 24 D |
| 25 | 26 | 27 ○ | 28 | 29 | 30 | 31 |

| F  Jour favorable | D  Jour difficile |
|-------------------|-------------------|
| ○  Pleine lune | ●  Nouvelle lune |

SANTÉ. La conjoncture n'est pas idéale, mais si vous choisissez d'investir dans votre bien-être et que vous redoublez de prudence, vous pourrez la déjouer. Les effets de certaines mauvaises habitudes commencent à vous rattraper, il est grand temps d'y remédier ! En ce mois, votre meilleure alliée demeure la sagesse.

SENTIMENTS. La communication avec vos proches est loin d'être facile. Toutefois, en faisant quelques concessions, vous pourriez arriver à sauvegarder l'harmonie. Le comportement ou l'état d'un membre de la famille continue de vous inquiéter, et parfois vous vous sentez désarmé. Dès le mois prochain, les choses devraient rentrer dans l'ordre et vous pourrez alors reprendre le dessus.

AFFAIRES. Ici aussi, les astres risquent de vous jouer des tours. Évitez de vous entêter ou de réagir trop violemment, vous ne feriez qu'envenimer la situation. La diplomatie, la circonspection et la souplesse vous permettront de tirer votre épingle du jeu de manière fort adroite. Ne tentez ni les voleurs ni les escrocs, surtout qu'une dépense imprévue risque de vous tomber dessus.

# Novembre

| DIM | LUN | MAR | MER | JEU | VEN | SAM |
|-----|-----|-----|-----|-----|-----|-----|
| 1 | 2 | 3 | 4 | 5 D | 6 D | 7 |
| 8 F | 9 F | 10 | 11 ● | 12 | 13 | 14 |
| 15 | 16 | 17 F | 18 F | 19 D | 20 D | 21 |
| 22 | 23 | 24 | 25 ○ | 26 | 27 | 28 |
| 29 | 30 | | | | | |

| F  Jour favorable | D  Jour difficile |
|-------------------|-------------------|
| ○  Pleine lune | ●  Nouvelle lune |

SANTÉ. Dès le 12, vous serez libéré de l'influence dérangeante de Mars. Vous évoluerez plus librement, votre résistance cessera d'être chancelante et vous gérerez plus adéquatement vos réserves d'énergie. En attendant, mieux vaut continuer de faire attention à vous. Le moral semble lui aussi plus fragile en début de mois. Un bon moyen d'en venir à bout serait de laisser le passé de côté. Cessez de ruminer de vieilles histoires et tournez la page.

SENTIMENTS. Quelques soubresauts marquent encore la première semaine, puis tout devrait se tasser. La famille cessera de vous tourmenter, vos amis seront plus disponibles et vous pourriez même vous en faire de nouveaux ; voilà pourquoi vous devriez accepter toutes ces invitations qui s'offriront à vous. Si vous êtes seul, l'une d'entre elles pourrait vous réserver une grosse surprise. Pour les autres, on peut dire que le nuage est passé.

AFFAIRES. C'est pareil ici, le mois commence de travers mais il finira en beauté. La première quinzaine est effectivement jonchée d'obstacles, de retards, voire de déceptions, puis le ciel commencera à se dégager et vous verrez poindre la lumière au bout du tunnel. Ce sera alors le temps de régler ce qui accrochait et de repartir du bon pied.

# Décembre

| DIM | LUN | MAR | MER | JEU | VEN | SAM |
|-----|-----|-----|-----|-----|-----|-----|
|     |     | 1   | 2 D | 3 D | 4   | 5 F |
| 6 F | 7   | 8   | 9   | 10  | 11 ● | 12  |
| 13  | 14 F | 15 F | 16  | 17 D | 18 D | 19  |
| 20  | 21  | 22  | 23  | 24  | 25 ○ | 26  |
| 27  | 28  | 29  | 30 D | 31 D |     |     |

| F  Jour favorable | D  Jour difficile |
|-------------------|-------------------|
| ○  Pleine lune    | ●  Nouvelle lune  |

SANTÉ. Tout rentre dans l'ordre, vous êtes moins ballotté par les événements. Votre organisme semble plus vigoureux, sans compter que vous êtes désormais à l'abri des accidents. Dès le 10, vous jouirez d'un *timing* favorable pour cesser une mauvaise habitude ou pour mettre à la porte une personne qui sapait toute votre énergie.

SENTIMENTS. Certains vous adorent, tandis que d'autres se comportent de manière bien décevante. Envoyez donc promener les ingrats, les profiteurs, les éternels insatisfaits et les égoïstes. Vous n'avez plus de temps à perdre avec eux. Ce serait bien plus amusant de vous concentrer sur ceux qui vous traitent avec les égards que vous méritez.

AFFAIRES. Ça commence à débloquer. Vous trouvez des solutions à vos problèmes et semblez plus motivé qu'au cours des derniers mois, ce qui vous permettra de gagner du terrain. Vous saurez vous faire respecter : on vous accordera davantage de latitude et vous pourrez ainsi prendre la place qui vous revient.

# CANCER

## DU 22 JUIN AU 23 JUILLET

**C**omme le crabe qui représente votre signe, vous êtes un être solide, doux et tendre à l'intérieur. En fait, il y en a peu comme vous dans le zodiaque. Pour cette raison, vous êtes un excellent parent, c'est dans votre nature.

La Lune exerce une véritable influence sur votre signe ; ses cycles se font sentir davantage sur vous. Toute votre vie est marquée du sceau des rayons lunaires, même votre humeur. Cela est si évident que certaines personnes vous qualifient de lunatique, car vous changez au fil de l'influence de l'astre.

Votre imagination est si fertile qu'il n'est pas rare que vous soyez dans la lune, à vous laisser porter par vos rêveries. Néanmoins, lorsqu'il est question de votre famille, de vos enfants, de votre entourage, vous êtes quelqu'un d'extrêmement terre à terre, peut-être trop parfois. Vous êtes toujours prêt à dorloter, à gâter, à aider vos proches, mais surtout vos chers petits. Avec eux, vous aurez tendance à vous montrer surprotecteur. Vous cherchez avant tout à les rendre heureux et vous vous inquiétez, bien souvent sans raison. Même lorsqu'ils seront adultes, ou vieux, vos enfants resteront vos enfants, et vous vous ferez toujours du souci pour leur bien-être, quitte parfois à les étouffer avec vos cajoleries.

 **CANCER**

**151**

Les Cancer sont les mamans poules et les papas gâteaux par excellence. S'ils n'ont pas d'enfants, ils jetteront leur dévolu sur ceux des autres, car pour eux une vie sans enfants n'est pas pensable. Les Cancer attirent les enfants, qui savent bien qu'il y a toujours une petite friandise à croquer dans leur garde-manger, un mot gentil ou un conseil désintéressé et sincère à recevoir.

Le drame du Cancer est qu'il a si peur de faire de la peine, de déplaire qu'il aura du mal à dire non, à trancher, à se décider. Cela est probablement attribuable à l'aspect féminin de ce signe, car même les hommes Cancer, persuadés de la supériorité du mâle, ont du mal à refuser quelque chose lorsqu'on sait comment les prendre.

Le Cancer a besoin de son cocon pour se sentir bien. Son logis devient un refuge, une forteresse, une carapace où il se sait en sécurité et heureux. Il n'est guère facile de le faire sortir de son antre. Le Cancer hésite, remet au lendemain, et il faut vraiment insister pour le forcer à bouger. Il trouve toujours un bon prétexte pour rester tranquillement dans son petit nid.

Par contre, si on le brusque, si on insiste, le Cancer finit par s'amuser et prendre plaisir aux activités qu'on l'a obligé à faire. Il restera toutefois réticent à mettre le nez dehors, même en sachant pertinemment ce qui l'attend et qu'il appréciera ce que vous lui proposerez. Par contre, si c'est son enfant qui a besoin de lui, alors le Cancer se précipitera pour lui apporter son aide ; une armée entière ne saurait l'arrêter.

La vie du Cancer est rythmée par les repas. Savoureux, invitants, les petits plats qu'il propose enchantent les palais les plus fins. Il a toujours une nouveauté à faire goûter, un délice à proposer. Être invité chez un Cancer, c'est être convié à un banquet d'odeurs, de saveurs et de mets délectables. Bien sûr, la restauration, l'hôtellerie, l'alimentation sont des domaines qui lui conviennent tout à fait. D'ailleurs, même si vous n'en faites pas votre métier, il est si important dans votre vie de manger que vous trouverez toujours le moyen de concocter un mets pour vos amis... ou pour vous-même ! Ce n'est pas un Cancer qui se laissera mourir de faim.

En plus de bien soigner son estomac, le Cancer sait également s'occuper de son esprit, et il ne manque pas d'inspiration. Le matin est la période idéale pour vous laisser aller à la rêverie. Vous n'arrivez pas à démarrer votre journée sans avoir pris le temps nécessaire pour vous réveiller. Une fois que vous commencez votre journée toutefois, vous débordez d'énergie. L'influence de la Lune se fait une nouvelle fois sentir, car vous êtes capable de durer et de durer encore. On se demande si vous avez besoin de dormir autant, ou si c'est pour rêver que vous paressez au lit le matin.

On l'a dit, vous n'hésitez jamais à venir à la rescousse des êtres chers. Vous avez un cœur d'or. Votre conjoint, vos enfants, vos amis l'admettent. Pourtant, on vous reproche d'en faire un peu trop parfois. Vous êtes si dévoué que les autres passent avant tout. Vous les chouchoutez jusqu'à saturation. Et vous vous rongez les sangs lorsqu'ils sont au loin : on ne sait jamais… si quelque chose leur arrivait ! L'éventail de vos soucis, quand il s'agit de votre entourage, est vraiment très large. Vous vous en faites pour une bosse au front, un retard devient un accident dans votre imagination, et mille et une inquiétudes vous accaparent soudainement l'esprit pour un oui ou pour un non. Vos proches en rient… mais quelquefois jaune, car ils vous trouvent un peu exaspérant.

Vous dorlotez ceux que vous aimez jusqu'à ce qu'ils n'en puissent plus. Vous les enfermez, les couvez, les nourrissez, les suralimentez jusqu'à épuisement. Ils se plaignent de ne pas pouvoir respirer. Pourtant, dans le fond, ils aiment bien ça, car une maman, un papa, un conjoint ou un ami Cancer, c'est la félicité. Il prend souvent les tracas quotidiens sur ses épaules et facilite la vie de tous au maximum.

## Comment se comporter avec un Cancer ?

Le mieux est de le laisser s'occuper de vous. Il veillera à ce que vous ne manquiez de rien : «As-tu faim ? T'as pas un petit creux ?» Il sera toujours disposé à vous prêter une oreille attentive, et s'il pense que vous lui cachez vos tracas, il s'imaginera le pire. Dans ces conditions, il vaut mieux vous confier pour éviter qu'il ne s'en fasse avec des riens.

La pure logique n'est guère son fort ; il préférera s'en remettre à ses émotions, même lorsqu'il discute avec vous. Intuitif, il peut rapidement déceler que quelque chose vous pose problème. Vous aurez beau tenter de lui prouver par A plus B qu'il s'en fait pour rien, il se fiera davantage à son intuition qu'à vos arguments.

**CANCER** **153**

Le Cancer est rongé par l'insécurité; il a besoin d'être constamment rassuré, et il faut lui donner confiance en lui, car sur ce plan le déficit est grand. Il apprécie la moindre de vos petites attentions; il est donc primordial qu'il se sente aimé et épaulé. Faites-lui savoir que vous l'aimez.

Si vous ne parvenez pas à le convaincre d'entreprendre telle ou telle activité, ou de vous accompagner pour telle ou telle visite, il suffit de lui dire que sa présence fera plaisir aux enfants, et vous le verrez vite enfiler sa plus belle tenue pour vous suivre sans plus poser de questions. Ça marche presque à tous les coups.

Pour éviter qu'il ne pense qu'à ses soucis, réels ou imaginaires, il faut l'inciter à sortir, à voir des gens, à pratiquer des activités à l'extérieur. Il ne le fera pas de lui-même. Insistez: il ne sait pas dire non, et vous pourrez l'emmener où vous voudrez. Par la suite, il vous remerciera.

## Ses goûts

Chez le Cancer, les plaisirs de la table priment. C'est au milieu de son petit monde qu'il est le plus heureux. Il vous offrira un repas copieux et délicieux. Le Cancer savoure sa nourriture comme d'autres savourent la vie; pour lui, les deux sont intimement liées. Il a le sens de l'hospitalité, et vous pouvez frapper à sa porte, de jour comme de nuit, elle est toujours ouverte pour ses amis, sa famille et surtout ses enfants. Évidemment, une bonne assiette les y attend. Son antre est un nid chaleureux, rempli d'objets aux formes invitantes et de souvenirs. On s'y sent bien et on a l'impression que les ennuis quotidiens y sont absents. Lui-même apprécie son repaire, voilà pourquoi il ne veut pas en sortir. Souvent, le Cancer est propriétaire de sa maison, car elle fait partie de sa carapace; c'est son élément de protection, l'endroit où il aime se retrouver.

Si votre vieille voisine court derrière les petits enfants de la rue pour leur offrir les biscuits qu'elle vient de cuisiner, c'est certainement une belle grand-maman Cancer.

## Son potentiel

Le Cancer est d'un altruisme exacerbé. C'est dans sa nature. Il n'est donc pas rare de le voir œuvrer comme infirmier ou responsable du service à la clientèle de son entreprise.

Sa nature gourmande sera également bien servie dans l'alimentation, l'épicerie, la restauration (quel cordon-bleu!) et l'hôtellerie. Il aime aussi la psychologie, les soins à autrui, l'éducation, les techniques de garde et la comptabilité.

Son côté protecteur le pousse souvent à gagner sa vie dans un domaine où il pourra laisser libre cours à son désir d'aider l'humanité tout entière. S'il a choisi un métier moins lié au service au public, il demeurera néanmoins attentif au bien-être d'un collègue, d'un confrère ou d'un employé qui a des problèmes. Il ne peut s'empêcher de s'inquiéter pour les autres.

## Ses loisirs

Le Cancer a besoin de sentir tout son petit monde autour de lui pour être vraiment bien. Il préférera donc avoir des activités familiales plutôt que de faire des sorties dans les boîtes de nuit à la mode... Si vous avez besoin de lui pour garder le petit dernier ou préparer un repas alors que vous êtes alité, appelez-le, il arrivera en moins de temps qu'il n'en faut pour le dire. D'ailleurs, notre Cancer aime bien cuisiner. Il est gourmand, d'accord, mais c'est aussi pour lui un bon moyen de réunir autour de lui tous ceux qu'il aime. Il n'hésitera pas à passer des heures dans la cuisine pour vous concocter des petits plats. Et si vous discutez de recettes avec lui, alors ce super cordon-bleu vous éblouira par ses talents et ses connaissances culinaires.

Son esprit de famille est très développé et, pour cette raison, l'histoire et la généalogie sauront l'attirer. Très attaché aux souvenirs, aux objets anciens ou aux bricolages des enfants, il pourrait même devenir un jour collectionneur.

Si vous décidez de l'emmener au cinéma ou de lui acheter un roman, n'hésitez pas à cultiver son côté fleur bleue. Les grandes histoires de tendresse et de romantisme sauront ravir le natif du Cancer, surtout si la fin consiste en une envolée lyrique sur fond de retrouvailles, de mariage ou d'amour passionné.

## Sa décoration

On sait que le Cancer aime bien se protéger sous sa carapace et offrir un refuge aux membres de sa famille. Son intérieur sera donc confortable et chaleureux. Son petit nid lui permet de se retrancher d'un monde qui va trop vite et qui se fait trop stressant. Chez lui, vous vous sentirez en sécurité, protégé et choyé.

Sa décoration peut sembler hétéroclite, car il aime les objets et il en a accumulé au fil des ans. Il y en a partout. Cet adepte du *cocooning* s'est créé un cocon douillet où l'histoire de sa petite famille peut se lire au moyen des nombreux souvenirs qui y sont exposés : des photos, le premier soulier de l'aîné, les trophées sportifs du benjamin, un beau dessin de sa cadette, qui aura bientôt 50 ans... mais qu'à cela ne tienne, le Cancer a tout conservé. Si un membre de sa famille cherche un document familial, il est à peu près assuré de le retrouver dans les nombreux souvenirs entreposés chez lui.

La Lune gouverne son signe. Le Cancer aura donc tendance à s'entourer de rondeur. On constate cela en examinant les meubles anciens qu'il aime : les sièges profonds, les consoles et les commodes aux formes rebondies. Chez lui, il n'y a aucune arête ; tout accentue le sentiment de douceur et de bien-être, qui frappe dès qu'on arrive chez lui. On s'y sent tellement à l'aise qu'il est souvent très difficile de s'en aller... Les enfants le savent bien.

## Son budget

Le Cancer est un être sage. On pourrait même le qualifier de peureux. Il ne risquera pas ses économies sur un coup de tête. Avec lui, le mot « modération » a tout son sens. Il pèse sans cesse le pour et le contre avant de délier les cordons de sa bourse. Si une dépense peut attendre, s'il n'est pas sûr, il y réfléchira à deux fois. Et s'il se sent pressé de prendre une décision, il se rebellera et rentrera bien vite sous sa carapace. Ce n'est pas un être pingre, mais il connaît bien la valeur des choses. Il mise sur la qualité plutôt que sur la quantité. Sa voiture, même chère, durera longtemps et lui assurera la sécurité qu'il recherche. Sa maison sera solide et située dans un quartier où sa valeur augmentera avec les années. Il sait investir dans des obligations ou des actions stables ; ce n'est pas lui qui courra un risque à la Bourse. Il préfère y aller d'un train pépère, mais arriver à bon port. D'ailleurs, il se décide lentement, mais ne se trompe pas. Son avenir est planifié, et sa retraite, bien préparée. Il ne mettra pas sa sécurité en péril. Pour dépanner un être cher, voilà quelqu'un sur qui l'on peut compter. Il accourra, et souvent avec les bras chargés d'une multitude de solutions... quand ce ne sera pas de présents.

## Quel cadeau lui offrir ?

Il est relativement facile de faire plaisir à un Cancer. Puisque son intérieur a tellement d'importance à ses yeux, un petit quelque chose pour sa maison, un bibelot, un souvenir ou un objet sera grandement apprécié, surtout si cela ajoute encore un peu de rondeur à son environnement.

Puisque la cuisine est sa passion, n'hésitez pas à lui offrir des livres de recettes, des ustensiles, de la vaisselle, des accessoires pour sa table ou un grand gueuleton dans un bon restaurant.

En fait, c'est plus le geste en lui-même qui comptera à ses yeux ; donc vous n'aurez pas besoin de vous ruiner pour lui faire plaisir. Par exemple, un objet fait de vos mains, ou mieux encore par un enfant, le ravira.

Un dessin, une poterie, une peinture, un coussin au crochet, un pull tricoté de vos mains, une vieille photographie de vos ancêtres communs agrandie et encadrée, voilà ce qu'il appréciera. Et n'ayez crainte, votre cadeau occupera une place de choix parmi ses plus chers souvenirs.

## Les enfants Cancer

Un bébé Cancer est un bébé facile. On ne l'entend jamais, il fait ses nuits, dort beaucoup et ne pleurniche pas, à moins justement qu'on l'ait empêché de faire un gros dodo.

Ce sera aussi un petit glouton qui aimera bien le sein de sa maman, plus que le biberon d'ailleurs.

Affectueux, sensible et obéissant, ce formidable bout de chou cherchera toujours à faire plaisir. Les garçons sont attachés à leur maman et le resteront toute leur vie. Il faut leur apprendre à voler de leurs propres ailes et ne pas trop les couver, car ils risqueraient de s'accrocher à vous et de ne pas prendre leur envol.

L'enfant Cancer gardera toute sa vie un indéfectible souvenir de la maison de son enfance et de sa famille. Il faudra le pousser hors du nid lorsque le temps sera venu, sinon il pourrait bien continuer à y trouver refuge à la moindre inquiétude. En fait, il reviendra souvent vers vous pour chercher sa dose de tendresse.

L'enfant Cancer a un cœur d'or ; il serait prêt à donner tout ce qu'il a à ses petits camarades moins bien lotis. Il devra apprendre à être plus réaliste, à ne pas trop dépendre des autres, à ne pas trop chercher à surprotéger ses frères ou ses sœurs pour s'épanouir dans la vie.

## L'ado Cancer

En tant que signe d'eau, le jeune Cancer a une sensibilité à fleur de peau. Tu ressens l'influence de ton milieu familial, et ta mère occupe une place prépondérante dans ta vie, parfois même à ton insu.

Affectueux, tranquille et plutôt réservé, tu as une imagination très féconde qui te porte à la rêverie. Le plus important pour toi est de te sentir aimé, et tu te montres prévenant et aimable avec tous ceux qui t'entourent, allant même parfois au-devant de leurs désirs, avant qu'ils les aient exprimés. Lorsque quelqu'un se montre intransigeant avec toi, ou si tu penses qu'on s'en prend à un membre de ta famille, tu deviens dur et tu ne te laisses pas faire.

Ta sensibilité te rend un peu timide ; tu ne donnes pas ta confiance facilement et, dans un nouveau groupe, tu as tendance à rester à l'écart. Pourtant, lorsque tu es entouré de ceux qui t'aiment, tu t'ouvres : tu te sens vraiment à l'aise.

À l'instar de la Lune qui gouverne ton signe, tu es quelqu'un de changeant. On te trouve parfois capricieux, voire girouette. La raison de ta versatilité est que ta vie émotive guide tes états d'âme. L'avenir t'inquiète un peu, mais tu dois apprendre à apprécier tout ce que la vie met de bon sur ton chemin, sans trop t'arrêter à ses aspects les moins jolis !

Tu es profondément humaniste et généreux, tu as un très grand cœur, un sens profond de la famille. La fidélité et la loyauté ne sont pas les moindres de tes qualités. Tu attends le grand amour, car tu accordes beaucoup de valeur aux sentiments. Tu rêves même d'une petite famille bien à toi, que tu pourras aimer, protéger et gâter.

### Tes études

Pour que tu donnes un bon rendement, il te faut un environnement d'études chaleureux. Les polyvalentes géantes et les cégeps impersonnels t'effraient. Malgré tout, comme tu es doué et travailleur, tu réussis à te débrouiller. Décider de ton orientation est par contre un véritable casse-tête. Que choisir ? Tu as tellement d'aptitudes et de talents. Mais tu es un peu lent. Tu veux être sûr de faire le bon choix, de ne pas te lancer à l'aveuglette dans un domaine qui ne te plaira pas à 100 %. Prends ton temps, fais confiance à tes capacités et à tes qualités, et tout ira bien. Une fois que ton choix sera fait, ce sera sans aucun doute le bon.

### Ton orientation

Musique, écriture et poésie, peinture, tous les arts te plaisent. Tes talents artistiques sont variés et immenses. Même si tu décides de ne pas les utiliser pour ta carrière, il te faut les développer, car ils seront une bonne base de ressourcement. Tu as une imagination fertile et, si tu sais bien l'utiliser, elle te permettra de mieux canaliser ton émotivité. L'alimentation ou le travail avec les enfants sont d'autres secteurs qui pourraient te plaire. Les techniques de services de garde, l'enseignement, l'histoire, la géographie, la diététique, la restauration, l'hôtellerie, les services de traiteur, le cinéma, les soins infirmiers, la médecine, la gestion, la décoration, le jardinage, l'immobilier, la plomberie, le commerce, les antiquités sont autant de domaines qui te permettront d'exprimer tes capacités. Tu vois : tu as le choix.

### Tes rapports avec les autres

Tu pressens les événements et les situations. Si un de tes proches est en difficulté, ton intuition te préviendra. Tu as du flair, mais tu ne t'y fies pas assez. Très sensible à l'opinion de tes amis, tu seras ton plus dur critique. Bien sûr, tu es le meilleur juge, mais ne te laisse pas influencer, forge-toi ta propre opinion sans te ranger à celle du voisin par commodité.

Tu es un ami formidable ; ta générosité, tes attentions et ta gentillesse font de toi une personne très recherchée. Et en plus, on te sait très fidèle en amitié comme en amour. Il est à peu près sûr que tu as gardé tes meilleurs amis depuis l'école maternelle ou primaire.

 CANCER

# LE CANCER DANS LA CUISINE

### Votre façon de cuisiner

Votre signe gouverne la famille et les arts de la table, et on est gâté avec vous. Vous adorez cuisiner pour ceux que vous aimez. Seul, il vous arrive de sauter un repas ou de manger sur le pouce, mais lorsque vous avez des convives, vous vous surpassez.

Vous êtes très habile en cuisine, vous préparez plusieurs plats simultanément, et vous ajoutez votre touche personnelle à chaque recette.

### Vous adorez :

- préparer des plats appétissants et aux saveurs équilibrées (vous détestez les mets trop relevés) ;
- les fruits de mer ;
- la cuisine traditionnelle, le *comfort food* et les recettes de maman ;
- les plats maison, que vous préférez nettement au *fast food* ;
- les soupes et les plats en casserole.

### CE QUE LA NATUROPATHE VOUS SUGGÈRE

- Vous aimez la bonne cuisine, mais méfiez-vous de votre tendance à trop manger lorsque votre moral est à plat ou que vous vous sentez anxieux.
- Consommez davantage de crudités.

# ILS SONT CANCER EUX AUSSI

Isabelle Adjani, Pamela Anderson, Jean-François Baril, Marie-France Bazzo, Dany Bédar, Vincent Bolduc, Isabelle Boulay, Pascale Bussières, Robert Charlebois, Michel Côté, Tom Cruise, le dalaï-lama, Martin Deschamps, André Ducharme, Jean-Pierre Ferland, Garou, Bianca Gervais, Marcel Lebœuf, Sylvie Léonard, Michel Louvain, Marie-Mai, Élyse Marquis, Renée Martel, Louis Morissette, Caroline Néron, Éric Salvail, Richard Z. Sirois, Linda Sorgini, Sylvester Stallone, Martine St-Clair, Marie-Josée Taillefer, Charles Tisseyre, Marie-Chantal Toupin, Michel Tremblay, Rufus Wainwright, Robin Williams.

### Pensée positive pour le Cancer

Je vais de l'avant en toute confiance. Je suis libéré de mon passé et je deviens réceptif à tout ce que la vie et les autres veulent me donner de bon.

### Pensée positive spéciale pour 2015

Je poursuis ma route la tête tranquille,
car je sais que le meilleur est à ma portée.

*Le subconscient nous dirige toujours selon nos pensées. En répétant le plus souvent possible ces pensées conçues tout spécialement pour vous, vous vous attirerez plein de belles choses.*

### Outils pour transformer votre destinée

- Prenez davantage de temps pour vous, vous en avez besoin. Vous êtes trop à l'écoute des autres.
- Laissez le passé de côté. Vos souvenirs vous hantent, ce qui vous rend nostalgique. Tournez la page, c'est le secret du bonheur pour vous.
- Osez vous affirmer. Cela ne fait pas toujours plaisir, mais c'est le seul moyen d'avoir des relations adultes, avec vos enfants et vos parents, entre autres.

---

**Signe :** Cancer
**Élément :** Eau
**Catégorie :** Cardinal
**Symbole :** ♋

**Points sensibles :** Appareil digestif, foie, estomac, rate, pancréas, seins, glandes mammaires. Dyspepsie, digestion lente, besoin de beaucoup de sommeil.

**Planète maîtresse :** La Lune, qui représente l'émotivité.

**Pierres précieuses :** Perle, onyx, pierre de lune.

**Couleurs :** Blanc, gris, argent, toutes les couleurs pastel.

**Fleurs :** Rose blanche, lys, nénuphar.

**Chiffres chanceux :** 3-8-11-15-23-29-33-35-46-48.

**Qualités :** Sensible, esprit de famille, dévoué, hospitalier, bienveillant, tenace, très maternel.

**Défauts :** Indécis, peureux, rêveur, lent à démarrer, accroché à sa mère, dépressif, vit dans ses souvenirs et dans le passé.

**Ce qu'il pense en lui-même :** Comment puis-je faire plaisir aux enfants ?

**Ce que les autres disent de lui :** Les enfants d'abord, les autres ensuite.

# PRÉDICTIONS ANNUELLES

**À** compter du 11 août, Jupiter, la grande bénéfique, commencera à influencer favorablement votre signe. Vous en ressentirez les effets positifs dans toutes les sphères de votre existence. Vous aurez donc les atouts pour transformer votre destinée en véritable triomphe. Vous serez protégé contre l'adversité et, si un problème survient, vous aurez tôt fait de trouver une solution ingénieuse. La première partie de l'année n'annonce rien de vilain, vous devrez tout simplement compter sur vos propres moyens plutôt que sur la chance pour obtenir ce que vous voulez. Est-ce bien grave ? Pas du tout, quand on a affaire à quelqu'un d'aussi déterminé et courageux que vous !

SANTÉ. Saturne, qu'on associe à la sagesse, évoluera dans votre sixième secteur, celui de la santé, entre le 1er janvier et le 14 juin, puis du 7 septembre au 31 décembre. Vous devrez prendre un peu plus soin de vous. Vous surestimez parfois vos capacités, vous êtes bien trop exigeant envers vous-même, et cela risque de vous épuiser et de vous rendre vulnérable à la longue. Autre point à réévaluer : vos habitudes alimentaires. Vous appréciez la bonne bouffe, mais vous pourriez diminuer vos portions. En vous empiffrant, vous vous exposez non seulement à des problèmes d'embonpoint, mais aussi à quelques ennuis de santé. Rien de majeur, n'empêche que mieux vaut prévenir ! Sur le plan psychologique, vous êtes en grande forme, rien ne semble capable de miner votre moral.

SENTIMENTS. L'année 2015 commence plutôt calmement. Vous n'avez pas trop le goût de festoyer, préférant davantage la tranquillité de votre petit nid douillet. Vous vous sentez casanier, mais, loin de vous ennuyer, vous savourez chaque instant passé paisiblement chez vous. Après votre anniversaire, vous aurez davantage besoin de mettre le nez dehors, de voir du monde et d'explorer d'autres univers. C'est le *timing* parfait puisque vos amis – et vous pourriez même vous en faire de nouveaux – ne demandent pas mieux que de vous voir plus souvent. En amour, ce sera idyllique, et si vous êtes seul, ce ne sera certainement pas pour bien longtemps car l'âme sœur est en route.

AFFAIRES. Ici aussi, l'année se divise en deux. Jusqu'à la mi-août, vous continuerez votre petit bonhomme de chemin, et si jamais un pépin survient, ce sera tout simplement pour faire de la place à quelque chose de mieux. Vous gérerez plutôt aisément vos finances, même si on ne peut pas vous annoncer de grands coups d'éclat. Vous traverserez cependant un cycle beaucoup plus fortuné durant la seconde partie de 2015 et vous serez alors sur une excellente lancée. On pourrait vous faire des propositions alléchantes et vous pourriez également profiter d'excellentes opportunités. De nouvelles activités, une nomination, une majoration de vos revenus et même des surprises dans les jeux de hasard contribueront à votre prospérité. Bonne période pour les voyages, les projets d'envergure, les investissements ainsi que les transactions.

# Janvier

| DIM | LUN | MAR | MER | JEU | VEN | SAM |
|-----|-----|-----|-----|-----|-----|-----|
|  |  |  |  | 1 | 2 | 3 |
| 4 ○ | 5 | 6 | 7 | 8 | 9 | 10 |
| 11 D | 12 D | 13 D | 14 F | 15 F | 16 | 17 |
| 18 | 19 | 20 ● | 21 | 22 F | 23 F | 24 D |
| 25 D | 26 | 27 | 28 | 29 | 30 | 31 |

| F  Jour favorable | | D  Jour difficile | |
|---|---|---|---|
| ○  Pleine lune | | ●  Nouvelle lune | |

SANTÉ. Un brin d'anxiété vous dérange lors de la première quinzaine, mais le reste du mois s'annonce fort satisfaisant. Physiquement, vous commencerez un cycle de récupération, voire de rajeunissement, à partir du 12. Votre énergie ira en augmentant, tout comme la motivation et le goût d'apprendre. Vous aurez envie de bouger davantage, ce qui vous fera le plus grand bien.

SENTIMENTS. Jusqu'au 14, vous risquez de subir l'indifférence ou la bouderie de vos proches. Inutile de les brusquer, ça ne donnerait absolument rien. Pensez donc davantage à vous et mettez-les de côté momentanément. De toute façon, vous entamerez par la suite un cycle inouï qui durera jusqu'au 20 février et qui vous fera vivre des choses palpitantes tant en amour que sur le plan social.

AFFAIRES. Rien n'est clair durant la première moitié de janvier, vous ne savez pas trop où vous vous en allez, ce qui vous insécurise. Le reste du mois sera plus actif. Toutefois, vous devrez affronter une situation de crise; comme vous êtes bien armé, vous arriverez à vous en sortir haut la main. Cette même période est propice aux efforts pour améliorer vos conditions financières.

# Février

| DIM | LUN | MAR | MER | JEU | VEN | SAM |
|-----|-----|-----|-----|-----|-----|-----|
| 1 | 2 | 3 ○ | 4 | 5 | 6 | 7 |
| 8 D | 9 D | 10 F | 11 F | 12 | 13 | 14 |
| 15 | 16 | 17 | 18 ● | 19 F | 20 F | 21 D |
| 22 D | 23 | 24 | 25 | 26 | 27 | 28 |

| F  Jour favorable | D  Jour difficile |
|-------------------|-------------------|
| ○  Pleine lune | ●  Nouvelle lune |

SANTÉ. Tout continue d'aller à merveille jusqu'au 19 : vous affichez une mine radieuse, vous avez de l'énergie à revendre et un moral à toute épreuve. Le reste du mois s'annonce plus délicat, car vous serez alors soumis à la quadrature de Mars qui pourrait être responsable d'un état de crise ou d'une blessure si vous ne prenez pas les mesures qui s'imposent.

SENTIMENTS. Les trois premières semaines sont fantastiques, que ce soit en amour, en amitié ou sur le plan social. L'atmosphère sera détendue et vous vous amuserez ferme. De charmantes invitations, des activités stimulantes et de belles rencontres vous attendent, ce qui pourrait radicalement transformer la vie des solitaires. Laissez-vous gâter, vous le méritez !

AFFAIRES. Ici aussi, la conjoncture vous favorise davantage avant le 20. Choisissez donc cette période pour entreprendre vos projets ou vos démarches ; vous n'en reviendrez pas du succès que vous récolterez. Bon temps également pour chercher un nouveau logis ou du travail ainsi que pour voyager. La dernière semaine s'annonce plus houleuse, vous feriez bien d'agir avec circonspection.

# Mars

| DIM | LUN | MAR | MER | JEU | VEN | SAM |
|-----|-----|-----|-----|-----|-----|-----|
| 1 | 2 | 3 | 4 | 5 ○ | 6 | 7 D |
| 8 D | 9 | 10 F | 11 F | 12 | 13 | 14 |
| 15 | 16 | 17 | 18 F | 19 F | 20 ● D | 21 D |
| 22 | 23 | 24 | 25 | 26 | 27 | 28 |
| 29 | 30 | 31 | | | | |

| F  Jour favorable | | | D  Jour difficile | | | |
|-----|-----|-----|-----|-----|-----|-----|
| ○  Pleine lune | | | ●  Nouvelle lune et éclipse solaire totale | | | |

SANTÉ. Les influences planétaires sont plutôt contrariantes. Soyez donc particulièrement attentif lors de vos déplacements et quand vous utilisez des instruments avec lesquels vous pourriez vous blesser. Ce ne serait vraiment pas le moment de jouer au casse-cou ni d'abuser de vos forces morales ou physiques.

SENTIMENTS. Hélas, les choses se corsent. Tout le monde semble sur les nerfs ; lors des discussions, le ton risque de monter, et des disputes pourraient même éclater. Un parent éprouve des difficultés, il se peut que vous deviez intervenir. Vos amis arrivent à la rescousse entre le 17 et le 31.

AFFAIRES. Les événements ne se produiront pas comme vous l'aviez prévu. Un vieux problème refait surface, tandis que c'est la pagaille dans vos activités. Une réparation vous oblige à fouiller dans votre porte-monnaie, mieux vaut donc mettre des sous de côté. Ne paniquez pas, les choses se replaceront en avril.

# Avril

| DIM | LUN | MAR | MER | JEU | VEN | SAM |
|-----|-----|-----|-----|-----|-----|-----|
|     |     |     | 1   | 2   | 3 D | 4 ○ D |
| 5   | 6 F | 7 F | 8   | 9   | 10  | 11  |
| 12  | 13  | 14  | 15 F | 16 F | 17 D | 18 ● D |
| 19  | 20  | 21  | 22  | 23  | 24  | 25  |
| 26  | 27  | 28  | 29  | 30 D |     |     |

| F  Jour favorable | D  Jour difficile |
|---|---|
| ○  Pleine lune et éclipse lunaire partielle | ●  Nouvelle lune |

SANTÉ. Vous êtes enfin dégagé de ce pénible transit de Mars. Vous vous sentez moins stressé, vous canalisez mieux votre énergie et votre résistance ne cesse d'augmenter. Le moment serait donc bien choisi pour consulter ou vous faire traiter ; les résultats seront tangibles et rapides. Quant au moral, il devrait être meilleur à partir du 15.

SENTIMENTS. Vous vous allumez, vous faites tourner bien des têtes. Les célibataires pourraient incidemment vivre un flirt, voire quelque chose de plus profond. Sur le plan social, cela s'annonce enlevant. À la maison, les discussions sont nombreuses, et leur issue dépend beaucoup de votre attitude. En optant pour la douceur, vous réglerez rapidement vos différends, mais si vous élevez la voix, cela risque de tourner au vinaigre.

AFFAIRES. Les choses vont de mieux en mieux. Durant la première partie du mois, vous reprenez votre souffle, vous vous employez à réparer ce qui accrochait. Puis, à compter du 15, vous entamez une phase de progrès. Les démarches visant à améliorer votre situation professionnelle ou pécuniaire aboutiront plus aisément. Une nouvelle sphère d'activités, un contrat ou du temps supplémentaire vous stimulent au plus haut point.

CANCER

167

# Mai

| DIM | LUN | MAR | MER | JEU | VEN | SAM |
|---|---|---|---|---|---|---|
| | | | | | 1 D | 2 D |
| 3 ◯ F | 4 F | 5 | 6 | 7 | 8 | 9 |
| 10 | 11 | 12 F | 13 F | 14 D | 15 D | 16 |
| 17 ● | 18 | 19 | 20 | 21 | 22 | 23 |
| 24 / 31 F | 25 | 26 | 27 | 28 D | 29 D | 30 F |

| F  Jour favorable | | D  Jour difficile | |
|---|---|---|---|
| ◯  Pleine lune | | ●  Nouvelle lune | |

SANTÉ. Jusqu'au 11, vous serez en excellente forme sur le plan tant physique que psychologique. Par après, votre état pourrait se dégrader légèrement : attention aux infections, ne serait-ce que le rhume, ainsi qu'aux douleurs musculaires et au stress excessif. Par ailleurs, le mois serait idéal pour vous refaire une beauté ou rajeunir votre image.

SENTIMENTS. En ce mois, vous aurez de nombreuses occasions de sortir et de rencontrer des gens formidables ; un coup de foudre est d'ailleurs possible pour les solitaires. Si vous avez déjà quelqu'un dans votre vie, vous entamerez une phase de rapprochement dès le 7. Un membre de la famille vous donne du fil à retordre, à moins que ce ne soit son état qui vous tracasse.

AFFAIRES. Les onze premiers jours sont les meilleurs, ne perdez donc pas de temps pour mettre vos projets en marche, faire des changements ou présenter vos demandes. Ensuite, les choses auront tendance à stagner, et vous serez enclin à manquer de motivation. Une nouvelle dépense imprévue ou un achat impulsif vous arrachent une petite somme ; essayez d'être plus prévoyant.

# Juin

| DIM | LUN | MAR | MER | JEU | VEN | SAM |
|-----|-----|-----|-----|-----|-----|-----|
|  | 1 | 2 ○ | 3 | 4 | 5 | 6 |
| 7 | 8 F | 9 F | 10 D | 11 D | 12 | 13 |
| 14 | 15 | 16 ● | 17 | 18 | 19 | 20 |
| 21 | 22 | 23 | 24 D | 25 D | 26 | 27 F |
| 28 F | 29 | 30 |  |  |  |  |

| F Jour favorable | | D Jour difficile | |
|-----|-----|-----|-----|
| ○ Pleine lune | | ● Nouvelle lune | |

SANTÉ. Votre énergie vacille, vous semblez moins résistant et vous manquez de ressort ; ce n'est pas en vous écrasant devant la télévision que vous allez recharger vos batteries. Moins vous bougerez, moins vous aurez le goût de faire des choses. Essayez donc d'être un peu plus actif et de mettre le nez dehors de temps à autre, ça vous fera du bien tant physiquement que moralement.

SENTIMENTS. Si vous êtes capable de vous contenter de la douceur du train-train quotidien, vous allez vous réjouir. Les trois premières semaines s'annoncent effectivement assez routinières, sans grand éclat mais sans coup dur non plus. La fin du mois promet d'être nettement plus enlevante : vous verrez du bien beau monde et vous vous amuserez ferme.

AFFAIRES. Vous faites des efforts surhumains mais la situation demeure chaotique. Vos entreprises piétinent, on vous met des bâtons dans les roues, sans compter que de nombreux retards perturbent vos plans. Essayez d'éviter une confrontation avec un membre de l'entourage ou un client, vous n'en sortiriez probablement pas gagnant. Le budget fluctue, mais inutile de paniquer, ce n'est que temporaire !

CANCER

**169**

# Juillet

| DIM | LUN | MAR | MER | JEU | VEN | SAM |
|-----|-----|-----|-----|-----|-----|-----|
|     |     |     | 1 ○ | 2 | 3 | 4 |
| 5 F | 6 F | 7 | 8 D | 9 D | 10 | 11 |
| 12 | 13 | 14 | 15 ● | 16 | 17 | 18 |
| 19 | 20 | 21 | 22 D | 23 D | 24 F | 25 F |
| 26 | 27 | 28 | 29 | 30 | 31 ○ | |

| F  Jour favorable | D  Jour difficile |
|-------------------|-------------------|
| ○  Pleine lune | ●  Nouvelle lune |

SANTÉ. Le passage de la planète Mars dans votre signe vous donne un regain d'énergie. Vous sortez de votre torpeur, vous avez davantage envie de bouger et de faire quelque chose de votre peau. Ce transit n'a cependant pas que du bon : lorsqu'on ne s'en méfie pas, il prédispose aux blessures et aux défaillances tant physiques que nerveuses. Prenez donc toutes les précautions qui s'imposent.

SENTIMENTS. Entre le 18 et le 31, Vénus, planète de la popularité et des amours, sera particulièrement bien positionnée par rapport à votre signe. La vie sociale sera plus active, vous renouerez avec vos copains, sans compter que vous pourriez également nouer de nouvelles amitiés. À un niveau plus intime, une rencontre, une déclaration ou un rapprochement tout en tendresse devraient vous réjouir. Cependant, la situation demeure complexe avec la famille.

AFFAIRES. Mars pourrait vous jouer des tours dans ce domaine si vous ne respectez pas certaines règles. Continuez d'éviter les altercations dans le cadre de vos activités, elles vous laisseraient un goût amer. La meilleure attitude en ce mois est définitivement la souplesse. Acceptez ce qui arrive avec philosophie ; bientôt, ça se réglera. Attention aux actes impulsifs et aux gestes irréfléchis qui pourraient se retourner contre vous.

# Août

| DIM | LUN | MAR | MER | JEU | VEN | SAM |
|-----|-----|-----|-----|-----|-----|-----|
|     |     |     |     |     |     | 1 |
| 2 F | 3 F | 4 D | 5 D | 6 | 7 | 8 |
| 9 | 10 | 11 | 12 | 13 | 14 ● | 15 |
| 16 | 17 | 18 D | 19 D | 20 F | 21 F | 22 F |
| 23 / 30 F | 24 / 31 D | 25 | 26 | 27 | 28 | 29 ○ F |

| F  Jour favorable | D  Jour difficile |
|-------------------|-------------------|
| ○  Pleine lune | ●  Nouvelle lune |

**SANTÉ.** La planète Mars demeure dans votre signe jusqu'au 8. Par conséquent, il faut continuer d'être vigilant pour ne pas vous faire mal ou ressentir des malaises. Sur le plan psychologique, vous entamerez une période favorable le 11 : vous serez optimiste tout en gardant les deux pieds sur terre. Vous aurez des idées à la tonne et votre intellect fonctionnera à plein.

**SENTIMENTS.** Ce ne sont pas les mondanités qui manquent. On vous lance plein d'invitations, on vous propose des sorties excitantes et des activités fort stimulantes. Vos amis sont vraiment adorables et on peut affirmer que vous êtes bien entouré. En amour, c'est différent, vous devrez probablement marcher sur des œufs et faire quelques compromis. Les soucis familiaux devraient s'estomper vers la fin du mois.

**AFFAIRES.** Voici un secteur où le ciel se dégagera à partir du 11 ; les choses pourraient même changer du tout au tout. Un nouvel emploi ou une amélioration de vos condiţions de travail vous permettent d'évoluer avec davantage de latitude. Vous découvrirez de nouveaux champs d'intérêt, ce qui vous stimulera grandement. Le budget commencera lui aussi à se replacer, vous recevrez d'ailleurs une nouvelle encourageante à ce sujet.

# Septembre

| DIM | LUN | MAR | MER | JEU | VEN | SAM |
|---|---|---|---|---|---|---|
| | | 1 D | 2 | 3 | 4 | 5 |
| 6 | 7 | 8 | 9 | 10 | 11 | 12 |
| 13 ● | 14 D | 15 D | 16 F | 17 F | 18 F | 19 |
| 20 | 21 | 22 | 23 | 24 | 25 | 26 F |
| 27 ○ F | 28 D | 29 D | 30 | | | |

| F  Jour favorable | | D  Jour difficile | |
|---|---|---|---|
| ○  Pleine lune et éclipse lunaire totale | | ●  Nouvelle lune et éclipse solaire partielle | |

SANTÉ. Autant Mars vous a dérangé au cours des dernières semaines, autant elle se mettra à vous appuyer à partir du 24. En attendant, vous continuez à régler ce qui accrochait et à investir dans votre bien-être. Sur le plan psychologique, les éclipses vous malmènent quelque peu : vous êtes trop sensible et prenez tout personnel. Pourtant, personne ne vous veut du mal.

SENTIMENTS. Votre potentiel de bonheur affectif et votre cote d'amour demeurent enviables. Pas de détérioration en vue, bien au contraire. Si vous vous ouvrez, si vous tentez de communiquer avec votre entourage, vous obtiendrez certes des résultats du tonnerre. Alors, faites un petit effort et ne gardez pas tout en dedans.

AFFAIRES. Vous misez beaucoup sur votre sécurité financière. Les gestes que vous ferez en vue d'améliorer votre situation professionnelle ou d'assurer votre avenir seront couronnés de succès. Bon mois pour les investissements sérieux, l'immobilier ou les cotisations à un plan d'épargne retraite. Les démarches et les déplacements seront avantageux à la dernière semaine, période lors de laquelle la chance se rangera de votre côté, y compris au jeu.

# Octobre

| DIM | LUN | MAR | MER | JEU | VEN | SAM |
|-----|-----|-----|-----|-----|-----|-----|
|     |     |     |     | 1   | 2   | 3   |
| 4   | 5   | 6   | 7   | 8   | 9   | 10  |
| 11 D | 12 ● D | 13 D | 14 F | 15 F | 16 | 17 |
| 18  | 19  | 20  | 21  | 22  | 23 F | 24 F |
| 25 D | 26 D | 27 ○ | 28 | 29 | 30 | 31 |

| F  Jour favorable | D  Jour difficile |
|-------------------|-------------------|
| ○  Pleine lune | ●  Nouvelle lune |

SANTÉ. Un autre mois qui s'annonce très constructif. Vous continuez à progresser, on dirait presque que vous rajeunissez. Votre dynamisme et votre vigueur en impressionnent plusieurs. Le grand air vous fait du bien, vous n'avez absolument pas envie de vous encabaner et c'est parfait, d'autant plus que vous avez encore trop souvent les nerfs à fleur de peau.

SENTIMENTS. Votre destinée amoureuse ainsi que votre vie mondaine seront avantagées par un puissant transit de Vénus entre le 8 octobre et le 8 novembre. Vos sentiments envers votre partenaire s'intensifieront, et ce sera réciproque. Si vous êtes seul, acceptez les sorties qu'on vous proposera, puisque c'est grâce à l'une d'entre elles que vous rencontrerez l'âme sœur. Énormément de bonheur à l'horizon.

AFFAIRES. Ça bouge beaucoup dans votre esprit : il y a tellement d'idées qui fourmillent que, parfois, vous ne savez plus par où commencer. On ne vous reconnaît plus, vous tablez davantage sur l'action que sur la planification. Vous faites tout avec la rapidité de l'éclair, et le plus étonnant, c'est que vous réussissez tout ce que vous entreprenez. Bon mois pour les démarches, les déplacements, les négociations et pour tenter votre chance au jeu.

# Novembre

| DIM | LUN | MAR | MER | JEU | VEN | SAM |
|-----|-----|-----|-----|-----|-----|-----|
| 1 | 2 | 3 | 4 | 5 | 6 | 7 |
| 8 D | 9 D | 10 F | 11 ● F | 12 | 13 | 14 |
| 15 | 16 | 17 | 18 | 19 F | 20 F | 21 D |
| 22 D | 23 | 24 | 25 ○ | 26 | 27 | 28 |
| 29 | 30 | | | | | |

| F  Jour favorable | D  Jour difficile |
|-------------------|-------------------|
| ○  Pleine lune | ●  Nouvelle lune |

SANTÉ. Le mois commence en beauté, vous êtes en super forme, et même le moral se met à remonter. À compter du 12, Mars ne vous rendra pas vraiment service et pourrait même occasionner un accident ou un problème de santé, à moins que vous n'adoptiez des mesures préventives. Soyez à l'écoute des signaux que vous envoie votre corps et soyez prudent lorsque vous vous déplacez ou que vous utilisez des objets avec lesquels vous pourriez vous faire mal.

SENTIMENTS. N'oubliez pas que votre vie amoureuse a tout ce qu'il faut pour repartir en grand avant le 8. Vos propos animés et votre sens de l'humour vous vaudront un succès monstre lors des réunions sociales. Par la suite, vous devrez vous montrer plus conciliant si vous souhaitez que le mois se termine en beauté.

AFFAIRES. Ne perdez pas une seconde, c'est maintenant qu'il faut agir. Allez de l'avant, faites des démarches, mettez vos projets en branle avant le 13. Si vous attendez, vous risquez de manquer le bateau. La première quinzaine est également propice aux voyages et aux déplacements. En groupe, vous auriez des chances pour un prix secondaire lors d'un tirage.

# Décembre

| DIM | LUN | MAR | MER | JEU | VEN | SAM |
|-----|-----|-----|-----|-----|-----|-----|
|     |     | 1   | 2   | 3   | 4   | 5 D |
| 6 D | 7 F | 8 F | 9 F | 10  | 11 ● | 12  |
| 13  | 14  | 15  | 16  | 17 F | 18 F | 19 D |
| 20 D | 21  | 22  | 23  | 24  | 25 ○ | 26  |
| 27  | 28  | 29  | 30  | 31  |     |     |

| F Jour favorable | | D Jour difficile | |
|------------------|---|-----------------|---|
| ○ Pleine lune | | ● Nouvelle lune | |

SANTÉ. Quelques discordances planétaires pourraient teinter vos journées de gris, à moins que vous ne décidiez de les contourner. Pour ce faire, exercez une vigilance accrue quand vous manipulez des objets tranchants ou des sources de chaleur, de même que durant vos déplacements. Ne vous en demandez pas trop, car en allant au-delà de vos limites vous risquez de vous retrouver sur le carreau ou de devenir un paquet de nerfs.

SENTIMENTS. Entre le 4 et le 31, Vénus illuminera votre vie tant intime que sociale. Vos amours vous procureront un bonheur certain, vos amis vous prouveront à quel point ils vous apprécient ; bref, des marques d'affection arriveront de tous les côtés. Avec la famille, vous mettez votre pied à terre, ce qui risque de déplaire à certains, mais vous ne vous laissez plus émouvoir par leurs jérémiades. Bravo !

AFFAIRES. Il y a de l'agitation dans le secteur de vos activités, et ce n'est pas toujours évident de composer avec tous ces soubresauts. Accueillez les changements avec philosophie même s'ils vous déconcertent sur le coup. À moyen et à long termes, ils constituent une opportunité favorable. Les magasins regorgent de tentations, mieux vaut ne pas y passer trop de temps.

CANCER

# LION

## DU 24 JUILLET AU 23 AOÛT

En bon Lion que vous êtes, vous régnez sur votre petit monde, et cela se voit. Vous êtes la vedette de votre cercle amical ou familial, et vous appréciez que les têtes se tournent sur votre passage. On vous remarque, et tout en vous contribue à cela : vos vêtements, vos attitudes, votre démarche, bref, votre allure générale est féline et ne passe pas inaperçue.

Vous voulez être à la tête de la meute, partout et dans tout. Votre intérieur doit être le mieux tenu, votre carrière doit atteindre des sommets, vous devez remporter le plus important trophée sportif, vous devez diriger une multinationale, etc. Que ce soit pour récurer les chaudrons ou pour diriger une banque, vous ne jouerez jamais les seconds violons.

On ne peut pas dire que vous soyez mauvais perdant ; vous êtes plutôt un gagnant qui a du panache, et qui sait se montrer débonnaire et généreux avec autrui. La victoire vous va bien. Et souvent, vous la méritez. Énergique, ambitieux, ayant du cœur à l'ouvrage, vous vous donnez à 100 % ou, plutôt, à 200 %. Vous vous concentrez sur votre but, et votre ardeur est exceptionnelle. Rien ne vous semble trop difficile, quitte à redoubler d'efforts pour atteindre votre objectif. Qu'il s'agisse d'un poste de direction, de l'aménagement de votre demeure, de vos cours de piano, vous mettez tout en œuvre pour triompher. Le résultat

LION      **177**

est remarquable et remarqué, et c'est le but que vous vous étiez fixé. Vous ne supportez pas l'indifférence. Et bien sûr, quand on ne laisse pas indifférent, certaines personnes nous soutiennent et d'autres nous envient. Vous serez donc souvent l'objet de jalousie et de critiques acerbes. Vous occupez toute la scène, et quelques-uns vous reprocheront de jouer à la star ; ne vous en faites pas avec ces mesquineries, car en vérité ces gens vous admirent. Tout vous réussit, si bien qu'on croirait que vous y parvenez facilement, que tout vous tombe du ciel, et pourtant vous travaillez d'arrache-pied pour obtenir ce que vous possédez... Vous savez si bien cacher vos efforts qu'on dirait que votre succès va de soi ; vous avez tellement l'air d'être au-dessus de vos affaires.

Il en va de même sur le plan personnel. Vous dissimulez vos soucis, vos inquiétudes et votre chagrin ; vous dites que tout va bien, même lorsque vous êtes désemparé. Vous êtes tellement habile pour cacher vos tracas que vos proches n'y voient que du feu... et vous vous sentez bien seul alors. Vous régnez sur votre entourage, certes, mais vous n'êtes ni un être arrogant ni un avare. Vous êtes un roi qui veille attentivement sur ses sujets et vous savez vous montrer très généreux.

Démonstratif et ardent comme vous l'êtes, vous vivez vos amours sous le signe de la passion, et vous recherchez un partenaire qui vous fera honneur. Si cette personne se montre indifférente ou est inaccessible, le défi n'en sera que plus attirant pour le Lion, qui se lancera dans une véritable chasse.

En tant que maître du monde, vous avez un sens de la justice très développé. Vous êtes une personne entière, honnête et droite, et vous demandez la même chose de ceux qui vous entourent. Hélas ! tout le monde ne vous ressemble pas. Ainsi, si vous vous associez, l'union sera profitable... à vos partenaires : vous mettrez tout votre cœur et beaucoup de passion à votre travail, ce qui rapportera gros à ceux qui en feront moins en vous laissant agir. Vous donnez volontiers, mais vous ne pardonnez pas de sitôt la duperie et le mensonge. Dans ces cas-là, le Lion en vous se réveille et gronde.

Comme leurs homologues des savanes, les femmes Lion seront souvent reines de leur foyer et pourront mener sans problème une carrière parallèle à leur vie domestique. Elles vont «chasser» pour rapporter de la nourriture.

Votre signe est celui du commandement, de la gestion, et, même si vous commencez au bas de l'échelle, vous finirez par obtenir un poste de direction. Vous avez un goût inné pour l'autorité; vous aimez décider de tout, choisir le film que votre conjoint veut voir, organiser les activités des enfants, et vous irez jusqu'à donner votre avis sur la maison que votre sœur veut acquérir. Vous êtes là pour tout organiser, tout diriger, et il ne faut certainement pas que les autres viennent se mêler de vos affaires et vous dire quoi faire!

Votre point faible serait sûrement votre petit côté orgueilleux et vaniteux. Vous aimez la flatterie, et cela peut vous jouer de vilains tours. Tout semble facile pour vous, et l'on a souvent tendance à croire que tout vous arrive sans effort alors que vous avez certainement travaillé très dur pour en arriver là et pour surmonter de nombreux obstacles. Mais une fois que vous avez réussi, avouez quand même que vous gonflez votre crinière d'orgueil!

## Comment se comporter avec un Lion?

Le meilleur moyen de s'entendre avec un Lion est de ne pas s'opposer à lui. Il n'appréciera pas que vous le remettiez en question et pourrait en faire une affaire personnelle. Que vous vous mettiez en colère, que vous criiez, que vous tempêtiez n'y changera rien; au contraire, il s'entêtera. Par contre, le Lion n'est pas insensible à la logique et au bon sens; c'est donc la carte qu'il faut jouer pour le convaincre. Pour obtenir ce que vous désirez, vous pouvez aussi faire appel à ses émotions, à ses bons sentiments. C'est un être généreux qui ne vous tournera pas le dos en cas de besoin. Exposez-lui la situation et laissez-lui le plaisir de proposer son aide. Il aura l'impression que ça vient vraiment de lui et sera d'autant plus heureux de vous donner un bon coup de main. Le Lion a une haute opinion de lui-même; il aime bien qu'on fasse attention à lui. Au restaurant, à la maison ou en société, n'hésitez pas à lui laisser prendre la première place; il vous en sera reconnaissant... De toute façon, il la prendra, alors autant la lui laisser rapidement pour éviter les heurts. Le Lion aime s'afficher, se faire remarquer. Il aime les activités qui lui permettront de se montrer en public. Invitez-le au théâtre, à des premières représentations et à des lancements officiels. Par contre, vous devrez l'accompagner, car il a besoin de sa petite cour et déteste être seul. Si vous avez des reproches à lui faire, attendez un tête-à-tête. Ne le faites jamais, au grand jamais, devant une tierce personne ou pire – quel outrage ! – en public. Humilié, notre Lion ne vous le pardonnerait jamais. Et même s'il a tort, ne le contredisez pas devant les autres : soutenez-le, quitte à rétablir les choses en privé, lorsqu'il sera mieux disposé à vous écouter. Si vos propos sont sensés et logiques, ou s'il pense vous faire plaisir, il rentrera ses crocs et, en bon gros minet généreux, il se laissera convaincre. Le Lion soigne particulièrement son image publique ; donc, ne lui faites jamais un affront devant les autres, car son âme de fauve saura vous le faire payer cher. Si vous réussissez à lui faire croire que vos idées sont les siennes, si vous ne le prenez pas à rebrousse-poil mais jouez plutôt la carte de la douce caresse, le félin rugissant deviendra le plus gentil des chats et mangera dans votre main... Cela reste entre nous, bien entendu !

## Ses goûts

Évidemment, le Lion a des goûts royaux. Il apprécie tout ce qui contribue à le mettre en valeur. Ses vêtements sont élégants, généralement griffés, un peu voyants mais classiques, souvent de teintes claires, beiges ou dorées. Il affiche des bijoux de prix, des pierres véritables, des fourrures bien choisies. Sa maison se remplit de beaux objets, généralement précieux, de dorures et surtout de miroirs qui reflètent ses atours. Il aimera un décor lumineux et luxueux. À table, la mise en scène l'attire : l'argenterie, un chandelier, une table bien dressée. Dans la nature, le lion est un carnassier. Notre Lion aime aussi les viandes et les sauces raffinées. Il déguste avec élégance, se soucie du décorum et a de belles manières. Ce n'est pas lui qui vous fera honte à table ; au contraire, sa présence rehaussera vos repas.

## Son potentiel

Ce personnage royal ne se contentera sûrement pas d'un poste de subalterne. Le Lion veut toujours faire mieux que les autres ; il consacre donc beaucoup de temps et d'énergie à sa carrière. L'avancement et les promotions, voilà ce qu'il recherche. Par contre, il n'hésitera jamais à commencer en bas de l'échelle, car il sait que son ardeur, ses talents et ses efforts le mèneront rapidement vers les plus hauts sommets de son entreprise. Le balayeur deviendra président de la compagnie. Le Lion excelle dans les postes de commandement, dans l'administration, la gestion, la politique, le gouvernement, la finance, les affaires, la haute fonction publique, les postes de responsabilité, les grades les plus élevés de l'armée. Quoi qu'il fasse, il obtiendra un poste clé en peu de temps. D'ailleurs, les Lion sont d'excellents entrepreneurs et lancent souvent leur propre entreprise ou travaillent à leur compte. Ils aiment dominer mais surtout ne pas se faire dominer. Comme ils aiment se mettre en avant pour étaler leur allure féline, leur petit côté théâtral sera bien servi s'ils décident de monter sur les planches ; bon nombre d'artistes, notamment des acteurs, sont du signe du Lion. Ce sont des stars dans l'âme.

## Ses loisirs

Même si c'est parfois à son insu, le Lion choisit des activités où il peut briller. Ce n'est pas lui qui passera son temps le nez dans un moteur automobile ; il risquerait de s'y salir. Par contre, demandez-lui de conduire une voiture de course et il sera heureux d'afficher ses qualités. Le Lion aime les sports nobles – le golf, l'équitation, le tennis, le polo – ou ceux qui donnent du prestige, comme la Formule 1. La victoire lui va très bien. Alors si en plus il réussit à devancer ses adversaires, il sera le plus heureux du monde. Le Lion aime déployer ses talents, surtout devant un public. Le théâtre, qu'il a dans le sang, et le chant lui conviennent tout à fait. Sous les feux de la rampe, il s'illumine ; c'est une vraie vedette. Il aime aussi assister et se montrer à des spectacles haut de gamme. Il a une vie mondaine brillante et n'hésite jamais à se faire remarquer. Si un photographe de presse est dans le coin, le Lion s'arrangera pour figurer en bonne place sur les clichés. Et si, par hasard, il se retrouve à la une des journaux, il ne se tiendra plus de joie. En fait, le Lion évolue comme si les caméras de télévision étaient braquées sur lui en permanence. Quoi qu'il fasse, cuisiner, planter un clou ou passer l'aspirateur dans le salon, il le fera avec le sourire aux lèvres. Même ses vêtements de travail seront impeccables. Tout lui réussit, et le voir évoluer avec autant de brio fait les délices de ses admirateurs.

## Sa décoration

Le Lion, en bon roi, n'habite pas une maison comme vous et moi, mais plutôt un palais. Il a des goûts grandioses ; ce qu'il y a de mieux et de plus luxueux trouve toujours place dans son intérieur, et la dépense ne lui fait pas peur. Des tapis épais et moelleux, probablement très pâles, blancs ou ivoire, vous accueillent à l'entrée de son antre. Ce qui frappe au premier coup d'œil, ce sont les miroirs : magnifiques et disposés de manière à refléter les bibelots précieux, les dorures, les objets de cristal. Des meubles chers et des tentures imposantes viennent compléter une décoration somptueuse. Le Lion possède un goût inné pour le beau. Il sait choisir les plus belles matières, le meilleur bois, les tissus les plus soyeux ; il aime l'opulence, et ça se voit. C'est d'ailleurs l'effet recherché. Il se passionne pour les œuvres d'art, les meubles de style, les objets de luxe et n'hésite pas à s'en procurer, même à prix faramineux. Heureusement, malgré un décor chargé, il choisit des couleurs claires : crème, blanc ivoire, jaune doré, or brillant, ce qui crée un ensemble lumineux et impressionnant sans être oppressant. Le Lion adore aussi les mises en scène ; s'il vous invite pour un petit goûter à l'improviste, les porcelaines, les dentelles délicates, les vases de cristal seront tout naturellement de la partie. Ce n'est pas la demeure de n'importe qui, et ça se voit.

## Son budget

Avec un tel goût pour le luxe, on pourrait croire que le Lion se moque de son budget et peut allégrement se ruiner pour un bel objet. Bien qu'il ne regarde pas à la dépense et aime les belles choses, c'est aussi un excellent administrateur qui sait planifier ses achats. Il sait comment se procurer ce dont il a envie, sans mettre en péril ses finances. Tout un art ! Ses revenus sont aussi bien gérés que son intérieur. Ses placements sont judicieux ; s'il vous donne des conseils financiers, soyez assuré qu'il sait de quoi il parle. Il n'est pas du genre à mettre tous ses œufs dans le même panier et diversifie bien ses investissements : les valeurs mobilières et immobilières, la Bourse n'ont guère de secrets pour lui. Même avec un budget minuscule, il fera des merveilles et réussira à économiser tout en s'offrant de petits luxes, un véritable tour de force qui en impressionnera plus d'un. Les Lion ont un sens aiguisé de la gestion et ils aiment être leur propre maître. Donc, plutôt que de travailler pour autrui, la plupart décideront de se lancer en affaires, ce qui leur permettra d'exploiter plusieurs talents, sans avoir de comptes à rendre. Ils travaillent très fort pour parvenir au succès. Pourtant, tout semble si facile pour eux que plusieurs les envient.

## Quel cadeau lui offrir ?

Le Lion est un amateur de beaux objets. Tout le monde n'a pas les moyens de lui offrir un voyage autour du monde en paquebot de luxe ou une Ferrari, mais en respectant une petite règle toute simple, on peut lui faire un plaisir incommensurable, même si l'on ne lui offre qu'un t-shirt ou un bibelot : n'achetez que des articles de première qualité. Choisissez ce qu'il y a de mieux : une veste griffée, un vase de cristal, des fleurs exotiques. Il appréciera davantage cela qu'une multitude de cadeaux sans valeur. Le Lion aime qu'on fasse attention à lui ; donc, votre présent sera considéré comme un hommage que vous lui rendez. Ne lui offrez pas d'argent ; il en serait offensé. Notre Lion n'est pas à vendre ! Il aura l'impression qu'il n'a pas d'importance à vos yeux ; il appréciera plus un cadeau choisi avec amour qu'un chèque lui permettant d'acheter lui-même ce qui lui plaît. Le cadeau idéal est un bijou : les diamants sont toujours appréciés. Mais si votre budget ne vous le permet pas, des parfums importés, des objets de luxe ou rares, des vêtements élégants (et préférablement griffés) ou des billets pour un spectacle couru sauront lui plaire. Quoi que vous décidiez de lui offrir, soignez particulièrement la présentation de votre cadeau (du papier de soie, un emballage élégant, un ruban doré), car son plaisir en sera décuplé.

## Les enfants Lion

Dans un groupe d'enfants, le plus photogénique sera un petit Lion. Même s'il ne sait pas encore dire deux mots, dès que vous sortez un appareil photo, il affiche son plus beau sourire, prêt à vous charmer. Même lorsqu'il est un bout de chou, le petit Lion fait des mimiques, prend des poses, sourit aux anges. Il a déjà du magnétisme et sait comment être le centre d'intérêt de son entourage. Ce n'est pas un enfant qui s'amuse seul dans son coin ; il a besoin d'un public. À la garderie, à l'école, dans la ruelle avec ses copains, il continuera de voler la vedette. Il a besoin de briller et demande beaucoup d'attention. C'est un chef de groupe qui sait se faire respecter. Avec un enfant Lion, il faut être présent. Vous devez lui manifester de l'affection, même quand il se trompe ou qu'il perd. Vous devez alors lui expliquer que d'autres aussi peuvent gagner et qu'un échec ne signifie nullement qu'il n'est bon à rien. Il doit comprendre qu'il ne peut pas être le premier partout, qu'il n'est pas nécessaire d'être toujours parfait en toute chose. Dites-lui que, malgré ses échecs occasionnels, vous l'aimez tout autant. Les enfants Lion sont brillants, intelligents, travailleurs ; vous serez très fier d'eux.

## L'ado Lion

Ton signe fait honneur au roi des animaux. Comme lui, tu te fais remarquer, et cela te plaît énormément. Tu as tendance à gonfler ta crinière, à te pavaner un peu, sans méchanceté. Tu ne supportes pas d'être le deuxième ; tu dois absolument être le premier en tout. Tu as une nature noble et généreuse, et tu es né pour diriger. Dans ton cercle d'amis, c'est probablement toi qui mènes, et lorsque ce n'est pas le cas, tu peux sortir tes griffes de fauve. Tu t'exprimes facilement, tu donnes ton point de vue, et ce, même lorsqu'on ne t'a pas demandé ton avis. En fait, tu as une assez haute estime de toi. Quand tu ne te sens pas en forme, tu t'isoles dans ton coin jusqu'à ce que ça aille mieux ; tu penses sûrement que c'est préférable pour ton image. Tu n'es pas du genre à raconter tes problèmes. Tu n'aimes pas te faire consoler ; tu es bien trop indépendant pour cela. Tu cherches à préserver cette force de caractère que tu affiches en tout temps. Par contre, lorsque ça va bien, tu n'hésites pas à te montrer et à briller de mille feux. Tu es intelligent, tu as bon cœur et tu es conscient de toutes tes capacités. Tu es fier aussi ; si l'on te critique en public, si l'on te dénigre, cela te blesse profondément. L'opinion des autres compte beaucoup pour toi ; tu cherches toujours à te mettre en valeur et à être au mieux de ta forme. Tu aimes les honneurs, mais reste sur tes gardes : ce monde est rempli de flatteurs qui pourraient te manipuler facilement. Les beaux vêtements et le luxe sont ce que tu préfères, et tu réussis à te les offrir. Tu as des projets ambitieux et toute la volonté qu'il faut pour les réaliser. On dirait que tout vient aisément à toi, que tu n'as qu'à te pencher un peu pour récolter. Pourtant, on oublie tous les efforts que tu as faits pour parvenir à ton but. Tu mérites amplement ton succès, car tu travailles dur pour l'obtenir.

### Tes études

Ton signe est fixe ; lorsque ton choix est fait, la réussite te sourit. Le travail ne te fait pas peur, et tu es prêt à mettre toute l'énergie nécessaire pour atteindre tes objectifs qui, il faut bien le dire, sont assez grands. Tu aimes être le premier, et la compétition te stimule. Les concours, les examens ne te troublent pas outre mesure; tu les prends comme de nouveaux défis. En équipe, tu dois apprendre à laisser un peu de place aux autres et à leur accorder le mérite de leurs bonnes idées. Cette façon de faire te permettra de diriger le groupe tout en sachant motiver tes troupes pour atteindre le succès.

### Ton orientation

L'ambition est probablement ce qui te caractérise le plus. Tu as mille et un projets. Ils sont parfois bien farfelus aux yeux des autres, mais laisse-les sourire et poursuis ta route sans te retourner. Tu connais tes capacités, tu peux juger de tes limites et tu es déterminé. Donc, rien ne peut te résister lorsque tu te mets en tête d'atteindre tes objectifs. Tu es un chef-né, un leader. Choisis une sphère d'activité où tu pourras t'épanouir. L'administration, la gestion, la finance, la politique, le génie, les relations publiques, les arts, le cinéma, le droit et la fonction publique sont des domaines où tu pourrais exprimer toutes tes qualités. Tu peux réussir dans n'importe quoi si tu sens que tu peux montrer qui est le meilleur, c'est-à-dire toi. Un Lion ne peut se contenter d'un emploi subalterne, et il est rare qu'il demeure un employé toute sa vie. Il commence parfois au bas de l'échelle, mais à force de travail il finira par être au sommet de la hiérarchie. Les Lion pensent souvent à créer leur entreprise, peut-être est-ce déjà dans tes plans d'avenir?

### Tes rapports avec les autres

Tu agis souvent comme le «chef de la bande», et tes amis occupent une place prépondérante dans ta vie sociale. Tu aimes rencontrer de nouveaux visages, surtout quand ils te permettent de te faire valoir. Par contre, tu es très attaché à tes amis; tu les aides, tu les défends, et si tu sais t'imposer, tu sais aussi les protéger. Tu as une sainte horreur du mensonge, et lorsque tu retires ta confiance à quelqu'un, il devra travailler fort pour la regagner. L'élément le plus faible chez toi, c'est que tu n'oses pas demander. Quémander n'est pas dans ta nature. Si ça ne va pas dans ta vie, tu préfères t'isoler et faire croire que tout va bien plutôt que de demander de l'aide. Tu es foncièrement honnête et tu t'attends à ce que tout le monde qui t'entoure le soit aussi.

LION

# LE LION DANS LA CUISINE

## Votre façon de cuisiner

Vous avez du panache et vous cuisinez avec élégance et fierté : cela tient presque du spectacle. Vous vous lavez les mains sans arrêt, car vous détestez qu'elles soient sales.

Vous ne lésinez ni sur la qualité, ni sur la mise en scène. Vos repas sont un plaisir pour les yeux, et vos tables, impressionnantes. Vous aimez bien surprendre vos convives.

## Vous adorez :

- les aliments raffinés et de luxe, tels que filet mignon, foie gras, caviar ;
- les ingrédients de haute qualité, quel qu'en soit le prix ;
- les mets exotiques ;
- les bons vins et les plats qui en contiennent ;
- la crème : vous en mettez partout.

### CE QUE LA NATUROPATHE VOUS SUGGÈRE

- Diminuez les quantités de sel et de gras : à long terme, ils risquent de malmener vos artères.
- Assurez-vous d'avoir votre portion de protéines à chaque repas.

# ILS SONT LION EUX AUSSI

Ben Affleck, Antonio Banderas, Véronique Bannon, Halle Berry, Vincent Bilodeau, Valérie Blais, Jean-François Breau, Geneviève Brouillette, Sandra Bullock, Nathalie Coupal, Alain Crête, Yvon Deschamps, Josée Deschênes, Martin Drainville, Luce Dufault, Marc Dupré, Ron Fournier, André Gagnon, Rémi Girard, Laurence Jalbert, Patrick Labbé, Charles Lafortune, Carole Laure, JiCi Lauzon, Félix Leclerc, Lynda Lemay, Jennifer Lopez, Madonna, Marjo, Marc Messier, Helen Mirren, Audrey de Montigny, Pascale Montpetit, Geneviève Néron, Barack Obama, Bruno Pelletier, Maurice Richard, Judi Richards, Julie Snyder, Martha Stewart, Hilary Swank, Audrey Tautou, Charlize Theron, Vincent Vallières.

### Pensée positive pour le Lion
Je rayonne sur les autres, et les nombreux bienfaits que je leur offre me sont rendus au centuple. Je suis un soleil bienfaisant.

### Pensée positive spéciale pour 2015
Je me redécouvre et j'aime la personne que je deviens.
J'ai l'étoffe d'un gagnant.

*Le subconscient nous dirige toujours selon nos pensées. En répétant le plus souvent possible ces pensées conçues tout spécialement pour vous, vous vous attirerez plein de belles choses.*

### Outils pour transformer votre destinée
- Apprenez à déléguer, que ce soit chez vous ou dans le cadre de votre emploi. Même si les autres sont moins performants que vous, ils peuvent faire un travail convenable. Vous ne pouvez être partout à la fois.
- Pardonnez-vous vos erreurs. Vous voulez toujours être parfait, mais ce n'est pas possible; laissez-vous une marge de manœuvre.
- Découvrez la souplesse et l'adaptabilité. Quelquefois, s'entêter ne fait qu'aggraver les ennuis; si on s'ajuste, tout devient plus facile.

| | |
|---|---|
| **Signe:** Lion | **Fleurs:** Rose rouge, pensée, coquelicot. |
| **Élément:** Feu | **Chiffres chanceux:** 5-9-10-14-25-26-30-35-41-46. |
| **Catégorie:** Fixe | |
| **Symbole:** ♌ | **Qualités:** Noble, fier, généreux, énergique, doué de magnétisme, vedette, juste. |
| **Points sensibles:** Cœur, système cardiovasculaire, taux de cholestérol, tension artérielle, infarctus, colonne vertébrale, maux de dos. | |
| | **Défauts:** Orgueilleux, autoritaire, goût exagéré du luxe, vaniteux, en impose aux autres. |
| **Planète maîtresse:** Le Soleil, source de la vie. | |
| | **Ce qu'il pense en lui-même:** Il faut absolument que je fasse mieux que les autres. |
| **Pierres précieuses:** Diamant, brillant, rubis. | |
| **Couleurs:** Les nuances du soleil et de l'or, jaune, beige. | **Ce que les autres disent de lui:** Voilà notre vedette qui arrive! |

LION

# PRÉDICTIONS ANNUELLES

**V**ous voici sur le point d'entamer une année dont vous vous souviendrez longtemps. La présence de Jupiter dans votre signe vous fera vivre plusieurs événements inhabituels. En plus de transformer l'existence, ce transit provoque aussi une importante évolution de la personnalité : on ressent profondément le désir de changer des choses, de se lancer dans de nouvelles aventures, de relever d'autres défis. Ce qui nous satisfaisait autrefois ne suffit plus à nous contenter. On a besoin de changer d'air, de recommencer à neuf. Mieux encore, vous pourrez compter sur les effets stabilisateurs de Saturne pendant presque toute l'année, sauf durant l'été.

SANTÉ. Si Jupiter apporte le goût de mordre dans la vie à belles dents, elle diminue bien souvent notre volonté. N'abandonnez pas trop vite vos sages résolutions, sans quoi vous pourriez perdre du terrain. Attention également pour ne pas retomber dans vos mauvaises habitudes. Ceux qui feront des efforts pour garder la forme ou la retrouver seront largement récompensés, tandis que ceux qui se laisseront aller risquent d'avoir quelques ennuis avec leur silhouette ou leur santé. Sur le plan psychologique, l'année s'annonce sous les thèmes de l'optimisme, de la bonne humeur et de la joie de vivre.

SENTIMENTS. Vous redevenez vous-même et vous osez enfin sortir de votre coquille. D'abord, vous parlez davantage, vous arrivez à dire ce que vous avez sur le cœur, vous n'encaissez plus les coups sans dire un mot ou, mieux encore, vous apprenez à demander, ce qui étonne votre entourage. Puis, les pantoufles et le sofa confortable vous tentent moins, vous avez envie de mettre le nez dehors et de voir du nouveau monde. Ça tombe bien, car une foule d'agréables rencontres sont sur le point de se produire. D'ailleurs, une surprise attend les solitaires!

AFFAIRES. Si vous avez de grands projets, c'est le temps de passer aux actes. En effet, les gestes que vous ferez en vue de donner un nouvel élan ou une nouvelle direction à votre destinée rapporteront gros. Prenez garde toutefois aux erreurs de jugement: ne soyez pas naïf, ne faites confiance à personne sans avoir dûment vérifié la véracité de ses allégations. Vous vous sentez ambitieux, et l'année se prête justement aux réalisations d'envergure. Un chiffre d'affaires à la hausse, une promotion, un nouvel emploi mieux rémunéré ou une augmentation de salaire sont autant de possibilités. La chance sera dans le portrait, si bien que vous aurez la main heureuse au jeu. Bonne année pour l'immobilier, les voyages et pour mettre des sous de côté.

# Janvier

| DIM | LUN | MAR | MER | JEU | VEN | SAM |
|-----|-----|-----|-----|-----|-----|-----|
|     |     |     |     | 1   | 2   | 3   |
| 4 ○ | 5   | 6   | 7   | 8   | 9   | 10  |
| 11  | 12  | 13  | 14 D | 15 D | 16 F | 17 F |
| 18  | 19  | 20 ● | 21  | 22  | 23  | 24 F |
| 25 F | 26  | 27 D | 28 D | 29  | 30  | 31  |

| F  Jour favorable | D  Jour difficile |
|-------------------|-------------------|
| ○  Pleine lune    | ●  Nouvelle lune  |

SANTÉ. Les douze premiers jours de l'année sont marqués par une opposition de Mars qui risque d'avoir un impact négatif sur vous. Il existe toutefois des moyens de déjouer la conjoncture : il suffit de prendre quelques précautions pour éviter de vous blesser, de contracter une infection ou de ressentir un malaise. Quant au reste du mois, il se déroule sans anicroches sur le plan physique. Psychologiquement, le stress a un peu trop d'emprise sur vous. Relaxez !

SENTIMENTS. Vos rapports avec les autres semblent plus tendus. Le message ne passe pas et ça ne prend pas grand-chose pour qu'une banale discussion dégénère en altercation. En usant de douceur et en essayant de vous mettre à la place de vos proches, vous pourriez aisément trouver un terrain d'entente.

AFFAIRES. Ici aussi, le début du mois n'est pas idéal. Par contre, à partir du 12, vous aurez davantage de latitude et pourrez enfin aller de l'avant. Un renouveau dans vos activités, un bon tuyau ou un ami qui intercède pour vous vous permettront de faire plus de progrès que vous ne l'aviez prévu. Votre flair vous fera saisir au vol de bonnes opportunités.

# Février

| DIM | LUN | MAR | MER | JEU | VEN | SAM |
|-----|-----|-----|-----|-----|-----|-----|
| 1 | 2 | 3 ○ | 4 | 5 | 6 | 7 |
| 8 | 9 | 10 D | 11 D | 12 | 13 F | 14 F |
| 15 | 16 | 17 | 18 ● | 19 | 20 | 21 F |
| 22 F | 23 D | 24 D | 25 | 26 | 27 | 28 |

| F  Jour favorable | | D  Jour difficile |
|---|---|---|
| ○  Pleine lune | | ●  Nouvelle lune |

SANTÉ. Sur le plan moral, c'est tout ou rien. À certains moments, vous débordez de joie de vivre et frôlez presque l'euphorie, tandis qu'à d'autres, vous êtes assailli par l'anxiété. Le corps se porte beaucoup mieux, et quelques mesures préventives vous garderont à l'abri d'un rhume ou de tensions musculaires. Méfiez-vous de la gourmandise, qui menace autant votre bien-être que votre ligne. Bon mois pour vous refaire une beauté.

SENTIMENTS. À compter du 20, vous recevrez l'appui de Vénus. Votre cote d'amour se mettra à grimper, ce qui pourrait laisser entrevoir une rencontre électrisante pour les personne seules. Les couples, quant à eux, se rapprocheront et célébreront le retour de la tendresse. Vos nouvelles connaissances comme vos amis de longue date trouveront eux aussi de nombreux moyens de vous faire passer du bon temps. D'ici là, rien de vilain à signaler, et les petits conflits se règlent.

AFFAIRES. Le 19 marque l'arrivée d'un important courant de chance. Les situations qui stagnaient cesseront de piétiner. Vos entreprises démarreront de manière fulgurante, et vous disposerez de davantage de liberté dans votre secteur d'activités. On reconnaîtra votre valeur, on trouvera même une façon tangible de vous le signifier. Bon temps pour les transactions, les recherches, les voyages et pour tenter votre chance au jeu. En attendant, profitez-en pour planifier et bien préparer vos projets.

# Mars

| DIM | LUN | MAR | MER | JEU | VEN | SAM |
|-----|-----|-----|-----|-----|-----|-----|
| 1 | 2 | 3 | 4 | 5 ○ | 6 | 7 |
| 8 | 9 | 10 D | 11 D | 12 F | 13 F | 14 |
| 15 | 16 | 17 | 18 | 19 | 20 ● F | 21 F |
| 22 D | 23 D | 24 | 25 | 26 | 27 | 28 |
| 29 | 30 | 31 | | | | |

| F  Jour favorable | | D  Jour difficile | |
|-------------------|--|-------------------|--|
| ○  Pleine lune | | ●  Nouvelle lune et éclipse solaire totale | |

SANTÉ. L'éclipse n'a aucun effet sur vous, au contraire : le ciel est parfaitement dégagé. En plus d'être désormais à l'abri des accidents, vous retrouvez une saine énergie tant morale que physique. C'est le temps de régler ce qui accrochait, de vous prendre en main et de mettre un peu d'ordre dans votre vie. Vous amorcez un nouveau départ, et ça promet !

SENTIMENTS. Vos amours vous procureront énormément de bonheur jusqu'au 18. Une déclaration sincère, un rapprochement avec l'être cher ou une rencontre pour les célibataires sont au programme. Seule ombre au tableau : quelques soucis d'ordre familial auxquels vous trouverez toutefois une solution satisfaisante. Socialement, c'est tout le mois qui s'annonce enlevant.

AFFAIRES. Vous réussissez à régler tout ce qui accrochait, vous rattrapez le temps perdu et vous ne cessez de marquer des points. L'énergie que vous déployez afin de redresser votre situation donne des résultats concrets ; vous savez ce que vous voulez et, surtout, comment l'obtenir. Les finances remontent et vous recevez des nouvelles encourageantes à ce sujet, peut-être même lors d'un tirage. Bon mois pour les recherches, les démarches et les voyages.

# Avril

| DIM | LUN | MAR | MER | JEU | VEN | SAM |
|-----|-----|-----|-----|-----|-----|-----|
|     |     |     | 1   | 2   | 3   | 4 ○ |
| 5   | 6 D | 7 D | 8 F | 9 F | 10  | 11  |
| 12  | 13  | 14  | 15  | 16  | 17 F | 18 ● F |
| 19 D | 20 D | 21 | 22 | 23 | 24 | 25 |
| 26  | 27  | 28  | 29  | 30  |     |     |

| F  Jour favorable | D  Jour difficile |
|-------------------|-------------------|
| ○  Pleine lune et éclipse lunaire partielle | ●  Nouvelle lune |

SANTÉ. La quadrature de la planète Mars risque de vous jouer des tours. Ne laissez ni une négligence ni un moment d'inattention devenir responsables d'une blessure. Votre digestion, la qualité de votre sommeil et votre dos semblent également affectés. Lors de la seconde quinzaine, vous auriez tout intérêt à apprendre à relaxer!

SENTIMENTS. Le début du mois risque de manquer de piquant à votre goût; vous avez l'impression qu'on vous met de côté. Inutile de vous en faire, puisqu'à partir du 11, Vénus, planète des amours et de la popularité, servira parfaitement vos intérêts. On vous adore et on saura vous le démontrer. Par contre, on dénote quelques tensions concernant un membre de la famille. Son arrogance ou sa tendance à se mettre constamment les pieds dans le plat vous irritent.

AFFAIRES. Bien que ce ne soit pas la catastrophe, les choses sont loin d'aller rondement. Vos projets sont retardés et vous perdez un temps fou avec des incompétents. Bref, vous avez l'impression de reculer au lieu d'avancer. Si vous pensez oublier vos frustrations en magasinant, détrompez-vous, surtout qu'une dépense imprévue risque de vous tomber dessus.

LION

**193**

# Mai

| DIM | LUN | MAR | MER | JEU | VEN | SAM |
|-----|-----|-----|-----|-----|-----|-----|
|     |     |     |     |     | 1 | 2 |
| 3 ○ D | 4 D | 5 F | 6 F | 7 | 8 | 9 |
| 10 | 11 | 12 | 13 | 14 F | 15 F | 16 D |
| 17 ● D | 18 | 19 | 20 | 21 | 22 | 23 |
| 24 / 31 D | 25 | 26 | 27 | 28 | 29 | 30 D |

| F  Jour favorable | | D  Jour difficile | |
|---|---|---|---|
| ○  Pleine lune | | ●  Nouvelle lune | |

SANTÉ. La quadrature de Mars sévit encore jusqu'au 11 ; il faut continuer à vous montrer vigilant lors de vos déplacements et quand vous utilisez des outils ou des appareils avec lesquels vous pourriez vous blesser. Par la suite, vous aurez la voie libre et vous amorcerez un cycle de récupération. Sur le plan moral, ça va déjà beaucoup mieux.

SENTIMENTS. En amour, c'est la première semaine qui vous réserve les meilleurs moments. Du côté de votre vie sociale, ça redémarrera lors de la seconde quinzaine : vous recevrez de nombreuses invitations et verrez plein de monde. Avec la famille, le mois commence de travers, mais l'atmosphère devrait changer après le 17.

AFFAIRES. Jusqu'au 12, une foule de petits dérangements sont à prévoir, comme des retards, des changements de dernière minute et des dépenses imprévues. Inutile de vous affoler ; réglez les pépins au fur et à mesure qu'ils se présenteront et vous en viendrez à bout. De toute façon, ça se tassera par la suite et vous serez à nouveau en période de chance, même au jeu, où un petit prix pourrait vous faire sourire.

# Juin

| DIM | LUN | MAR | MER | JEU | VEN | SAM |
|-----|-----|-----|-----|-----|-----|-----|
| | 1 | 2 ○ F | 3 F | 4 | 5 | 6 |
| 7 | 8 | 9 | 10 F | 11 F | 12 D | 13 D |
| 14 D | 15 | 16 ● | 17 | 18 | 19 | 20 |
| 21 | 22 | 23 | 24 | 25 | 26 | 27 D |
| 28 D | 29 F | 30 F | | | | |

| F  Jour favorable | | D  Jour difficile | |
|---|---|---|---|
| ○  Pleine lune | | ●  Nouvelle lune | |

SANTÉ. Plus le temps passe, plus votre état s'améliore. C'est également le retour du bien-être psychologique. Vous êtes d'attaque, plein de joie de vivre et d'optimisme. Le mois serait parfait pour vous mettre au régime, prendre de bonnes résolutions et vous refaire une beauté.

SENTIMENTS. Un transit favorable de Vénus s'exerce jusqu'au 11 juillet, et vous avez par conséquent tous les atouts pour séduire qui vous voulez ou pour reconquérir votre douce moitié. Votre vie sociale demeure tourbillonnante : vos amis, anciens et nouveaux, savent bien s'occuper de vous. Votre brillante personnalité et votre charisme font des ravages, on s'arrache votre présence.

AFFAIRES. Si vous devez présenter une demande, une soumission ou chercher un emploi, mieux vaut agir avant le 24 pendant que vos chances de succès sont excellentes. D'ailleurs, vous avez encore de belles possibilités de remporter un prix secondaire lors d'un tirage. La dernière semaine du mois s'annonce plus complexe. Des problèmes pourraient surgir, sans compter que des retards et des annulations risquent de jouer avec votre patience.

LION

# Juillet

| DIM | LUN | MAR | MER | JEU | VEN | SAM |
|-----|-----|-----|-----|-----|-----|-----|
|     |     |     | 1 ○ | 2 | 3 | 4 |
| 5 | 6 | 7 | 8 F | 9 F | 10 D | 11 D |
| 12 | 13 | 14 | 15 ● | 16 | 17 | 18 |
| 19 | 20 | 21 | 22 | 23 | 24 D | 25 D |
| 26 | 27 F | 28 F | 29 | 30 | 31 ○ | |

| F  Jour favorable | D  Jour difficile |
|------------------|-------------------|
| ○  Pleine lune | ●  Nouvelle lune |

SANTÉ. Vous semblez bien léthargique. Vous n'avez pas grand ressort et tout semble vous demander un effort considérable. Saturne est revenue dans le décor, et ce transit, lorsqu'il est mal géré, peut engendrer différents malaises et une baisse de la résistance. Prenez donc les moyens nécessaires pour y échapper. Entre le 8 et le 23, vous aurez également tendance à broyer du noir inutilement.

SENTIMENTS. Votre période la plus agréable s'étend du 1er au 18, au moment où vous recevrez de nombreuses marques d'affection de votre entourage. On sera particulièrement gentil avec vous et on vous prouvera à quel point on tient à vous. Par après, c'est loin d'être la catastrophe, vous êtes simplement un peu plus dans l'ombre.

AFFAIRES. Plusieurs situations compliquées vous empêchent de fonctionner à plein. Votre destinée est mal synchronisée et tous les efforts que vous déployez pour arranger les choses ne donnent que très peu de résultats. Affrontez les problèmes un à un en restant calme, vous finirez par passer au travers.

# Août

| DIM | LUN | MAR | MER | JEU | VEN | SAM |
|-----|-----|-----|-----|-----|-----|-----|
|     |     |     |     |     |     | 1 |
| 2 | 3 | 4 F | 5 F | 6 D | 7 D | 8 |
| 9 | 10 | 11 | 12 | 13 | 14 ● | 15 |
| 16 | 17 | 18 | 19 | 20 D | 21 D | 22 D |
| 23 F / 30 | 24 F / 31 F | 25 | 26 | 27 | 28 | 29 ○ |

| F  Jour favorable | | D  Jour difficile | |
|-------------------|--|-------------------|--|
| ○  Pleine lune | | ●  Nouvelle lune | |

SANTÉ. Le mois se divise en deux parties complètement différentes. Durant la première semaine, la résistance physique et le moral flanchent à l'occasion. Par la suite, vous retrouvez votre optimisme et toute votre motivation, mais il y aura un risque d'accident ou de malaise. À vous de vous organiser pour profiter du meilleur et surtout pour rester à l'abri des ennuis.

SENTIMENTS. À compter du 8, tous les espoirs sont permis en amour, mais il se peut que votre partenaire file un mauvais coton et que vous deviez l'encourager. La vie sociale recommencera à être stimulante, vous reverrez des gens que vous aviez perdus de vue et vous continuerez à agrandir votre cercle de relations.

AFFAIRES. Une fois la première semaine écoulée, vous pourrez enfin mettre de l'ordre dans vos affaires et terminer ce que vous aviez entrepris et qui n'aboutissait pas. Le moment sera alors venu de tourner certaines pages et de passer à d'autres projets. Une confrontation survient, mais vous savez trouver les mots justes pour désarmer votre interlocuteur. Un conseil, méfiez-vous des voleurs et des dégâts.

LION

197

# Septembre

| DIM | LUN | MAR | MER | JEU | VEN | SAM |
|-----|-----|-----|-----|-----|-----|-----|
|     |     | 1 F | 2 D | 3 D | 4 | 5 |
| 6 | 7 | 8 | 9 | 10 | 11 | 12 |
| 13 ● | 14 | 15 | 16 D | 17 D | 18 D | 19 F |
| 20 F | 21 | 22 | 23 | 24 | 25 | 26 |
| 27 ○ | 28 F | 29 F | 30 D |     |     |     |

| F  Jour favorable | | D  Jour difficile | |
|---|---|---|---|
| ○  Pleine lune et éclipse lunaire totale | | ●  Nouvelle lune et éclipse solaire partielle | |

SANTÉ. Les transits de Mars et de Saturne vous affectent plus que les éclipses; vous avez donc tout intérêt à agir avec discernement. En allant au bout de vos forces, en ignorant les messages que vous envoie votre corps ou en prenant des risques inutiles, vous pourriez avoir des ennuis. Heureusement, Mars cessera de vous embêter le 24, et Saturne sera également sortie du portrait, pour de bon cette fois.

SENTIMENTS. La présence bénéfique de Vénus dans votre signe apporte un vent de fraîcheur. Pour les solitaires, ce sera l'occasion de nouer une douce amitié amoureuse, tandis que pour les autres, la flamme se ravivera. Les occasions de sortir et d'échanger avec des gens sensationnels se multiplient, à un point tel que vous avez l'embarras du choix. Hélas, avec la famille, c'est une autre paire de manches.

AFFAIRES. Vous avez devant vous trois semaines chargées, pour ne pas dire surchargées. Voilà pourquoi il est important de bien planifier et de préparer des solutions de rechange au cas où la pression deviendrait trop grande. Votre flair vous permet d'éviter de justesse un épineux problème et même de saisir au vol une bonne opportunité. Si votre budget ne balance pas, c'est simplement parce que vous y allez un peu fort sur la dépense.

# Octobre

| DIM | LUN | MAR | MER | JEU | VEN | SAM |
|-----|-----|-----|-----|-----|-----|-----|
|     |     |     |     | 1 D | 2 | 3 |
| 4 | 5 | 6 | 7 | 8 | 9 | 10 |
| 11 | 12 ● | 13 | 14 D | 15 D | 16 F | 17 F |
| 18 | 19 | 20 | 21 | 22 | 23 | 24 |
| 25 F | 26 F | 27 ○ D | 28 D | 29 | 30 | 31 |

| F  Jour favorable | D  Jour difficile |
|-------------------|-------------------|
| ○  Pleine lune | ●  Nouvelle lune |

SANTÉ. C'est extraordinaire: aucune dissonance planétaire ne viendra vous perturber en ce mois! Vous êtes nettement plus vigoureux et vous avez désormais de l'énergie à revendre. Bon temps pour vous débarrasser de vos ennuis de santé. Sur le plan moral, vous adoptez une attitude positive, ce qui vous donne un nouvel élan. Vous allez mieux, et ça se voit. Plusieurs vous complimentent d'ailleurs sur votre fière allure.

SENTIMENTS. La première huitaine est magique. Les célibataires trouvent l'amour, tandis que les couples se rapprochent. La vie sociale promet d'être palpitante elle aussi; les copains et les nouvelles connaissances vous procurent du bon temps. Par la suite, la frénésie retombe un peu, mais il n'y a aucun coup dur en vue, au contraire: les accrochages avec un rejeton ou un membre de la famille s'estompent.

AFFAIRES. Voilà un autre secteur où les influences sont particulièrement bénéfiques. Vous réussissez tout ce que vous entreprenez, et les efforts que vous fournissez inlassablement commencent à rapporter. Bon temps pour présenter vos requêtes, négocier, trouver un bon travail, effectuer un déplacement et conclure une transaction.

LION

# Novembre

| DIM | LUN | MAR | MER | JEU | VEN | SAM |
|---|---|---|---|---|---|---|
| 1 | 2 | 3 | 4 | 5 | 6 | 7 |
| 8 | 9 | 10 D | 11 ● D | 12 | 13 F | 14 F |
| 15 | 16 | 17 | 18 | 19 | 20 | 21 F |
| 22 F | 23 D | 24 D | 25 ○ D | 26 | 27 | 28 |
| 29 | 30 | | | | | |

| F  Jour favorable | D  Jour difficile |
|---|---|
| ○  Pleine lune | ●  Nouvelle lune |

SANTÉ. Vous êtes dans une forme si splendide que rien ne semble pouvoir vous arrêter. Votre vivacité tant physique qu'intellectuelle sera à son apogée à compter du 12. En plus, vous êtes beau comme un cœur. Si vous vouliez parfaire encore davantage votre image, vous réussiriez à merveille. Bon mois donc pour une nouvelle coupe de cheveux ou un petit régime.

SENTIMENTS. Vous entamez un cycle enchanteur le 8. Vos amis vous proposeront toutes sortes d'activités et de sorties divertissantes, tandis que la communication entre vous et votre chéri sera à son meilleur. Si vous n'avez pas encore rencontré la personne de vos rêves, cela devrait se produire avant la fin de l'année. Un membre de la famille recommence à faire des siennes, mais vous avez tôt fait de le remettre à sa place.

AFFAIRES. Excellent mois pour effectuer des changements, élargir vos horizons et entreprendre des activités différentes. Les recherches d'emploi, les signatures de contrat de même que les transactions vous avantagent elles aussi. Et ce n'est pas tout : vous reviendrez d'un déplacement le cœur léger. Vous avez le vent dans les voiles, profitez-en !

# Décembre

| DIM | LUN | MAR | MER | JEU | VEN | SAM |
|-----|-----|-----|-----|-----|-----|-----|
|     |     | 1 | 2 | 3 | 4 | 5 |
| 6 | 7 D | 8 D | 9 D | 10 F | 11 ● F | 12 |
| 13 | 14 | 15 | 16 | 17 | 18 | 19 F |
| 20 F | 21 D | 22 D | 23 | 24 | 25 ○ | 26 |
| 27 | 28 | 29 | 30 | 31 |     |     |

| F Jour favorable | | D Jour difficile | |
|-----|-----|-----|-----|
| ○ Pleine lune | | ● Nouvelle lune | |

SANTÉ. Sur le plan physique, tout le mois est constructif. Vous avez de l'énergie à revendre, et les microbes n'ont guère d'emprise sur vous. Entre le 10 et le 23, vos nerfs pourraient vous jouer des tours : vous vous tracasserez sans raison et vous aurez davantage de difficulté à vous brancher. Chassez vite le cafard, il n'y a absolument rien de vilain en vue.

SENTIMENTS. La vie sociale est toujours aussi exubérante, et vos amis vous traitent aux petits oignons. Vous rencontrerez aussi de nouvelles personnes avec qui ça cliquera du premier coup. Votre partenaire vous adore mais il ne partage pas nécessairement vos idées. Ne soyez pas trop pointilleux, prenez le temps de l'écouter et, ainsi, tout restera au beau fixe.

AFFAIRES. Pas étonnant que vous soyez parfois essoufflé, tout va tellement vite ! Une montagne incroyable de travail vous attend, et vous n'avez pas de temps à perdre. Malgré tout, vous arrivez à passer au travers sans compromettre la qualité de votre besogne. Les déplacements et les démarches s'annoncent favorables.

LION

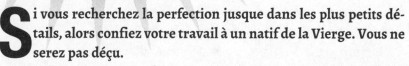

# VIERGE

## DU 24 AOÛT
## AU 23 SEPTEMBRE

**S**i vous recherchez la perfection jusque dans les plus petits détails, alors confiez votre travail à un natif de la Vierge. Vous ne serez pas déçu.

La Vierge a un grand sens pratique. C'est un être travailleur, attentif, minutieux, parfois un peu lent à cause de sa grande conscience professionnelle qui l'incite à fignoler le moindre ouvrage. La Vierge ne peut se dépêcher. Elle est méticuleuse et a en horreur le mot « brouillon ». Quand une Vierge se met à la tâche, soyez assuré qu'elle s'appliquera, ce qui, bien sûr, demande du temps. N'ayez crainte, le résultat sera parfait. Ce n'est pas du travail, c'est une œuvre d'art. Il est certain que si elle met des heures à nettoyer sa poignée de porte avant de sortir, elle n'aura plus le temps d'aller bien loin. Mais sa poignée sera la plus brillante en ville !

La Vierge manque parfois de confiance, et, le plus surprenant, de confiance en la vie ; elle est de tempérament craintif. Elle redoute par-dessus tout la maladie, la contamination, les guerres, la pollution et même le manque de travail, d'argent... Bref, tout est source de craintes pour elle.

Sur le plan financier, la Vierge est sage et économe. Les coups de tête dans les magasins, très peu pour elle. Elle préfère faire des placements sûrs, contribuer chaque année à son REER, et les dépenses non planifiées ne sont décidément pas à son programme. Pour caricaturer sa prévoyance : une Vierge ira jusqu'à comptabiliser le prix d'un litre de lait dans un petit calepin pour être sûre de se conformer à son budget. Ses amis et même sa famille la traitent de Séraphin. Pourtant, ils sont les premiers à faire la queue devant sa porte pour lui emprunter quelques dollars lorsque leur compte en banque frise l'apoplexie.

En toute chose, la Vierge essaie d'atteindre la perfection ; les détails sont fignolés, rien n'est laissé au hasard. Une secrétaire Vierge pourra passer des heures à trouver le bon endroit pour placer une virgule dans un texte. Un comptable Vierge ne réussira pas à dormir s'il s'est glissé une erreur de 2 ¢ dans les comptes de la société qui l'emploie ; il voudra trouver à tout prix l'origine de cette perte de capitaux. Une maman Vierge fera des kilomètres pour retrouver un ruban tombé des cheveux de sa petite, deux jours plus tôt au parc… Bref, une Vierge aurait tout intérêt à se faire payer à l'heure et pas au contrat ou à la pièce : c'est à son avantage !

L'esprit de la Vierge est à son image, d'une logique purement cartésienne. Les concepts abstraits ne lui font pas peur, et on la voit évoluer à l'aise dans les sciences pures, les mathématiques. Malheureusement, sa timidité l'empêche souvent de tirer le meilleur parti de ses coups d'éclat. Quelqu'un d'autre profitera de ses efforts, parce qu'elle hésite à se mettre au premier plan pour revendiquer ses réussites.

La Vierge accorde une importance parfois exagérée au moindre problème de santé. Elle y pense énormément et fait des montagnes de tout petits riens ; pourtant, elle n'a pas de quoi s'en faire. Elle se nourrit bien, mène une vie calme et rangée, prend soin de son hygiène et de sa santé, mais malgré tout un petit malaise l'inquiète. Avec elle, un rhume devient une pleurésie avec complications, et un comédon, le symptôme d'un cancer de la peau. Le pharmacien du coin la connaît bien.

La Vierge peut sembler froide, austère. En fait, elle extériorise peu ses sentiments. Mais c'est quelqu'un sur qui l'on peut compter, car elle est dévouée et ressent le besoin d'aider son prochain. Il n'est pas rare de rencontrer une Vierge dans les organismes humanitaires. Tout ce qui demande un dévouement sans limites est fait pour elle, du moment qu'il s'agit d'une bonne cause. Si elle en fait plus que ce qu'on lui demande, elle reste par contre dans l'ombre, car elle n'aime pas se retrouver sous les feux de la rampe. Elle a un caractère timide, mais contribue beaucoup au bien-être des autres, satisfaisant son âme de missionnaire. La Vierge agit pour les autres, non pas pour la gloire qu'elle pourrait en tirer. D'ailleurs, elle vit beaucoup en fonction des autres, de leurs besoins. Elle est toujours prête à sauver le monde, un frère dans le besoin, une sœur malheureuse, un parent débordé. Mais peu à peu, elle se rend compte que la majorité des gens qu'elle aide sont plutôt égoïstes, et cela la force à penser un peu plus à elle-même.

La Vierge changera surtout dans la seconde partie de sa vie, et ceux qui lui conseillent de faire plus attention à elle viendront se plaindre qu'elle fait moins attention à eux... Ils ne réussissent plus à la manipuler, et cela les irrite. Tant pis pour eux. Elle a dépassé le stade de la culpabilité, tant mieux pour elle !

## Comment se comporter avec une Vierge ?

La Vierge est une personne facile d'accès et accommodante. Toutefois, elle a généralement la tête dure et défend ses idées point par point. Pour réussir à la convaincre, vous devrez développer une argumentation logique, avec des textes, des photos, des vidéos, des citations ou une source de référence solide pour appuyer vos propos. Armez-vous de patience, car même en lui faisant la preuve par neuf que vous avez raison, elle mettra du temps à l'admettre... mais l'admettra-t-elle vraiment ? En fait, il ne faudra pas vous surprendre si quelques semaines plus tard vous l'entendez affirmer le contraire de ce que vous aviez eu tant de mal à lui faire comprendre plus tôt. Et si vous le lui faites remarquer, elle vous soumettra d'autres références qui appuient ses arguments. Bref, elle aura toujours le dernier mot.

Si vous tenez à ce qu'un natif de la Vierge fasse quelque chose pour vous, le mieux est de le prendre par les sentiments. Son sens du devoir et la crainte de décevoir sont ses points faibles. En tenant compte de cela, vous réussirez à lui faire faire n'importe quoi de raisonnable. Si vous voulez l'entraîner dans des activités loufoques, oubliez ça tout de suite ; peu importent vos arguments, vous n'arriverez à rien avec elle. La Vierge est d'un caractère un peu taciturne, renfermé, et il faut aller au-devant d'elle pour réussir à établir un contact. Elle ne communique pas facilement et peut même sembler froide, mais surtout dure et intransigeante avec elle-même. Elle ne se permet aucune erreur, ne s'en pardonne aucune non plus, et l'idée que les autres se font d'elle est très importante à ses yeux... Son incroyable crainte de déplaire à autrui refait toujours surface.

La Vierge est minutieuse et prend tout son temps. Il faut donc lui mettre des balises, des délais à respecter, sinon rien n'avance. Quand elle fait le ménage, elle déniche la moindre poussière dans le plus petit interstice ; alors ce n'est pas étonnant si cela lui prend la journée... Et tant qu'à faire, elle se mettra à laver les rayonnages du vaisselier et à replacer les petits plats dans les grands, les couteaux et les fourchettes en ordre de grandeur... La Vierge ne supporte pas tellement la pression, mais un échéancier lui permettra de mieux gérer son travail ; celui-ci sera remis à temps et souvent mieux fait que celui des autres.

Les natifs de ce signe ont un besoin constant d'être sécurisés. Il faut leur dire que vous appréciez leur travail ; cela leur donnera confiance, et ils en seront tout heureux. Une Vierge demande beaucoup de réconfort et de soutien. Si vous lui en témoignez, vous vous gagnez sa confiance et sa reconnaissance éternelles.

## Ses goûts

Les goûts de la Vierge sont à son image : raisonnables. Les teintes sobres, neutres, les couleurs de terre notamment, ont sa préférence. Ses tenues sont plutôt classiques (les mauvaises langues disent démodées) et faites de fibres naturelles. Si vous visitez sa penderie, vous y trouverez des vêtements qui datent de plusieurs années ; elle les garde très longtemps et dans un très bon état. La Vierge n'accueille pas facilement les visiteurs. Si elle vous reçoit, soyez conscient que c'est un privilège. Son décor est dépouillé, et l'esthétique n'est pas dans ses priorités. Elle se concentre surtout sur le côté pratique des objets et des meubles... même l'éclairage est strictement fonctionnel.

Ce qui frappe surtout, c'est la propreté : pas un grain de poussière à l'horizon ! Si vous voulez lui faire plaisir, optez plutôt pour des objets pratiques dont elle a besoin, car la frivolité n'est pas dans ses goûts. Recevoir une cafetière, un couvre-couette ou un bon et solide poêlon antiadhésif fera son bonheur. Le natif de la Vierge fait attention à tout, même au nombre de calories contenues dans le plus succulent des mets. En fait, avant de s'exclamer sur la beauté du plat, sur les saveurs et les couleurs, elle analysera le contenu pour en déterminer le taux de gras ou de sucre avant de l'avaler. La Vierge se classe première au palmarès des adeptes de régimes amaigrissants. Avant de l'inviter à passer à votre table, essayez de savoir si elle n'est pas dans une de ses périodes de restriction.

## Son potentiel

La Vierge se trouve souvent sous les ordres de patrons qui recherchent un employé modèle... qui acceptera un salaire de crève-la-faim et fera en plus le travail de plusieurs personnes. Minutieux, méthodique et silencieux, le natif de la Vierge excelle dans le classement, la paperasse, les chiffres, les mathématiques, la recherche en laboratoire ou les travaux en solitaire. Dans le service au public, c'est la perle rare ! En fait, elle doit absolument mettre son sens de la minutie en action pour s'épanouir. Logique et consciencieuse, la Vierge peut abattre une montagne de travail sans jamais se plaindre ou laisser échapper un mot de découragement. Après trente ans, par contre, elle commence à se rendre compte que certains abusent d'elle et elle tente de mieux définir sa place dans la société, sans toutefois que son zèle, son efficacité et son perfectionnisme en souffrent.

## Ses loisirs

La Vierge ne s'amuse pas sans but. Il lui faut des loisirs qui rapportent, que ce soit de l'argent ou des connaissances. Les activités ont toujours un but précis, car la Vierge n'aime pas gaspiller son temps. Parmi ses passe-temps de prédilection, il y a évidemment la lecture, notamment d'ouvrages techniques, qui l'aideront dans son travail, lui permettront de prendre de l'avance dans ses études ou de poursuivre son cheminement personnel. Les biographies, les livres de référence sont souvent ses livres de chevet. À la télévision, elle regardera des documentaires ou des émissions éducatives. La Vierge n'est pas une grande joueuse. Mais si son esprit, ses connaissances ou son intelligence sont mis à contribution, elle appréciera énormément les jeux de société, par exemple Quelques arpents de piège, le Scrabble, Docte Rat. Du côté stratégie, elle choisira Risk ou les échecs. Si vous envisagez une sortie avec une Vierge, il n'est pas nécessaire de vous précipiter sur le plus récent film, car il ne l'intéressera peut-être pas. Une conférence ou les documentaires des *Grands Explorateurs* ont plus de chance d'attirer son attention et de la captiver. Les natifs de la Vierge sont placés sous le signe du bénévolat. Beaucoup d'entre eux consacrent quelques heures chaque semaine à une œuvre qui leur tient à cœur. Ils s'occupent de personnes âgées ou d'enfants en difficulté, par exemple.

## Sa décoration

Notre Vierge a des goûts simples où le pratico-pratique est en vedette. Pour elle, le superflu est vraiment superflu. Avec de telles dispositions d'esprit, elle choisira un mobilier adapté à ses besoins. Les effets esthétiques, très peu pour elle. Les teintes de son intérieur sont plutôt sages et neutres. Le gris, le grège, le beige et le blanc lui plaisent, la couleur du bois naturel l'attire. Ses meubles sont fonctionnels avant tout. Sans hésiter, elle optera pour ceux qui sont le plus susceptibles de se conformer à ses besoins au détriment de ceux qui sont plus beaux et à la mode. La Vierge aime le dépouillement. Si elle vit seule, il y a de fortes chances de ne trouver qu'une seule chaise dans la cuisine, qu'un seul fauteuil dans le salon. Après tout, on ne peut pas s'asseoir sur deux chaises à la fois! L'esthétique de la décoration n'est pas sa priorité. Un mur vide demeurera dénudé. Tableaux, laminages, encadrements ne sont pas utiles, donc elle peut s'en passer. Son intérieur étant d'une propreté impeccable, on pourrait manger sur le plancher.

## Son budget

Le mot préféré de notre sage Vierge est « prévoyance ». Courir des risques avec son argent, jamais, au grand jamais! Les spéculations et les placements hasardeux, la Bourse, ce n'est pas sa tasse de thé. Les investissements sûrs, qui rapporteront peut-être moins mais qui n'engloutiront pas ses économies, voilà de quoi conforter notre Vierge dans ses décisions et la rassurer. La Vierge n'achète jamais sur un coup de tête ; elle ne succombe pas aux coups de foudre. Lorsqu'elle délie les cordons de sa bourse, c'est parce qu'elle sait ce qu'elle veut et la valeur de ce qu'elle achète. Peu importent ses revenus, même modestes, un natif de la Vierge réussit toujours à mettre de côté une partie de son argent, en cas de besoin. Anxieux de nature, il veille à tout prévoir : une maladie, une dépense soudaine, sa retraite. Ses raisons d'économiser sont nombreuses et toujours justifiées. Toute sa vie, il aura peur de manquer d'argent, ce qui ne se produira sans doute jamais, car il est si sérieux, si sage, si prévoyant... mais inquiet ; c'est dans sa nature.

## Quel cadeau lui offrir ?

Notre Vierge est résolument attirée par le côté pratique des objets ; il est donc inutile de vouloir l'éblouir avec des babioles sans utilité ou des articles de luxe. Le mieux est de vous renseigner sur les outils utiles qui lui manquent encore, par exemple dans la cuisine ou pour son travail. Ce n'est pas la peine de lui offrir une assiette de collection en porcelaine si son aspirateur est en panne. Non seulement la superficialité de votre cadeau lui sautera aux yeux, mais en plus elle sera rongée de culpabilité en songeant à l'argent que vous avez dépensé pour un machin dont elle ne saura que faire. Si vous envisagez de lui offrir un livre, vous rejoignez ses goûts, mais assurez-vous de lui donner une biographie, un recueil de trucs santé, un guide pratique, un livre de référence utile pour la maison ou le travail. Ne tombez pas dans la frivolité.

Un petit appareil ménager, par exemple un presse-agrumes, une centrifugeuse, un mélangeur, un ouvre-boîte électrique, un appareil pour sceller les sachets comblera une Vierge, alors qu'un collier de perles a toutes les chances de finir oublié dans le fond d'un tiroir. Du côté des vêtements, évitez les extravagances de la mode. Choisissez plutôt une veste en fibres naturelles : lin, coton ou laine. Ses goûts sont classiques, sobres même. Le beige, le café au lait, le gris et le noir lui plaisent beaucoup, et vous serez assuré que votre veste sera portée, soigneusement entretenue, et que la Vierge la gardera longtemps.

## Les enfants Vierge

Souvent chétifs à la naissance, les bébés Vierge demandent des soins constants de leurs parents durant leurs premières années. Tout ce qui passe, ils l'attrapent. Il faudra donc veiller à les protéger des maladies. Par ailleurs, ce sont des enfants obéissants, dociles, sages ; ils ne sont pas bruyants, ne font pas de mauvais coups et peuvent s'amuser tout seuls dans un coin. En fait, ils ont les défauts de leurs qualités : ce sont des timides. Les parents devront veiller à leur faire rencontrer d'autres enfants, à les emmener souvent dans des endroits qui ne leur sont pas familiers. Les enfants Vierge développent des petites phobies ; il faut donc savoir les apprivoiser et les rassurer. Pour eux, prendre l'ascenseur, dormir dans le noir, s'approcher d'une chenille ou rencontrer les nouveaux petits voisins de l'autre côté de la rue peut se révéler une montagne à gravir. Vous devrez renforcer leur confiance en eux. Une autre de leurs qualités, qui peut rapidement devenir un défaut, est leur grand perfectionnisme, qui a tendance à les ralentir. Entraînez-les à fonctionner plus rapidement ou fixez-leur des délais ; vous verrez qu'ils les respecteront sans problèmes. Les enfants Vierge ont d'énormes qualités et un fabuleux potentiel, qu'ils ignorent bien souvent. C'est à leur entourage de leur ouvrir les yeux et de les guider.

## L'ado Vierge

Tu es timide et réservé. Te faire remarquer sans raison n'est vraiment pas dans ta personnalité. Cela te met très mal à l'aise, surtout lorsque tu dois rencontrer des gens que tu ne connais pas. Tu préfères rester à l'écart. C'est dommage, car les autres ne voient pas toujours ton potentiel et tes qualités. Toi, tu te contentes d'observer le monde de loin, tu as un sens critique très développé, et lorsque tu ouvres la bouche, ce n'est certes pas pour dire n'importe quoi. Tu sais de quoi tu parles et tu peux discourir longuement sur les sujets qui t'intéressent.

Tu as plusieurs qualités que certains voient comme des défauts. En fait, tu accordes une grande importance à l'ordre et à la propreté, ce qui pourrait devenir une véritable obsession si tu n'y prends pas garde. Tu es perfectionniste, et ton esprit d'analyse est très développé. Tu te fais ta propre idée sur beaucoup de sujets. Ton opinion est toujours bien fondée; tu as tous les arguments en main pour prouver que tu as raison. Malheureusement, tu as aussi tendance à voir les «bibites» des autres et à négliger leurs qualités.

Tu agis presque toujours par logique, ce qui peut te faire paraître froid à première vue. Tu réfléchis énormément et tu ne laisses guère de place à l'impulsivité, aux coups de tête... Cette façon de faire t'évite bien des ennuis: tu sais où tu t'en vas. Malgré les retards ou les embûches, tu t'arranges toujours pour parvenir à bon port. Tu es travailleur et tu as développé une méthode et une façon de fonctionner qui t'assurent de toujours réussir ce que tu entreprends.

Ton point faible, sur lequel tu dois travailler, c'est ta crainte de tous et de tout. Tu as tendance à te ronger les sangs pour un oui ou pour un non, même quand tu n'es pas directement impliqué. Ainsi, si tu te tracasses pour ton avenir et ta santé, tu penses aussi à la planète, à l'environnement qui se détériore sans cesse, tu t'inquiètes même de l'opinion que les autres ont de toi... bref, un rien te fait craindre le pire. Mais finalement, ton défaut principal est celui de ne pas reconnaître ton potentiel. Tu sous-estimes tes capacités. Tu es souvent encore plus intransigeant et sévère avec toi que tu ne l'es avec les autres, ce qui te porte à toujours voir le côté sombre des choses et des situations. N'oublie jamais que rien n'est tout noir ou tout blanc. Ouvre tes yeux, fais-toi confiance, et tu verras que ta vie s'améliorera grandement.

### Tes études

Puisque tu brilles d'intelligence, ton esprit intellectuel sera souvent mis à contribution. Tu te montres appliqué, studieux, voire zélé dans tes études. Tu as aussi un solide sens critique qui te permet de bien analyser les événements et les situations, mais ton immense talent ne compense pas tes hésitations. Tu t'attardes tellement aux moindres détails que tes coéquipiers, lorsque tu travailles en groupe, ne peuvent s'empêcher de te taquiner à ce propos. Par contre, tu leur permets d'obtenir de très bons résultats; alors on recherche ta compagnie et ta collaboration. D'ailleurs, tu as souvent l'impression qu'on te laisse faire les travaux tout seul, ce qui ne te déplaît pas. Par contre, lorsqu'on annonce les résultats, tout le groupe est présent. N'oublie pas de prendre le mérite qui te revient, car les autres pourraient s'attribuer tout ton travail sans t'en accorder le bénéfice.

### Ton orientation

Tu penses souvent à ton avenir... avec inquiétude. Tu connais tes points forts et tu n'hésites pas à effectuer des stages ou à entreprendre de longues années d'études pour réussir à atteindre tes objectifs. Tu n'as pas peur de travailler seul ou de fournir beaucoup d'efforts, car tu es très appliqué et minutieux. Les domaines de la recherche scientifique, la médecine, les sciences de la santé, la diététique, les médecines douces, les services sociaux, l'alimentation, la pharmacie, la chimie, la fonction publique, le secrétariat, l'édition, l'éducation et la comptabilité te conviennent parfaitement. Il ne te reste qu'à faire un choix.

### Tes rapports avec les autres

Tu es une personne généreuse, toujours prête à aider les autres, à dépanner ceux qui sont moins bien lotis que toi. Par contre, lorsque c'est à ton tour d'avoir besoin d'un petit coup de main, tu te rends compte que tu es bien seul. Souvent, les gens te tiennent pour acquis et t'apprécient parce que tu fais beaucoup de choses pour eux; il faudra que tu apprennes à renverser cette tendance et que tu t'entoures de gens qui t'aiment, toi, et non ce que tu peux faire pour eux. En fait, les personnes à problèmes se tourneront facilement vers toi, car tu es sensible et tu as peur de blesser les autres en leur disant non. Le sentiment d'insécurité qui t'habite en est la cause : tu ne veux pas décevoir. Avec tes amis, c'est la même chose, tu leur laisses occuper toute l'avant-scène pendant que toi, tu travailles dur. Parfois, ce sont eux qui récoltent les lauriers de la gloire à ta place. Tu ne dis pas toujours ce que tu penses ; c'est dommage, car tu gagnerais à t'entourer de gens qui te stimulent et t'aiment vraiment.

# LA VIERGE DANS LA CUISINE

## Votre façon de cuisiner

Vous êtes perfectionniste, mais vous manquez un peu d'audace et de confiance : votre insécurité vous pousse à suivre les recettes à la lettre. Vous mesurez tout deux fois plutôt qu'une, et vous vous surveillez sans arrêt.

Au quotidien, vous aimez la cuisine simple, de base, et vous ne faites pas trop d'excès : après tout, votre signe gouverne la diététique.

## Vous adorez :

- les saveurs franches et les aliments frais le plus près possible de la nature (vous vous méfiez des transformations trop nombreuses) ;
- cuisiner santé ;
- les recettes bien dosées, équilibrées, mais pas trop épicées ;
- les aromates et les herbes fraîches ;
- utiliser les recettes que vous connaissez : l'expérimentation et l'inconnu vous inquiètent toujours un peu.

### CE QUE LA NATUROPATHE VOUS SUGGÈRE

- Laissez vos soucis de côté lorsque vous vous mettez à table, et évitez les conversations lourdes ainsi que les affrontements : cela perturbe votre digestion.
- Mangez des fibres en quantité suffisante, car vos intestins ont tendance à être paresseux.

# ILS SONT VIERGE EUX AUSSI

Ayo, France Beaudoin, Julie Bélanger, Isabelle Blais, Andrea Bocelli,
Normand Brathwaite, Sophie Cadieux, France Castel, Natalie Choquette,
Agatha Christie, Sophie Clément, Cameron Diaz, Lise Dion,
Salma Hayek, Paul Houde, Beyoncé Knowles, Chantal Lacroix,
Guy Laliberté, Nicole Leblanc, Marc Legault, Joël Legendre,
Guy A. Lepage, Fanny Mallette, Claude Meunier, Mitsou, Guy Nadon,
Guy Nantel, Patrick Norman, Laurent Paquin, Pink,
Zachary Richard, Stéphane Rousseau,
Jasmin Roy, Shania Twain.

### Pensée positive pour la Vierge

J'ai confiance en mes merveilleuses possibilités. Je suis sur la Terre
pour apprendre la joie et la cultiver. Enfin, je suis récompensé.

### Pensée positive spéciale pour 2015

Je suis la personne la plus importante de ma vie.
J'investis dans mon mieux-être et ça rapporte gros.

*Le subconscient nous dirige toujours selon nos pensées. En répétant le plus souvent possible
ces pensées conçues tout spécialement pour vous, vous vous attirerez plein de belles choses.*

### Outils pour transformer votre destinée

- Essayez de mieux choisir vos buts, cela vous évitera de perdre du temps avec des projets qui n'en valent pas la peine.
- Cessez de vouloir tout contrôler, de toute façon ce n'est pas possible. De plus, cela finit par vous compliquer la vie et vous faire paniquer.
- Acceptez les valeurs des autres. Votre logique n'est pas forcément universelle ; chacun a droit à ses idées et à sa façon de voir les choses.

**Signe :** Vierge
**Élément :** Terre
**Catégorie :** Mutable
**Symbole :** ♍
**Points sensibles :** Intestins, phobies, appendicite, dépression, constipation, maladies psychosomatiques, angoisses.
**Planète maîtresse :** Mercure, planète de l'intelligence.
**Pierres précieuses :** Agate, marcassite, aigue-marine.
**Couleurs :** Beige, brun, marine, les teintes de terre.
**Fleurs :** Pétunia, lavande, belle-de-jour.

**Chiffres chanceux :** 4-8-11-17-23-28-30-35-40-44.
**Qualités :** Sage, sérieux, prudent, minutieux, ordonné, propre, discret, économe, travailleur.
**Défauts :** Peureux, manque de sécurité, timide, refoulé, angoissé, nerveux, manque de confiance.
**Ce qu'il pense en lui-même :** Qu'est-ce que les autres penseront de moi ?
**Ce que les autres disent de lui :** Pour une mission impossible, c'est lui qu'il faut demander : il fait des miracles !

# PRÉDICTIONS ANNUELLES

L'année se divise en plusieurs phases. Du début de l'année au 14 juin, puis du 17 septembre au 31 décembre, Saturne déclenchera une série de questionnements sur le sens à donner à votre vie et, parfois, vous aurez l'impression de naviguer en eaux troubles. Entre ces deux périodes, vous ressentirez une certaine accalmie et vous devriez en profiter pour définir vos objectifs avec précision ainsi que pour apporter les correctifs nécessaires. Le 11 août marque l'arrivée de Jupiter dans votre signe pour plus d'un an. Bien géré, ce transit pourrait coïncider avec un fort courant de chance. Pour profiter du meilleur, bannissez les risques et les actions précipitées; la destinée vous fera alors de belles surprises.

SANTÉ. Avec les effets de Saturne qui se manifestent pendant une bonne partie de l'année, vous avez tout intérêt à vous montrer conséquent. N'abusez pas de vos forces, que ce soit physiquement ou moralement, soignez vos bobos sans tarder et restez dans les limites d'une saine hygiène de vie. En agissant de la sorte, vous éviterez de vous retrouver sur le carreau. Quand Jupiter arrivera dans votre signe, vous y verrez beaucoup plus clair, et les efforts que vous déploierez pour améliorer votre état donneront des résultats spectaculaires. Par contre, si vous ne faites rien, vous ne ferez pas grand progrès et votre état risque même de se dégrader. Attention à la gourmandise, qui provoquerait une prise de poids et un encrassement de votre système, particulièrement durant la seconde partie de 2015.

SENTIMENTS. Comme vous êtes en pleine découverte de vous-même, il est tout à fait normal que les autres passent en deuxième. Incroyable mais vrai ! Vous commencez à faire du ménage parmi vos relations et semblez moins ouvert au monde extérieur. Donnez-vous donc un peu de temps. De toute façon, vous changerez votre fusil d'épaule après votre anniversaire et ressentirez même un impérieux besoin de sortir et de rencontrer de nouvelles personnes. Grâce à Jupiter, vous amorcerez un cycle d'intense popularité. D'ailleurs, ceux qui sont seuls ou qui ont vécu une rupture pourraient refaire leur vie. Excellente période pour nouer de belles amitiés, vous divertir et briller en société. Seul bémol : la santé ou les problèmes d'un proche risquent de vous causer certains soucis.

AFFAIRES. Jusqu'à votre anniversaire, vous aurez souvent à composer avec des situations inattendues. Votre recherche de stabilité et de sécurité ne sera pas toujours comblée. Mieux vaut être méfiant : ne faites pas confiance au premier venu, protégez ce qui vous appartient et, surtout, ne vendez pas la peau de l'ours avant de l'avoir tué. Par après, rappelons-le, la chance se rangera de votre côté, à la condition cependant de bannir les imprudences et les coups de tête. Ainsi, vous pourrez dire adieu aux incertitudes et aux finances en dents de scie. Vous remonterez la pente si vous faites un effort, et pourriez même mériter quelques prix dans les tirages. Bonne période pour les transactions sérieuses, les déménagements, les rénovations et les voyages.

# Janvier

| DIM | LUN | MAR | MER | JEU | VEN | SAM |
|-----|-----|-----|-----|-----|-----|-----|
|     |     |     |     | 1 | 2 D | 3 D |
| 4 ○ | 5 | 6 | 7 | 8 | 9 | 10 |
| 11 | 12 | 13 | 14 | 15 | 16 D | 17 D |
| 18 F | 19 F | 20 ● | 21 | 22 | 23 | 24 |
| 25 | 26 | 27 F | 28 F | 29 D | 30 D | 31 |

| F  Jour favorable | | D  Jour difficile | |
|-----|-----|-----|-----|
| ○  Pleine lune | | ●  Nouvelle lune | |

SANTÉ. Les choses pourraient se corser à partir du 12. L'opposition de Mars diminuera votre résistance ainsi que votre vitalité, sans compter qu'elle vous exposera aux accidents. En prenant davantage soin de vous et en demeurant prudent, vous éviterez les embêtements. Vous vous inquiétez trop facilement, vous êtes hypersensible et cela vous empêche de fonctionner à plein.

SENTIMENTS. Vous éprouverez quelques frustrations. Votre vie manque de piquant et vous trouvez qu'on vous néglige ; ce n'est certes pas en vous plaignant que vous arrangerez les choses. Au contraire, cela risque même d'éloigner un proche davantage ou, pire, de provoquer une altercation. Soyez plus autonome et voyez vos amis, ça vous changera les idées.

AFFAIRES. C'est la première quinzaine qui offre le meilleur potentiel. N'attendez pas pour négocier, faire vos démarches, chercher du travail ou signer un contrat, car vous risquez d'avoir plus de difficultés à arriver à vos fins par la suite. Ne faites pas de folies avec votre argent entre le 12 et le 31, d'autant plus qu'une dépense imprévue risque de vous tomber dessus. Et n'oubliez pas de verrouiller vos portes.

VIERGE                                                           **217**

# Février

| DIM | LUN | MAR | MER | JEU | VEN | SAM |
|-----|-----|-----|-----|-----|-----|-----|
| 1 | 2 | 3 ○ | 4 | 5 | 6 | 7 |
| 8 | 9 | 10 | 11 | 12 | 13 D | 14 D |
| 15 F | 16 F | 17 | 18 ● | 19 | 20 | 21 |
| 22 | 23 F | 24 F | 25 D | 26 D | 27 | 28 |

| F  Jour favorable | D  Jour difficile |
|-------------------|-------------------|
| ○  Pleine lune | ●  Nouvelle lune |

SANTÉ. Une bonne partie du mois demeure sous l'influence de l'opposition de Mars, un transit fréquemment responsable de blessures ou de malaises. Faites davantage attention à vous jusqu'au 20 ; en agissant de la sorte, vous resterez loin des embêtements. Sur le plan moral, vous devriez vous sentir mieux après cette date.

SENTIMENTS. Les tracasseries familiales et sentimentales perdurent durant les trois premières semaines. Dans l'intimité, vous auriez tort d'abuser de votre pouvoir. En vous montrant tyrannique ou en tenant l'affection de vos proches pour acquise, vous risquez de provoquer toutes sortes de désaccords, et cela serait dommage. Bientôt, tout rentrera dans l'ordre, ne vous en faites pas.

AFFAIRES. Ici aussi, les astres vous jouent des tours jusqu'au 20. Vous avez l'impression de piétiner et qu'il ne se passe rien de concret. C'est vrai que février est un peu routinier, mais vos accomplissements sont bien réels et, bientôt, vous serez récompensé. Continuez à protéger vos sous et vos biens.

# Mars

| DIM | LUN | MAR | MER | JEU | VEN | SAM |
|-----|-----|-----|-----|-----|-----|-----|
| 1 | 2 | 3 | 4 | 5 ○ | 6 | 7 |
| 8 | 9 | 10 | 11 | 12 D | 13 D | 14 F |
| 15 F | 16 | 17 | 18 | 19 | 20 ● | 21 |
| 22 F | 23 F | 24 D | 25 D | 26 | 27 | 28 |
| 29 | 30 | 31 | | | | |

| F  Jour favorable | | D  Jour difficile | |
|-----|-----|-----|-----|
| ○  **Pleine lune** | | ● Nouvelle lune et éclipse solaire totale | |

SANTÉ. Vous êtes débarrassé des mauvais aspects de la planète Mars, mais comme l'éclipse se produit sur un point sensible de votre thème astrologique, vous risquez de vous sentir plus fragile physiquement, et vos nerfs pourraient flancher. Il importe donc que vous fassiez provision d'énergie et que vous trouviez des moyens de décompresser.

SENTIMENTS. Vénus, planète du bonheur amoureux et de la popularité, sera particulièrement bien positionnée dans votre ciel entre le 17 mars et le 11 avril ; attendez-vous donc à toutes sortes de surprises agréables. Invitations, rencontres et déclarations sont au programme. Plusieurs prendront d'importantes décisions quant à leur avenir sentimental, et le moment ne saurait être mieux choisi.

AFFAIRES. C'est enfin le temps de bouger. Le changement vous convient et vous devriez avoir du succès lors de vos démarches visant à redresser votre situation financière ou professionnelle. Bon mois pour régler ce qui achoppait et pour tourner certaines pages afin de repartir du bon pied.

# Avril

| DIM | LUN | MAR | MER | JEU | VEN | SAM |
|---|---|---|---|---|---|---|
| | | | 1 | 2 | 3 | 4 ○ |
| 5 | 6 | 7 | 8 D | 9 D | 10 F | 11 F |
| 12 | 13 | 14 | 15 | 16 | 17 | 18 ● |
| 19 F | 20 F | 21 D | 22 D | 23 | 24 | 25 |
| 26 | 27 | 28 | 29 | 30 | | |

| F  Jour favorable | | D  Jour difficile | |
|---|---|---|---|
| ○  Pleine lune et éclipse lunaire partielle | | ●  Nouvelle lune | |

SANTÉ. Ce mois s'annonce assurément plus positif. Vous avez beaucoup plus d'énergie, votre résistance remonte et vos nerfs sont plus solides. Pourquoi ne pas en profiter pour vous débarrasser de vos ennuis et pour soigner vos petits bobos? Agissez sans tarder et vous obtiendrez des résultats du tonnerre. Si vous devez consulter un professionnel de la santé, celui-ci trouvera rapidement le moyen de vous aider.

SENTIMENTS. Rappelez-vous que Vénus vous fait de l'œil jusqu'au 11 et que, par conséquent, vous jouez gagnant en amour et sur le plan social. Le reste du mois ne vous réserve pas de mauvaises surprises, il sera tout simplement plus tranquille. Vos amis seront toujours là pour vous écouter et vous prodiguer de judicieux conseils.

AFFAIRES. Ici aussi, ça devrait aller beaucoup plus rondement. Ce qui s'éternisait se mettra à évoluer favorablement, vos démarches aboutiront encore plus facilement que le mois dernier et vos projets se concrétiseront. Vous vous sentez le cœur léger, mais ce n'est pas une raison pour vous lancer à l'assaut des magasins. Bon temps pour voyager, chercher un logis, signer un contrat ou tout simplement pour mettre de l'ordre dans vos affaires.

# Mai

| DIM | LUN | MAR | MER | JEU | VEN | SAM |
|-----|-----|-----|-----|-----|-----|-----|
|     |     |     |     |     | 1   | 2   |
| 3 ○ | 4   | 5 D | 6 D | 7   | 8 F | 9 F |
| 10  | 11  | 12  | 13  | 14  | 15  | 16 F |
| 17 ● F | 18 D | 19 D | 20 | 21 | 22 | 23 |
| 24 / 31 | 25 | 26 | 27 | 28 | 29 | 30 |

| F Jour favorable | | D Jour difficile | |
|------------------|--|------------------|--|
| ○ Pleine lune | | ● Nouvelle lune | |

SANTÉ. Les onze premiers jours sont tout simplement extraordinaires. Par la suite, Mars s'installera au carré de votre signe. Ce transit n'est pas toujours facile à gérer, mais en prenant des précautions, on en vient à bout. La brusquerie, l'imprudence, la distraction et la témérité risquent de vous valoir un accident, mieux vaut donc être sur vos gardes. Votre résistance pourrait également être à la baisse.

SENTIMENTS. À compter du 7, la vie sociale redeviendra tourbillonnante. On vous lancera une foule d'invitations, les occasions de sortir se multiplieront et vous impressionnerez tout le monde. Les célibataires pourraient même conquérir un être séduisant. Si tout va bien lors des mondanités, il n'en sera pas nécessairement de même avec vos proches ; les discussions seront probablement nombreuses et plutôt difficiles à résoudre.

AFFAIRES. Profitez de la première quinzaine pour mettre vos projets en marche, présenter vos demandes et négocier, car c'est à ce moment que vous disposez des meilleures possibilités. Par la suite, votre vie sera moins bien synchronisée, vous devrez vous ajuster aux caprices de la destinée. Soyez souple et vous passerez au travers.

# Juin

| DIM | LUN | MAR | MER | JEU | VEN | SAM |
|-----|-----|-----|-----|-----|-----|-----|
|  | 1 | 2 ○ D | 3 D | 4 F | 5 F | 6 |
| 7 | 8 | 9 | 10 | 11 | 12 F | 13 F |
| 14 F | 15 D | 16 ● D | 17 | 18 | 19 | 20 |
| 21 | 22 | 23 | 24 | 25 | 26 | 27 |
| 28 | 29 D | 30 D |  |  |  |  |

| F  Jour favorable | D  Jour difficile |
|-------------------|-------------------|
| ○  Pleine lune | ●  Nouvelle lune |

SANTÉ. La quadrature de la planète Mars vous affecte jusqu'au 24 et menace de diminuer votre vitalité tout en vous exposant aux accidents. Prenez donc les précautions nécessaires pour ne pas vous blesser ni subir une défaillance. La nervosité vous joue des tours : vous dormez moins bien, vous pensez trop, bref, vous êtes stressé et cela vous rend irritable.

SENTIMENTS. Votre état vous fait manquer de patience avec vos proches, qui le prennent fort mal. Ça ne prend pas grand-chose pour que les discussions s'enflamment ou qu'on se mette à bouder. Pourtant, en faisant un petit effort, vous pourriez en venir à bout. La situation d'un membre de la famille vous tracasse. Heureusement, tout se règle durant la dernière semaine.

AFFAIRES. Vous avez beau vous démener, les choses ne vont pas à votre goût. Le moindre projet met un temps fou à se concrétiser, vos activités sont sans cesse interrompues et vous devez composer avec l'arrogance de certains. Au travail, la tension est grande ; des changements inattendus pourraient même se produire. Allez-y mollo en attendant que le ciel se dégage à partir du 24.

# Juillet

| DIM | LUN | MAR | MER | JEU | VEN | SAM |
|-----|-----|-----|-----|-----|-----|-----|
|  |  |  | 1 ○ F | 2 F | 3 | 4 |
| 5 | 6 | 7 | 8 | 9 | 10 F | 11 F |
| 12 D | 13 D | 14 | 15 ● | 16 | 17 | 18 |
| 19 | 20 | 21 | 22 | 23 | 24 | 25 |
| 26 | 27 D | 28 D | 29 F | 30 F | 31 ○ | |

| F  Jour favorable | D  Jour difficile |
|-------------------|-------------------|
| ○  Pleine lune | ●  Nouvelle lune |

SANTÉ. Rien de vilain à signaler. Avec un minimum d'efforts, vous pourrez donc passer un mois fort constructif. Mieux encore, les gestes que vous ferez pour améliorer votre vitalité ou votre qualité de vie seront couronnés de succès. Le moral se replacera dès le 8 et il pourrait aller encore mieux si vous laissiez le passé derrière vous.

SENTIMENTS. Les altercations que vous avez eues avec un proche dans le passé trouvent enfin une issue acceptable, mais vous en avez gros sur le cœur. Vous acceptez de pardonner mais pas d'oublier... Vous avez tellement de choses à faire que vous refusez certaines invitations pourtant bien tentantes. Dommage, cela vous permettrait de vous changer les idées tout en remontant votre estime de vous-même.

AFFAIRES. C'est un mois très occupé durant lequel vous ne verrez pas le temps passer. Une nouvelle tâche vient s'ajouter à vos activités habituelles. Par surcroît, il y a une foule de vieux problèmes à régler et d'urgences auxquelles vous devez faire face. Heureusement que vous êtes efficace! Vous arrivez à tout arranger et à passer au travers haut la main. Bravo!

VIERGE

223

# Août

| DIM | LUN | MAR | MER | JEU | VEN | SAM |
|-----|-----|-----|-----|-----|-----|-----|
| | | | | | | 1 |
| 2 | 3 | 4 | 5 | 6 F | 7 F | 8 D |
| 9 D | 10 | 11 | 12 | 13 | 14 ● | 15 |
| 16 | 17 | 18 | 19 | 20 | 21 | 22 |
| 23 D / 30 | 24 D / 31 | 25 F | 26 F | 27 | 28 | 29 ○ |

| F Jour favorable | D Jour difficile |
|------------------|------------------|
| ○ Pleine lune | ● Nouvelle lune |

SANTÉ. Voici un mois franchement positif, surtout que Jupiter arrive dans votre signe le 11. Vous vous sentirez renaître, c'est comme si on enlevait un gros poids de vos épaules. Vos états d'âme deviendront plus stables, votre énergie augmentera et vous retrouverez votre beau sourire. Ce sera le temps ou jamais de vous reprendre en main.

SENTIMENTS. La condition d'un proche qui vous inquiétait se stabilise, vous êtes soulagé. Les huit premiers jours sont magnifiques, les marques d'affection arrivent de tous les côtés. Par la suite, tout le monde semble occupé en même temps et vous vous retrouvez seul. Mécontent de cette situation, vous vous repliez sur vous-même, vous boudez dans votre coin. Dommage, car si vous preniez quelques initiatives, tout irait à merveille.

AFFAIRES. Avec la venue de Jupiter, vous aurez le vent dans les voiles. Votre sérieux, votre logique ainsi que vos initiatives vous ouvriront bien des portes. Au travail, un vent de renouveau vous permettra de vous rapprocher de votre idéal. Bien entendu, les finances se porteront de mieux en mieux et vous commencerez à avoir la main heureuse au jeu.

# Septembre

| DIM | LUN | MAR | MER | JEU | VEN | SAM |
|-----|-----|-----|-----|-----|-----|-----|
|  |  | 1 | 2 F | 3 F | 4 D | 5 D |
| 6 | 7 | 8 | 9 | 10 | 11 | 12 |
| 13 ● | 14 | 15 | 16 | 17 | 18 | 19 D |
| 20 D | 21 F | 22 F | 23 | 24 | 25 | 26 |
| 27 ○ | 28 | 29 | 30 F |  |  |  |

| F Jour favorable | | D Jour difficile | |
|---|---|---|---|
| ○ Pleine lune et éclipse lunaire totale | | ● Nouvelle lune et éclipse solaire partielle | |

SANTÉ. Jusqu'au 17, vous continuerez à faire des progrès remarquables. C'est le temps ou jamais de refaire vos forces et de remédier à vos problèmes. Votre intuition s'avérera un guide précieux, vous pourrez vous y fier. La seconde quinzaine est marquée par le retour du carré de Saturne, et vous devrez davantage prendre soin de vous.

SENTIMENTS. Du côté intime, le mois est couci-couça. Des frustrations, de l'ennui ou un manque de communication semblent déranger votre quotidien. Au moins, la vie sociale se porte à merveille. Vous voyez plein de monde, mais vous devriez vous méfier de votre tendance à vouloir sauver tous ceux que vous rencontrez. Lors de la dernière semaine, vous lancerez un ultimatum à un proche qui vous tenait tête.

AFFAIRES. Vous entamerez un cycle positif le 24. La conjoncture sera alors idéale pour foncer ou vous mettre en valeur. Vos espoirs auront d'énormes chances de devenir réalité, pour peu que vous y travailliez. Parlant de chance, vous pourriez avoir une agréable surprise lors d'un tirage. En attendant, c'est plutôt routinier et même frustrant par moments.

**VIERGE**

# Octobre

| DIM | LUN | MAR | MER | JEU | VEN | SAM |
|-----|-----|-----|-----|-----|-----|-----|
|     |     |     |     | 1 F | 2 D | 3 D |
| 4   | 5   | 6   | 7   | 8   | 9   | 10  |
| 11  | 12 ● | 13 | 14  | 15  | 16 D | 17 D |
| 18  | 19 F | 20 F | 21 | 22  | 23  | 24  |
| 25  | 26  | 27 ○ F | 28 F | 29 D | 30 D | 31 |

| F Jour favorable | | D Jour difficile | |
|------------------|--|------------------|--|
| ○ Pleine lune | | ● Nouvelle lune | |

SANTÉ. Vous êtes en pleine forme, mais attention! Avec Mars dans votre signe, vous n'êtes pas à l'abri d'un accident ni d'une crise physique ou nerveuse; prenez donc les précautions qui s'imposent. Bon mois pour une remise en beauté. Prenez garde cependant de ne pas compromettre votre nouveau look en succombant à la gourmandise.

SENTIMENTS. Du 8 octobre au 8 novembre, Vénus et Jupiter vous promettent du bonheur à profusion. Vous retomberez en amour avec votre partenaire, qui éprouvera exactement les mêmes sentiments à votre endroit. On prévoit également de nombreuses occasions de vous divertir et de rencontrer des personnes stimulantes, ce qui pourrait, entre autres, transformer radicalement la destinée des solitaires.

AFFAIRES. La chance passe, à vous de la saisir! Ce que vous entreprendrez donnera des résultats concrets et amènera une hausse de vos revenus, pour peu que vous agissiez avec circonspection. Les démarches, les déplacements d'affaires ou de plaisance, le commerce ainsi que les signatures de contrats vous conviennent à merveille. Même au jeu, vous faites des envieux. Gare aux vols et aux dégâts.

# Novembre

| DIM | LUN | MAR | MER | JEU | VEN | SAM |
|-----|-----|-----|-----|-----|-----|-----|
| 1 | 2 | 3 | 4 | 5 | 6 | 7 |
| 8 | 9 | 10 | 11 ● | 12 | 13 D | 14 D |
| 15 F | 16 F | 17 | 18 | 19 | 20 | 21 |
| 22 | 23 F | 24 F | 25 ○ F | 26 D | 27 D | 28 |
| 29 | 30 | | | | | |

| F  Jour favorable | D  Jour difficile |
|-------------------|-------------------|
| ○  Pleine lune | ●  Nouvelle lune |

SANTÉ. La planète Mars occupe toujours votre signe jusqu'au 12. Ne laissez donc pas une distraction ou une négligence être à l'origine d'une blessure ou d'une défaillance. À cette même période, vous aurez du mal à gérer votre énergie : vous serez tantôt survolté, tantôt amorphe. Vous serez plus détendu psychologiquement à partir de cette date.

SENTIMENTS. N'oubliez pas que Jupiter et Vénus vous comblent lors de la première semaine : une rencontre, une déclaration enflammée ou un tendre rapprochement sont au programme. La vie sociale sera elle aussi trépidante. Par après, la routine risque de s'installer si vous ne prenez pas quelques initiatives. Un membre de la famille peut vous causer certains soucis entre le 20 et le 30.

AFFAIRES. Ça mijote beaucoup dans votre tête. C'est d'ailleurs grâce à votre vivacité d'esprit que vous pourrez venir à bout des obstacles et de ceux qui tentent de freiner vos élans. Votre sens de la stratégie vous permettra même de transformer certaines épreuves en tremplin, tandis que votre perspicacité vous aidera à saisir au vol une excellente opportunité. Quelques chances au jeu avant le 12.

VIERGE

# Décembre

| DIM | LUN | MAR | MER | JEU | VEN | SAM |
|-----|-----|-----|-----|-----|-----|-----|
|     |     | 1   | 2   | 3   | 4   | 5   |
| 6   | 7   | 8   | 9   | 10 D | 11 ● D | 12 F |
| 13 F | 14 | 15 | 16 | 17 | 18 | 19 |
| 20 | 21 F | 22 F | 23 D | 24 D | 25 ○ | 26 |
| 27 | 28 | 29 | 30 | 31 |     |     |

| F Jour favorable | | D Jour difficile | |
|---|---|---|---|
| ○ Pleine lune | | ● Nouvelle lune | |

SANTÉ. Vous devenez plus raisonnable, vous gérez beaucoup mieux le stress et, surtout, vous apprenez à ne plus vous en faire avec ce que pensent les autres. Si vous avez envie de perdre quelques kilos pour les Fêtes, agissez sans tarder et vous vous approcherez de votre idéal. Le mois est également propice aux transformations beauté.

SENTIMENTS. Entre le 4 et le 30, Vénus vous permettra de trouver l'âme sœur. Si vous êtes déjà en relation, celle-ci prendra une orientation fort positive. Le romantisme et même la passion seront au rendez-vous. Du côté de votre vie sociale, ça promet d'être excitant: les occasions de sortir et de participer à des activités stimulantes se multiplieront.

AFFAIRES. Vous accomplirez énormément de choses à partir du 9. Tout ira rondement et vous finirez même avec une longueur d'avance. Une bonne nouvelle, une vieille affaire qui se règle ou l'aboutissement positif d'une requête vous comblent de joie. Une somme d'argent que vous n'attendiez pas tombe du ciel, et vous décidez de vous gâter. Bravo, vous la méritez totalement!

# BALANCE

## DU 24 SEPTEMBRE AU 23 OCTOBRE

I l n'y a pas de doute, lorsqu'on vous voit tergiverser avant de prendre une décision, on sait à qui l'on a affaire : une vraie Balance. Votre recherche de l'harmonie, de la beauté, de la justice est telle qu'il vous est souvent difficile de trancher. Prendre une heure pour choisir entre deux types de pain à la boulangerie, c'est vraiment vous ! Et ça, c'est quand vous ne changez pas d'idée juste avant de passer à la caisse.

Vous recherchez le parfait équilibre entre toutes les choses. Vivre dans une ambiance harmonieuse où la bonne entente et la cordialité règnent, voilà ce qui vous motive. On remarque votre courtoisie avec tous, que vous vous adressiez à un président de compagnie, à la vieille dame d'en face, au clochard qui hante votre quartier ou au serveur de votre restaurant favori. Un mot gentil ou une attention délicate vient souvent ponctuer vos relations avec les autres. Votre politesse est exquise, ce qui est fort rare et apprécié.

Vous êtes un être sociable qui reçoit toujours des invitations pour un dîner, une sortie, une première, un lancement, un cocktail, ou même pour une balade entre amis. Avouez que vous adorez être l'objet de tant d'attentions. Votre bonne humeur, votre amabilité et votre optimisme sont contagieux, c'est la raison pour laquelle vous êtes si populaire auprès des gens. Quant à votre charme légendaire, il en fait craquer plus d'un.

Le point central de votre vie est l'amour ; toute votre existence gravite autour de cet élément. Encore une fois, puisque vous recherchez ce qu'il y a de mieux, le grand amour, le partenaire parfait, ce n'est pas toujours facile. Alors vous prenez votre temps, convaincu que la félicité vient à point à qui sait attendre.

Vous appréciez également ce qui est beau ; vous êtes un hédoniste et vous le revendiquez. Votre plaisir et votre satisfaction vous sont apportés par la beauté : un parterre de fleurs, le dessin du petit dernier. Votre automobile, votre intérieur, tout reflète votre surprenante recherche de l'esthétique. Vous êtes toujours tiré à quatre épingles, vous voulez être à la mode, très chic. On ne peut rien vous reprocher sur votre tenue vestimentaire. Vous y mettez beaucoup d'efforts et, bien entendu, les compliments pleuvent, ce qui ne manque pas de vous plaire, avouez-le !

Votre sens de la justice et de l'équité est une autre de vos principales caractéristiques : ne représente-t-on pas la Justice par une femme aux yeux bandés portant un glaive et une balance ? Qu'il s'agisse des affaires de l'État ou d'une querelle entre les enfants, d'une mésentente au bureau ou des conflits au Moyen-Orient, vous voudriez que la justice règne partout. Vous vous révoltez en pensant que les droits les plus élémentaires des individus sont bafoués partout dans le monde.

En toute circonstance, vous cherchez la paix et l'harmonie. La violence et l'agressivité vous répugnent. Lorsqu'un climat orageux tend à s'installer à l'endroit où vous êtes, vous préférez souvent partir plutôt que d'assister à des prises de bec. Pourtant, la solitude vous pèse, et vous ne restez jamais éloigné des autres trop longtemps. Mais vous savez choisir votre entourage, car la vulgarité vous blesse.

Votre humeur est remarquable, vous débordez d'optimisme et trouvez toujours le côté positif d'un événement ou d'une situation. Votre frère a perdu son emploi ? Tant mieux, c'est l'élément déclencheur qu'il lui fallait pour réorienter sa carrière. Votre meilleure amie est malade ? Eh bien, elle pourra ainsi se reposer, elle qui n'avait jamais le temps de souffler. Vous avez toujours le bon mot, mais surtout l'attitude appropriée, pour aider vos proches à surmonter leurs difficultés. Cette façon d'agir vous vaudra de nombreux compliments et plusieurs amitiés.

Ce que l'on remarque au premier regard, c'est votre douceur et l'harmonie de votre silhouette. Vos gestes sont élégants, votre démarche, sensuelle, et vous avez de petits tics tout à fait charmants, comme pencher la tête lorsque vous réfléchissez ou balancer la jambe quand vous êtes assis...

Évidemment, une telle recherche de la perfection et de la beauté en toute chose ne vous permet pas de vous décider au quart de tour, et c'est là que le bât blesse parfois; vos compagnes de magasinage trépignent d'impatience, vos collègues ragent... mais ça prendra le temps qu'il faudra, vous voulez être sûr de faire le meilleur choix possible.

## Comment se comporter avec une Balance?

La Balance est un être tout à fait charmant et d'un abord agréable. Discuter avec un natif de ce signe est un charme, du moment qu'il a tous les éléments en main : le pour, le contre, les circonstances. Avant de rendre un verdict, il a souvent besoin de connaître le «qui-du-pourquoi-du-comment». Son processus pourra vous sembler bien long, car il se rappelle qu'il n'a pas pris tel élément en considération et que tel autre mériterait aussi qu'on s'y attarde. Bref, tous les aspects d'un problème sont mis dans la balance.

Qu'il siège à l'ONU ou qu'il compare les ingrédients de deux sauces tomate, c'est long! Son interlocuteur doit bien souvent s'armer de patience.

Dans un dilemme opposant deux solutions distinctes, il suggérera des compromis pour accommoder toutes les parties. La Balance ne se fâche que très rarement; en fait, elle se sert plutôt de la douceur pour convaincre et tempérer ses contradicteurs. Si vous voulez faire sortir une Balance de ses gonds, il faudra vraiment que vous y mettiez le paquet, et encore, c'est peut-être vous qui tempêterez avant elle. Lorsqu'on discute avec un natif de ce signe, la courtoisie et le sang-froid sont de mise. Exposez calmement vos doléances ou votre point de vue, et n'ayez crainte : une de ses légendaires idées ingénieuses l'aidera à dénicher une solution équitable pour tous.

Pour cohabiter harmonieusement avec une Balance, il faut lui créer un environnement calme et paisible. Les chicanes continuelles et les discussions orageuses pour un rien ne contribuent certes pas à une ambiance qu'elle appréciera. De toute façon, vous n'arriverez à rien avec un natif de la Balance en utilisant l'agressivité, les cris et les larmes ; la douceur, le charme et la gentillesse vous permettront de tout obtenir sans difficulté.

La Balance est un tantinet lente, donc si vous voulez absolument qu'elle ne manque pas votre rendez-vous, fixez le moment de la rencontre une heure plus tôt que prévu, ainsi vous serez assuré qu'elle sera là à temps.

Une Balance est systématiquement en retard, car elle met trop de temps à se décider : des chaussures bleues ou noires, une robe moulante ou un pantalon ample, une cravate ou un polo à col ouvert ? Bref, elle tergiverse des heures devant la porte de la garde-robe. Et, bien entendu, lorsqu'elle se montre enfin le nez, vous pouvez être sûr que ses raisons seront bonnes, et ses excuses, adorables. Une Balance à l'heure, c'est vraiment un hasard !

### Ses goûts

Pour la Balance, ce qui compte, c'est le beau. Un natif de ce signe est très sensible à la beauté, à l'harmonie. Ses vêtements sont choisis avec beaucoup de goût, de raffinement. Il est d'une élégance peu commune : généralement, couleurs, textures, accessoires sont assortis, des sous-vêtements au parapluie, rien n'est laissé au hasard et la recherche est parfaite. Il ne faut donc pas s'étonner de voir une Balance fouiller dans tous les recoins d'un magasin pour dénicher le portefeuille, la ceinture, les boucles d'oreilles qui s'agencent parfaitement à ses tenues.

Pour les couleurs, une Balance s'en tient surtout aux teintes douces et tendres qui reflètent bien sa personnalité. Les textures, pour leur part, sont souvent soyeuses, fluides, confortables.

Si la Balance s'habille avec un profond souci du détail, que dire de sa demeure ! Dans son petit nid, tout est recherché et étudié. Plantes, papier peint, peintures, bibelots, éclairages, tentures, rien ne détonne... On se demande comment elle fait, tellement tout est à sa place.

Lorsqu'une Balance vous convie à sa table, vous pouvez être assuré que les yeux tout autant que la bouche seront comblés : chandelles, belles assiettes, nappe et serviettes de table faites à la main, ustensiles ciselés, sa présentation est étudiée et raffinée. Les mets, pour leur part, seront à son image : recherchés. Elle est un fin gourmet. Elle ne résiste pas devant un dessert bien présenté. Mais ne vous en faites pas : si vous invitez un natif de ce signe, il se montrera toujours charmant, élégant et reconnaissant, même si vous l'accueillez à la bonne franquette.

## Son potentiel

Le natif de la Balance n'est pas un être impulsif, il préfère soupeser, étudier, analyser le pour et le contre ; il ne faut donc pas lui confier un poste où les décisions se prennent rapidement. Par contre, si vous cherchez quelqu'un qui saura disséquer le moindre aspect d'une tâche ou d'une décision avant de rendre son verdict, c'est le candidat qu'il vous faut.

Ses préférences le poussent à opter pour des activités dans le domaine des arts. C'est un artiste remarquable, un fin artisan : la beauté n'a plus aucun secret pour lui, et il atteindra des sommets inégalés si on lui confie des contrats où l'harmonie est le trait essentiel de sa production. Par exemple, il sera un architecte talentueux, mais excellera également en horticulture, en esthétique, en décoration, en étalagisme, en mode, en coiffure et en orfèvrerie. Si par hasard ses pas le conduisent dans une autre voie, il œuvrera par exemple en tant qu'avocat, juge, procureur, coroner ou notaire ; des tâches qui demandent un solide esprit d'analyse, mais qui viendront également combler son esprit de justice. Il pourrait aussi se distinguer en relations publiques ou dans la diplomatie.

## Ses loisirs

Si notre Balance n'a pas choisi un métier du domaine artistique, il lui consacrera sans aucun doute ses loisirs et il aura l'embarras du choix, car c'est un être doué d'un talent remarquable : peinture, aquarelle, céramique, poterie, couture, broderie, tricot, création de sites web, design d'intérieur, aménagement paysager, toutes les portes lui sont ouvertes. En fait, tout ce que touche une Balance devient une œuvre d'art : qu'il s'agisse de se maquiller ou d'assortir les couleurs des coussins du salon, elle le fait avec goût et élégance.

La Balance aime également la nature, et surtout les fleurs et les plantes. Son intérieur en est probablement rempli. Donnez-lui un lopin de terre, vous verrez ce qu'elle en fera. Pour un natif de ce signe, avoir le pouce vert n'est pas une expression dénuée de sens. S'il habite en ville, son balcon sera fleuri, et il s'occupera même des carrés d'arbres de sa rue.

La Balance est également très sociable. La solitude lui pèse vite, et rester seule trop longtemps la conduira tout droit à l'ennui. Des sorties, des réunions entre amis, des dîners au restaurant, des spectacles sont des éléments essentiels à son équilibre mental. La Balance est une personne agréable qui sait séduire et enjôler ; elle ne reste donc jamais seule très longtemps.

## Sa décoration

Son cocon est si douillet et si harmonieux qu'on pourrait avoir l'impression d'entrer dans un monde de rêve lorsqu'on y pénètre. Le temps et l'énergie que notre Balance a consacrés à son intérieur sont incalculables. Chez elle, rien ne dépasse : le tapis et les tentures se marient harmonieusement avec les meubles, et le moindre bibelot occupe la place qui lui convient exactement. C'est une symphonie de couleurs subtiles et de formes délicates où tout est parfait, en équilibre. Il faut dire que le moindre élément a été sélectionné avec soin ; on se croirait dans les pages d'un magazine de décoration. En fait, la Balance a un don inné pour la décoration, un goût sûr qui fait de son intérieur un écrin d'élégance et de beauté. Si vous avez des conseils de décoration à demander à quelqu'un, tournez-vous vers une Balance ; vous ne serez jamais déçu.

## Son budget

Évidemment, cette splendeur a un prix, et notre Balance doit avoir un porte-monnaie bien rempli pour se permettre toutes ces dépenses. Eh bien, même si un natif de ce signe ne roule pas sur l'or, sachez que c'est un excellent comptable... et un très bon consommateur qui sait magasiner, même s'il se laisse tenter facilement et dépense généreusement. En fait, une Balance qui a un budget restreint connaîtra les bons endroits où se faire plaisir à peu de frais, tout en satisfaisant ses goûts pour la beauté et l'esthétique.

Par contre, si le natif de ce signe est plus à l'aise financièrement, il voudra mettre un peu d'argent de côté. Mais si la tentation est assez grande, il succombera et remettra l'épargne à plus tard. Il est rare qu'une Balance songe à investir dans un REER alors que sa garde-robe du printemps doit être renouvelée... ou le mobilier du salon changé pour qu'il s'harmonise aux nouveaux tapis et aux nouvelles peintures qu'elle vient d'appliquer sur les murs.

Bref, pour une Balance, l'argent est un moyen d'acquérir de belles choses; ce n'est pas fait pour dormir dans un coffre-fort, et encore moins pour être investi dans des portefeuilles boursiers qui sont à ses yeux des comptes tout à fait virtuels.

La Balance possède une nature résolument optimiste et ne s'inquiète pas outre mesure quand les factures arrivent... En toutes circonstances, elle garde son sourire charmeur et règle les problèmes lorsqu'ils se présentent, sans anticiper.

## Quel cadeau lui offrir ?

Faire plaisir à un natif de ce signe est probablement la chose la plus aisée qui soit : il est toujours content.

Puisque notre Balance aime les beaux objets, les vêtements à la mode, les bijoux précieux, les œuvres d'art, les créations haute couture ou d'artisans, vous aurez l'embarras du choix.

Du matériel d'artiste, peinture, pastel, fusain, verrerie et étain pour vitraux, ou encore de la tapisserie aux petits points lui permettront de mettre en valeur son immense talent. En tant que mélomane avertie, elle appréciera le plus récent disque de son artiste favori. Vous pouvez également arriver chez elle avec des plantes plein les bras, des fleurs ou des parfums qui embaument; vous ne vous tromperez pas.

D'ailleurs, quel que soit le cadeau que vous lui offrirez, il sera sans doute apprécié, car notre Balance adore recevoir. Un bel emballage, un joli ruban et une carte de vos bons vœux la rendront folle de joie.

## Les enfants Balance

Quels adorables chérubins! Ils sont mignons, souriants, enjoués et de bonne humeur. Par contre, il faut leur trouver des compagnons de jeu, car ils détestent rester seuls. S'ils sont enfants uniques, ils seront toujours dans les jambes de leurs parents. Ce sont aussi des enfants charmeurs qui savent séduire avant même d'avoir prononcé leurs premiers mots. Leur sourire est enjôleur, et personne ne peut y résister. Ainsi, ils obtiennent souvent tout ce qu'ils veulent par un simple gazouillis... Ils choisiront la méthode douce pour vous amadouer; avec eux, pas de pleurs ni de cris.

Aimable, gentil, disposé à faire plaisir, l'enfant Balance est un compagnon de jeu agréable, et ses petits amis ne se trompent pas, c'est un bambin populaire auprès des autres. À l'école, il sera le boute-en-train de la classe, car il adore jouer; par contre, pour les études, il aura besoin d'être sans cesse motivé, car il y a tellement de choses à explorer dans ce vaste monde que son esprit vagabondera souvent bien loin de ses devoirs et de ses leçons.

Ses parents devront lui apprendre à étudier, à se concentrer sur une tâche et à se décider. Il aura tendance à changer d'avis rapidement.

Une autre de ses petites faiblesses est son manque de ponctualité. Évidemment, comme il n'arrive pas à se décider, il perd du temps; il faudra donc lui apprendre à mieux gérer celui-ci.

## L'ado Balance

Tu as une belle personnalité que beaucoup de tes camarades t'envient: tu es sociable, tu t'intéresses aux autres et tu aimes faire plaisir. Tu es très charmeur, et peu de gens peuvent te résister. Tu sais d'ailleurs utiliser ce pouvoir pour parvenir à tes fins. Tu aimes sortir, voir du monde, échanger, rencontrer de nouvelles personnes. La solitude, ce n'est décidément pas pour toi, car tu t'ennuies rapidement.

Les arts, la musique te font vibrer, et tu es très sensible à la beauté sous toutes ses formes.

L'amour te donne des ailes et occupe une place très importante dans ta vie. Tout autour de toi et en toute chose, tu recherches l'harmonie. Aussi bien dans ta famille que dans ton cercle d'amis, tu détestes les disputes ; c'est souvent toi qui règles les petits différends entre ceux que tu côtoies.

Tu as un sens très aigu de la justice, tu ne supportes pas que quelqu'un soit maltraité devant toi. Par contre, avant de te lancer dans une entreprise, quelle qu'elle soit, tu pèses longuement le pour et le contre, et il t'est parfois difficile de te décider : tu hésites, tu balances, tu ne sais pas... Tes amis trouvent que tu « ne te branches pas ».

Les deux petits défauts qu'on pourrait éventuellement te reprocher sont liés à l'une de tes grandes qualités : tu cherches constamment à faire plaisir et à te faire aimer. Mais voilà, cela peut te rendre superficiel aux yeux des autres. Tu dois aussi corriger ton manque de ponctualité ; tu as tellement de mal à te décider que tu arrives en retard partout. Ce qui te distingue des autres cependant, c'est ton éternel optimisme ; rien ne te démonte, tu es toujours capable de déceler le bon côté des choses, même dans les pires situations.

### Tes études

Tu es brillant, tu as un bon jugement, tu es même capable d'assimiler deux formations très différentes à la fois. Le grand problème, c'est de savoir à laquelle accorder le plus d'importance ; tu n'arrives pas à prendre une décision finale.

Comme tu apprécies la beauté et l'harmonie, tu excelles dans tes cours d'arts plastiques ou de musique. Le hic, c'est que tu t'intéresses plus à la vie sociale de l'école, aux sorties de groupe et aux réunions qu'à tes études. Avoue-le, tu es un peu paresseux de nature, et ces multiples occupations parascolaires sont pour toi de bonnes excuses pour ne pas trop travailler en classe.

Pourtant, tu es doué, et la réussite t'attend si tu parviens à mettre un peu de discipline dans ta vie... et si tu n'arrives pas en retard à tes cours.

### Ton orientation

Ce n'est pas facile pour toi de choisir un métier, car il y a tellement de domaines qui t'intéressent ! En fait, le problème est que tu peux revenir sur ta décision, même lorsque tu jures que, cette fois, tu ne changeras plus d'idée.

Tes buts changent constamment ; il est difficile de faire quelque chose de ta vie dans de telles conditions. Par contre, si tu te diriges vers des métiers artistiques (les arts, la décoration, l'esthétique, la coiffure, la mode, la joaillerie, la musique, la comédie, l'horticulture, l'architecture, la littérature, l'ébénisterie, la danse), tu parviendras sûrement à te tailler une place de choix. Les communications, la diplomatie, la justice, le droit, le commerce, l'éducation ou les relations publiques sont aussi des domaines où tu pourras briller.

### Tes rapports avec les autres

Tes amis, ta famille occupent une place prépondérante dans ta vie, car tu ne supportes pas d'être seul. Même pour étudier, tu as besoin de monde autour de toi. Donc, tu seras meilleur dans les travaux scolaires en équipe. Tu as également besoin d'un environnement calme où règne la bonne entente ; les cris et les disputes te perturbent énormément. Tu penses beaucoup aux autres, tu essaies de faire plaisir et tu as besoin de te sentir aimé pour bien fonctionner dans un groupe.

Tu es quelqu'un de très généreux, mais tu n'as pas besoin de dépenser de l'argent pour conquérir les autres ; ton sourire te permet de te faire facilement des amis. Le plus important pour toi est cependant de bien les choisir.

# LA BALANCE DANS LA CUISINE

## Votre façon de cuisiner

Vous incarnez le raffinement : vous recherchez l'harmonie en tout et vous adorez les réunions sociales. D'ailleurs, vous aimez bien cuisiner entouré de vos invités. Vous privilégiez une cuisine subtile et élégante.

Vos tables sont belles : vos présentations sont soignées, et vos mets, délicats. Vous aimez les saveurs équilibrées et douces, et vous avez un faible pour les desserts.

## Vous adorez :

- la cuisine de style fusion ;
- les aliments moelleux, contrairement aux plats secs ;
- élaborer des mets délicats et raffinés ;
- ajouter une touche de sucre, de miel ou de sirop d'érable à vos plats.

## CE QUE LA NATUROPATHE VOUS SUGGÈRE

- Diminuez votre consommation de sucre, c'est votre péché mignon.
- Méfiez-vous des desserts, des collations sucrées, des chocolats et des bonbons : ceux-ci volent parfois la place à des aliments ayant une meilleure valeur alimentaire.

# ILS SONT BALANCE EUX AUSSI

Brigitte Bardot, Sonia Benezra, Geneviève Borne, Denis Bouchard, Daniel Boucher, René Richard Cyr, Matt Damon, Patrice Dubois, Hilary Duff, Jean-René Dufort, Diane Dufresne, Zac Efron, Chantal Fontaine, Louis-José Houde, Anthony Kavanagh, Éric Lapointe, Avril Lavigne, Daniel Lemire, John Lennon, Claude Léveillée, Mélanie Maynard, Julie McClemens, Luck Mervil, Dominique Michel, Gwyneth Paltrow, Ty Pennington, François Pérusse, Martin Petit, Richard Petit, Luc Picard, Danielle Proulx, Gilles Renaud, André Robitaille, Will Smith, Gwen Stefani, Marie-Hélène Thibault, Guylaine Tremblay, Gilles Vigneault, Serena Williams, Kate Winslet.

### Pensée positive pour la Balance

Je capte toute l'harmonie de l'univers et la canalise dans ma vie.
Je fais le bon choix en toute situation et j'avance vers l'amour.

### Pensée positive spéciale pour 2015

J'accueille la nouveauté avec joie et confiance car je sais que le bonheur est enfin à ma porte.

*Le subconscient nous dirige toujours selon nos pensées. En répétant le plus souvent possible ces pensées conçues tout spécialement pour vous, vous vous attirerez plein de belles choses.*

### Outils pour transformer votre destinée

- Cessez de procrastiner. Vous avez de bonnes idées, mais vous remettez constamment vos projets et, au bout du compte, rien ne se fait.
- Faites confiance à votre voix intérieure. Vous hésitez trop lorsque vous devez prendre des décisions, alors que souvent vous connaissez déjà la réponse.
- Soyez moins idéaliste, faites des compromis. Rechercher la perfection vous empêche d'agir en vous paralysant.

**Signe :** Balance

**Élément :** Air

**Catégorie :** Cardinal

**Symbole :** ♎

**Points sensibles :** Reins, vessie, appareil urinaire, bas du dos, obésité, diabète, hypoglycémie. Attention au sucre !

**Planète maîtresse :** Vénus, planète de l'amour.

**Pierres précieuses :** Opale, jade, corail.

**Couleurs :** Les tons pastel et les couleurs tendres, rose, turquoise.

**Fleurs :** Violette, jonquille, rose thé... et toutes les autres.

**Chiffres chanceux :** 6-9-15-18-23-26-36-39-41-45.

**Qualités :** Doux, tendre, affectueux, amoureux de l'amour, juste, diplomate, charmeur.

**Défauts :** Indécis, instable, dépensier, retardataire, effrayé par la solitude.

**Ce qu'il pense en lui-même :**
Je voudrais que tout soit beau autour de moi.

**Ce que les autres disent de lui :**
Il ne se branche pas... Mais on lui pardonne ; il est si adorable !

# PRÉDICTIONS ANNUELLES

Les influences planétaires s'exerçant dans votre ciel continuent d'être puissantes : vous pouvez donc vous attendre à une année déterminante. Saturne est toujours là, favorisant vos projets à long terme et toutes vos entreprises sérieuses. Profitez-en pour établir les bases de votre avenir puisque vous êtes assuré de construire sur du solide. Jusqu'à votre anniversaire, vous pouvez même compter sur l'appui de Jupiter, surnommée la grande bénéfique, pour donner à votre vie l'orientation dont vous rêvez. Il vous sera facile d'agir sans être constamment confronté à des événements bouleversants. Le destin fera bien les choses et vous serez souvent au bon endroit au bon moment pour saisir le bonheur et la réussite lorsqu'ils passeront. Vite, le monde vous appartient !

SANTÉ. Vous semblez plus motivé qu'au cours des deux ou trois dernières années, et ce changement d'attitude vous fait d'ailleurs le plus grand bien. Moins enclin à vous négliger, vous adoptez de meilleures habitudes de vie : vous reprenez vos anciennes bonnes résolutions car vous en avez assez de ne pas être au mieux de votre forme. C'est merveilleux, vous agissez pour faire échec à ce coup de vieux qui vous menaçait ! Excellente année pour vous soigner et maximiser votre bien-être tant moral que physique.

SENTIMENTS. L'année 2015 est tout à fait propice aux engagements sérieux, aux rapprochements, bref, à la stabilisation de votre destinée sur le plan amoureux. Vous êtes enfin conscient de vos véritables besoins, ce qui vous pousse à mettre de côté certaines relations qui ne vous apportent plus rien. Vous qui adorez voir du monde, vous serez servi ! Votre vie sociale s'annonce effervescente ; cela permettra aux célibataires de rencontrer la personne idéale. Le secteur de l'amitié est lui aussi avantagé : vous passerez de très agréables moments avec vos copains et pourrez également élargir votre cercle d'amis.

AFFAIRES. Vous amorcez l'année avec un pressant besoin d'aller de l'avant et d'améliorer votre situation financière et professionnelle. Cette ambition sera largement comblée, surtout si vous agissez avant le 11 août. Bonne période, donc, pour liquider certaines dettes, économiser, chercher du boulot, effectuer une transaction, vous lancer en affaires ou négocier. Vous aurez également de belles opportunités de voyage, de déménagement, si le cœur vous en dit, sans compter que vous pourriez décrocher quelques prix secondaires lors des tirages. Le reste de l'année ne vous réserve rien de vilain, ce sera tout simplement plus tranquille.

# Janvier

| DIM | LUN | MAR | MER | JEU | VEN | SAM |
|-----|-----|-----|-----|-----|-----|-----|
|     |     |     |     | 1   | 2 F | 3 F |
| 4 ○ D | 5 D | 6 D | 7   | 8   | 9   | 10  |
| 11  | 12  | 13  | 14  | 15  | 16  | 17  |
| 18 D | 19 D | 20 ● F | 21 F | 22  | 23  | 24  |
| 25  | 26  | 27  | 28  | 29 F | 30 F | 31 D |

| F  Jour favorable | D  Jour difficile |
|-------------------|-------------------|
| ○  Pleine lune | ● Nouvelle lune |

SANTÉ. De très bons aspects planétaires s'exercent dans votre ciel jusqu'au 12 : vous vous sentez renaître, vous donnez même l'impression de rajeunir. Cette période serait idéale pour vous prendre en main, vous remettre en forme, suivre un traitement ou une thérapie, car vous obtiendrez rapidement des résultats concrets. Le mois entier est propice aux transformations beauté et aux régimes.

SENTIMENTS. La douce Vénus vous favorise elle aussi. Entre le 3 et le 27, vos recherches de l'âme sœur pourraient enfin aboutir. Si vous êtes déjà dans une relation, celle-ci devrait s'améliorer de manière bien tangible. Et que dire de votre vie sociale, qui repart de plus belle ! On vous lance des invitations tentantes, et vous avez également l'occasion d'élargir votre cercle d'amis.

AFFAIRES. Ne perdez pas un seul instant avant d'agir, car la chance vous sourit durant la première quinzaine. Les démarches en vue de donner un nouvel élan à votre carrière de même que celles pour améliorer vos finances vous procureront d'énormes satisfactions. Votre esprit regorge d'idées géniales, tandis que votre flair vous révèle le moment opportun pour passer aux actes. Bon temps aussi pour voyager ou chercher un nouveau logis.

**BALANCE**                                                      **243**

# Février

| DIM | LUN | MAR | MER | JEU | VEN | SAM |
|-----|-----|-----|-----|-----|-----|-----|
| 1 D | 2 | 3 ○ | 4 | 5 | 6 | 7 |
| 8 | 9 | 10 | 11 | 12 | 13 | 14 |
| 15 D | 16 D | 17 F | 18 ● F | 19 | 20 | 21 |
| 22 | 23 | 24 | 25 F | 26 F | 27 | 28 D |

| F Jour favorable | D Jour difficile |
|------------------|------------------|
| ○ Pleine lune | ● Nouvelle lune |

SANTÉ. Le mois commence fort bien, mais les influences planétaires risquent d'être moins clémentes par la suite. Redoublez de prudence dans vos déplacements et en toute situation présentant un potentiel de danger. Bannissez les abus et soignez vos petits bobos sans tarder. Sur le plan moral, par contre, rien ne vous menace, vous êtes inébranlable.

SENTIMENTS. Lors des trois premières semaines, vous communiquez facilement avec la marmaille et le conjoint, tandis que les amis continuent à vous lancer toutes sortes d'invitations. Durant la dernière semaine, mieux vaut enfiler vos gants blancs si vous tenez à sauvegarder l'harmonie. Votre partenaire aura également beaucoup de mal à communiquer.

AFFAIRES. Ça s'annonce plutôt routinier jusqu'au 19, mais vous semblez vous en accommoder. Vous faites votre petite affaire et progressez doucement. Les choses risquent toutefois de se corser par la suite : des retards, une altercation, quelques frustrations ou une dépense imprévue vous irritent, mais vous vous montrez philosophe et laissez passer l'orage.

# Mars

| DIM | LUN | MAR | MER | JEU | VEN | SAM |
|-----|-----|-----|-----|-----|-----|-----|
| 1 D | 2 | 3 | 4 | 5 ○ | 6 | 7 |
| 8 | 9 | 10 | 11 | 12 | 13 | 14 D |
| 15 D | 16 F | 17 F | 18 | 19 | 20 ● | 21 |
| 22 | 23 | 24 F | 25 F | 26 | 27 D | 28 D |
| 29 | 30 | 31 | | | | |

| F Jour favorable | D Jour difficile |
|------------------|------------------|
| ○ Pleine lune | ● Nouvelle lune et éclipse solaire totale |

SANTÉ. Ce n'est pas tant l'éclipse que l'opposition de la planète Mars qui risque de vous perturber. Prenez donc davantage soin de votre santé. Une attitude préventive vous épargnera des désagréments, tout comme la relaxation vous permettra de minimiser le stress. Gardez également l'œil ouvert pour ne pas vous faire mal.

SENTIMENTS. Si vous vous emportez, vous risquez de compromettre l'harmonie avec un proche. Si, au contraire, vous acceptez de l'écouter et de faire preuve de douceur, vous vous entendrez à merveille. En ce mois, mieux vaut privilégier le dialogue plutôt que les ultimatums. Un parent vous occasionne quelques tracas.

AFFAIRES. Soyez le plus discret possible dans le cadre de vos activités. En élevant le ton, vous risquez de provoquer une véritable crise. Vos propositions sont accueillies avec tiédeur – parfois elles ne passent tout simplement pas –, et ce n'est vraiment pas le moment de forcer la note. Attention aux gestes irréfléchis, aux achats impulsifs et aux dégâts matériels.

# Avril

| DIM | LUN | MAR | MER | JEU | VEN | SAM |
|-----|-----|-----|-----|-----|-----|-----|
|     |     |     | 1   | 2   | 3   | 4 ○ |
| 5   | 6   | 7   | 8   | 9   | 10 D | 11 D |
| 12  | 13 F | 14 F | 15  | 16  | 17  | 18 ● |
| 19  | 20  | 21 F | 22 F | 23 D | 24 D | 25  |
| 26  | 27  | 28  | 29  | 30  |     |     |

| F  Jour favorable | | D  Jour difficile | |
|---|---|---|---|
| ○  Pleine lune et éclipse lunaire partielle | | ●  Nouvelle lune | |

SANTÉ. Les choses changent radicalement : vous découvrez la solution à vos problèmes et reprenez confiance en vos moyens et en la vie. La vigueur, l'énergie et la résistance augmentent rapidement, bref, vous avez tout ce qu'il faut pour repartir du bon pied. Psychologiquement, vous êtes un peu nerveux lors de la première quinzaine, mais tout se tasse par la suite.

SENTIMENTS. Entre le 11 avril et le 7 mai, Vénus occupera un secteur très positif de votre ciel. Bon temps pour régler vos querelles intimes, demander une faveur ou proposer à votre chéri quelque chose qui sort de l'ordinaire. Les réunions sociales se multiplieront et l'une d'entre elles pourrait métamorphoser la destinée des solitaires. En attendant, un enfant, un frère ou une sœur risquent de rencontrer quelques problèmes.

AFFAIRES. Vous avez du pain sur la planche et on ne se gêne pas pour vous en demander plus que d'habitude. Même si vous avez envie de rouspéter, mieux vaut accepter de bon gré cette surcharge de travail, puisque ce sera payant à long terme. Attention : une erreur de jugement, une distraction ou une séance de magasinage intensif pourraient vous coûter cher.

# Mai

| DIM | LUN | MAR | MER | JEU | VEN | SAM |
|-----|-----|-----|-----|-----|-----|-----|
|  |  |  |  |  | 1 | 2 |
| 3 ○ | 4 | 5 | 6 | 7 | 8 D | 9 D |
| 10 F | 11 F | 12 | 13 | 14 | 15 | 16 |
| 17 ● | 18 F | 19 F | 20 | 21 D | 22 D | 23 |
| 24 / 31 | 25 | 26 | 27 | 28 | 29 | 30 |

| F Jour favorable | | D Jour difficile | |
|------------------|--|------------------|--|
| ○ Pleine lune | | ● Nouvelle lune | |

SANTÉ. Vous devriez vous sentir moins bousculé qu'au cours des mois précédents. Pourquoi ne pas en profiter pour mettre un peu d'ordre dans votre vie, soigner vos bobos et ainsi repartir du bon pied ? Surtout que votre moral est nettement meilleur et que vous avez les dispositions requises pour amorcer un nouveau départ. À partir du 12, vous péterez le feu !

SENTIMENTS. Vénus vous promet des amours suaves lors de la première semaine. Par la suite, votre partenaire risque d'avoir trop de choses à faire pour vous consacrer tout le temps dont vous auriez besoin. Ne vous en faites pas, il n'est pas près de cesser de vous aimer. Dès le 11, une vie sociale trépidante vous permettra de vous changer les idées et de voir du bien beau monde.

AFFAIRES. Ici aussi, c'est plutôt tranquille jusqu'au 11, mais par après, ce sera le retour de la bonne fortune et vous pourrez agir à votre guise. Vous réglerez non seulement les conflits mais aussi toute une série d'obstacles qui vous empêchaient de fonctionner à plein. Bon temps pour prendre le large, faire des recherches ou des démarches. Vous aurez même quelques chances au jeu pour un prix secondaire.

# Juin

| DIM | LUN | MAR | MER | JEU | VEN | SAM |
|-----|-----|-----|-----|-----|-----|-----|
|  | 1 | 2 ○ | 3 | 4 D | 5 D | 6 F |
| 7 F | 8 | 9 | 10 | 11 | 12 | 13 |
| 14 | 15 F | 16 ● F | 17 D | 18 D | 19 | 20 |
| 21 | 22 | 23 | 24 | 25 | 26 | 27 |
| 28 | 29 | 30 |  |  |  |  |

| F  Jour favorable | D  Jour difficile |
|---|---|
| ○  Pleine lune | ●  Nouvelle lune |

SANTÉ. Vous avez un moral du tonnerre ! Sur le plan physique, tout continue d'aller comme dans le meilleur des mondes jusqu'au 24 : vous avez de l'énergie à revendre et rien ne peut vous ralentir. Afin de poursuivre sur cette excellente lancée, vous devrez prendre quelques précautions durant la dernière semaine. En effet, des dissonances planétaires vous prédisposeront alors aux accidents ainsi qu'aux défaillances.

SENTIMENTS. Vous traversez un cycle de popularité. On vous lance de sympathiques invitations et on vous propose d'agréables sorties durant lesquelles vous faites la connaissance de gens avec qui vous vous entendez à merveille. Les solitaires pourraient même avoir l'embarras du choix. À la maison, on voudrait vous traiter aux petits oignons, mais vous n'êtes pas souvent présent !

AFFAIRES. Le mois est propice aux améliorations de toutes sortes, que ce soit chez vous ou dans le cadre de vos activités. Foncez, la chance vous sourit ! Et, parlant de chance, un tirage pourrait vous valoir une bonne surprise. Une affaire qui traînait se règle finalement en votre faveur. Bonne période pour les déplacements d'affaires ou de plaisance.

# Juillet

| DIM | LUN | MAR | MER | JEU | VEN | SAM |
|-----|-----|-----|-----|-----|-----|-----|
|  |  |  | 1 ○ D | 2 D | 3 F | 4 F |
| 5 | 6 | 7 | 8 | 9 | 10 | 11 |
| 12 F | 13 F | 14 D | 15 ● D | 16 | 17 | 18 |
| 19 | 20 | 21 | 22 | 23 | 24 | 25 |
| 26 | 27 | 28 | 29 D | 30 D | 31 ○ F |  |

| F Jour favorable | D Jour difficile |
|------------------|------------------|
| ○ Pleine lune | ● Nouvelle lune |

SANTÉ. Les dissonances planétaires persistent, il faut donc demeurer sur le qui-vive afin de ne pas vous blesser. En proscrivant les excès alimentaires et en évitant d'abuser de vos forces, vous maintiendrez une énergie vitale fort acceptable. Sur le plan psychologique, vous semblez plutôt détendu avant le 8, mais vos nerfs risquent de flancher durant les deux semaines qui suivront.

SENTIMENTS. Votre cote d'amour s'avère enviable jusqu'au 18, et ce, tant dans l'intimité qu'à l'intérieur de votre cercle social. Vous passerez des moments bienfaisants avec vos copains et nouerez également de nouvelles amitiés. À ce sujet, une rencontre amicale pourrait vite se transformer en quelque chose de plus sérieux si vous êtes seul. Le reste du mois s'annonce toutefois plus tranquille. Quelques tracas familiaux sont possibles, et vous devrez probablement intervenir.

AFFAIRES. L'arrogance ne réglera rien. Il est vrai que des situations déconcertantes se produisent en ce mois, mais ce n'est pas une raison pour sortir de vos gonds. D'une part, ça ne donnerait rien et, d'autre part, vous risqueriez de créer de l'inimitié. Prenez soin de votre argent et de vos biens, et prémunissez-vous contre le vol, les escroqueries et les dégâts matériels.

# Août

| DIM | LUN | MAR | MER | JEU | VEN | SAM |
|-----|-----|-----|-----|-----|-----|-----|
|     |     |     |     |     |     | 1 F |
| 2 | 3 | 4 | 5 | 6 | 7 | 8 F |
| 9 F | 10 D | 11 D | 12 | 13 | 14 ● | 15 |
| 16 | 17 | 18 | 19 | 20 | 21 | 22 |
| 23 / 30 | 24 / 31 | 25 D | 26 D | 27 F | 28 F | 29 ○ |

| F Jour favorable | | D Jour difficile | |
|---|---|---|---|
| ○ Pleine lune | | ● Nouvelle lune | |

SANTÉ. Des influences planétaires dérangeantes s'exercent toujours jusqu'au 8 ; vous devez donc continuer à prendre des précautions pour éviter de vous blesser ou d'être affecté par un malaise. Par la suite, tout se tasse, plus rien n'y paraît. Vous serez vigoureux et positif, et vous trouverez également des solutions adéquates à vos petites misères.

SENTIMENTS. Quel beau mois ! Une rencontre importante, une déclaration ou un rapprochement vous font vibrer. Du côté social aussi, ça redevient enlevant, et vous n'aurez pas le temps de vous ennuyer. Les soucis occasionnés par un proche devraient se dissiper une fois la première semaine écoulée, tandis qu'une personne à l'humeur massacrante retrouvera le sourire.

AFFAIRES. Ici aussi, les astres pourraient vous jouer des tours en début de mois. Laissez donc passer la tempête sans trop vous en faire, puisque dès le 9 vous serez dans un cycle nettement plus favorable durant lequel vous pourrez apporter les correctifs nécessaires et aller de l'avant. Une dépense imprévue vous fait paniquer sur le coup, mais, avec quelques efforts d'ingéniosité, vous réussirez à équilibrer votre budget.

# Septembre

| DIM | LUN | MAR | MER | JEU | VEN | SAM |
|---|---|---|---|---|---|---|
| | | 1 | 2 | 3 | 4 F | 5 F |
| 6 | 7 D | 8 D | 9 | 10 | 11 | 12 |
| 13 ● | 14 | 15 | 16 | 17 | 18 | 19 |
| 20 | 21 D | 22 D | 23 F | 24 F | 25 | 26 |
| 27 ○ | 28 | 29 | 30 | | | |

| F Jour favorable | D Jour difficile |
|---|---|
| ○ Pleine lune et éclipse lunaire totale | ● Nouvelle lune et éclipse solaire partielle |

SANTÉ. Ce mois est dépourvu de vilaines influences, et vous pouvez même compter sur l'appui de Mars jusqu'au 24 pour vous donner davantage d'énergie. Le *timing* serait parfait pour prendre de bonnes résolutions et, surtout, les respecter. Un régime, une remise en beauté, un peu de sport, d'exercice ou de danse vous métamorphoseraient. Quant au moral, il est au beau fixe.

SENTIMENTS. Les aspects planétaires positifs en vigueur le mois dernier demeurent bien présents. Vos amis et les nouvelles personnes que vous rencontrez savent vous faire rire et vous divertir. L'atmosphère est détendue à la maison, votre partenaire se rapproche. Si vous êtes seul, une belle amitié amoureuse pourrait marquer le début d'une relation durable.

AFFAIRES. Le cycle de renouveau bat son plein. Les démarches effectuées en vue d'améliorer votre situation professionnelle ou financière de même que les gestes faits en ce sens donneront des résultats concrets. On pourrait même vous donner un sérieux coup de main pour atteindre votre but. Votre brillante personnalité vous ouvre toutes les portes jusqu'au 24, alors n'attendez pas pour agir !

# Octobre

| DIM | LUN | MAR | MER | JEU | VEN | SAM |
|-----|-----|-----|-----|-----|-----|-----|
| | | | | 1 | 2 F | 3 F |
| 4 D | 5 D | 6 | 7 | 8 | 9 | 10 |
| 11 | 12 ● | 13 | 14 | 15 | 16 | 17 |
| 18 | 19 D | 20 D | 21 F | 22 F | 23 | 24 |
| 25 | 26 | 27 ○ | 28 | 29 F | 30 F | 31 D |

| F  Jour favorable | D  Jour difficile |
|-------------------|-------------------|
| ○  Pleine lune | ●  Nouvelle lune |

SANTÉ. Vous remontez la pente, pas toujours à vive allure, mais les progrès sont là pour rester, car Saturne recommence à récompenser vos efforts. Psychologiquement, vous êtes un peu trop impressionnable et vous avez tendance à vous en faire pour rien. Bougez davantage, cela chassera le cafard.

SENTIMENTS. Vénus continue de vous faire de l'œil durant les huit premiers jours. Vos copains, votre partenaire et les nouvelles connaissances sont sous l'emprise de votre charme. Vous arrivez enfin à divulguer le fond de votre pensée, à exprimer vos besoins ; tant mieux, on vous adore et on ne peut rien vous refuser. Le reste du mois est plus routinier mais pas décevant pour autant.

AFFAIRES. Les astres appuieraient vos actions si vous aviez un peu plus d'initiative. Ne restez pas dans votre coin à attendre que se présente une belle opportunité, provoquez-la ! Faites des démarches, négociez de façon plus serrée, sachez vous vendre : quand vous verrez les résultats, vous comprendrez. Légère déception sur le plan financier.

# Novembre

| DIM | LUN | MAR | MER | JEU | VEN | SAM |
|-----|-----|-----|-----|-----|-----|-----|
| 1 D | 2 | 3 | 4 | 5 | 6 | 7 |
| 8 | 9 | 10 | 11 ● | 12 | 13 | 14 |
| 15 D | 16 D | 17 F | 18 F | 19 | 20 | 21 |
| 22 | 23 | 24 | 25 ○ | 26 F | 27 F | 28 D |
| 29 D | 30 | | | | | |

| F Jour favorable | | D Jour difficile | |
|------------------|--|------------------|--|
| ○ Pleine lune | | ● Nouvelle lune | |

SANTÉ. Vous êtes indolent jusqu'au 12, puis l'arrivée de Mars dans votre signe se révèle un véritable coup de fouet. Ce transit vous recommande cependant de faire attention à vous lorsque vous vous déplacez et quand vous utilisez un objet avec lequel vous pourriez vous blesser. Malgré une tendance à l'impulsivité, le moral ira plutôt bien, particulièrement entre le 20 et le 30.

SENTIMENTS. À partir du 8, vous bénéficierez à nouveau d'un transit favorable de Vénus. Vos amours repartiront de plus belle, votre popularité se remettra à grimper et on s'arrachera votre présence. Vous vous amuserez, c'est garanti ! Seule ombre au tableau : un léger problème de communication avec un enfant ou un membre de la famille, mais, fort heureusement, tout finira par s'arranger.

AFFAIRES. Vous sortirez de l'ombre après le 12. Dès lors, on peut affirmer que la tendance est au redressement et à l'amélioration de votre sort. N'hésitez pas un seul instant à faire des gestes concrets et réfléchis en ce sens. Si vous devez participer à un concours ou passer une entrevue, ayez confiance en vous ; la partie est presque gagnée d'avance. Le magasinage peut s'avérer coûteux, probablement même un peu trop.

# Décembre

| DIM | LUN | MAR | MER | JEU | VEN | SAM |
|-----|-----|-----|-----|-----|-----|-----|
|     |     | 1   | 2   | 3   | 4   | 5   |
| 6   | 7   | 8   | 9   | 10  | 11 ● | 12 D |
| 13 D | 14 F | 15 F | 16  | 17  | 18  | 19  |
| 20  | 21  | 22  | 23 F | 24 F | 25 ○ D | 26 D |
| 27  | 28  | 29  | 30  | 31  |     |     |

| F  Jour favorable | D  Jour difficile |
|-------------------|-------------------|
| ○  Pleine lune | ● Nouvelle lune |

SANTÉ. Mars demeure dans votre signe, et vous avez de l'énergie à revendre, parfois même démesurément; pas étonnant que vous ayez les nerfs à fleur de peau. Tâchez donc de vous garder du temps pour relaxer. N'oubliez pas que le passage de Mars est souvent responsable d'une blessure, d'un malaise aigu ou dune crise. Prenez les précautions qui s'imposent et vous pourrez ainsi traverser le mois sans pépins.

SENTIMENTS. Évitez de vous montrer agressif avec vos proches, sans quoi vous allez mettre le feu aux poudres. Même chose si vous leur reprochez de vieilles histoires. Par contre, si vous jouez la carte de la douceur, vous pourrez obtenir exactement ce que vous voulez. Du côté social, vous faites des ravages!

AFFAIRES. Si vous agissez avec souplesse et que vous planifiez correctement, vous verrez les obstacles tomber. L'important est de ne pas vous emporter ni d'agir sur un coup de tête. Vous pourriez abandonner un projet pour vous consacrer à quelque chose de plus réalisable. C'est une bonne idée; de toute façon, le moment est venu de tourner certaines pages.

# SCORPION

## DU 24 OCTOBRE AU 22 NOVEMBRE

I ne vous sert à rien de vouloir le cacher : vous êtes un Scorpion, un vrai. D'ailleurs, vous le savez pertinemment, car rien ne vous échappe.

Ce qui frappe d'abord chez vous, ce sont vos yeux. Remplis de mystère, scrutateurs, ils pénètrent au plus profond de ceux de vos interlocuteurs, jusqu'à leur âme. Lorsque vous regardez quelqu'un, cette personne a l'impression que vous lisez en elle comme dans un livre ouvert et qu'elle ne peut rien vous dissimuler. En fait, ce n'est pas tant ce que vous voyez que ce que vous devinez qui est incroyable. Vous êtes doté d'une remarquable intuition : vous pressentez les événements, vous devinez les gens, leurs intentions et leurs sentiments. Vous percez leurs secrets les plus intimes, ce qui, bien entendu, les met parfois mal à l'aise en votre présence.

Votre charisme et votre magnétisme sont si puissants que vous troublez les gens ; avouez que cela vous plaît bien. Ce côté mystérieux de votre personnalité n'est pas le moindre. Votre charme et votre grand pouvoir de séduction contribuent également à vous conférer un tempérament bien différent de tous les autres.

Ce que l'on sait moins de vous, car vous ne le laissez jamais paraître – sans doute par crainte d'être blessé –, c'est que vous êtes hypersensible et très émotif. Vos sentiments sont à l'image de votre regard : ardents, jamais fades, et toujours remplis de passion. Que vous aimiez ou que vous haïssiez, il n'y a pas de demi-mesures. Vos sentiments sont profonds, très profonds, souvent un peu confus et parfois même troubles. C'est la raison pour laquelle on a quelquefois l'impression que vous vous moquez des gens, que vous êtes hautain, dédaigneux des autres, alors que c'est plutôt une sorte de distance que vous mettez entre vous et eux pour mieux les comprendre et pour être sûr de la qualité de vos relations. Vous avez tellement peur d'être blessé que vous vous tenez en retrait, à l'abri sous votre épaisse carapace. Prêt à vous défendre avec votre aiguillon, vous piquez comme la bestiole qui vous représente, puis vous jugez des réactions. Ce n'est pas de la méchanceté, simplement un test. Et c'est là que réside le problème : personne n'aime être ainsi testé, et l'on se plaint de votre côté démoniaque, de votre cruauté, de votre méchanceté... de ces travers qui intriguent, bien sûr, ceux qui ne vous connaissent pas.

Votre tempérament est contrasté. Vous ne parlez pas, ce qui dérange, et quand vous parlez, cela dérange encore plus : vos propos sont si nets, si catégoriques. Mais encore une fois, cela est attribuable au mur de protection que vous dressez autour de vous. Si l'on parvient à vous rejoindre dans votre forteresse, tout se passe très bien.

Vous êtes une personne passionnée de mondes étranges, de personnes insolites, de sciences ésotériques, de parapsychologie, et la mort vous fascine. Bref, vous vous êtes construit un monde de mystère captivant. Comme vous finissez toujours par trouver ce que vous cherchez, vous excellez dans des domaines où votre intuition et votre extraordinaire perception sont mises à l'épreuve. Mais, bien sûr, vous gardez toutes ces découvertes pour vous.

Votre flair et votre mémoire sont incroyables, et comme, en plus, vous êtes très visuel, peu de choses vous échappent. Vous vous souvenez de ce qu'on vous fait et, surtout, de ce qui vous blesse. Même 30 ans plus tard, tout est encore aussi frais dans votre esprit. Vous n'oubliez rien et vous êtes assez rancunier. Votre vraie vengeance se manifeste par une méfiance accrue... À moins que vous ne décidiez d'ignorer la personne qui vous a blessé. Dans ce cas, c'est comme si elle n'existait plus pour vous. Que ce soit le camarade de classe qui vous avait lancé un élastique en deuxième année, la fatigante qui tournait autour de votre premier ami de cœur, le vieil oncle qui vous taquinait un peu trop quand vous étiez jeune ou le conjoint repentant qui revient avec des fleurs, mais que vous attendez de pied ferme malgré votre sourire, et qui recevra votre venin... tous ceux qui vous ont blessé goûteront un jour à votre médecine, ils ne perdent rien pour attendre. Quand quelqu'un vous fait du mal, tôt ou tard, ça se retournera contre lui. Vous savez être sarcastique, placer vos pointes à l'endroit le plus vulnérable, au point sensible, là où vous atteindrez votre but. Puisque vous avez une tendance à la rancune, vous êtes porté à vivre dans le passé, à remuer le fer dans la plaie et à mijoter votre vengeance, même si cela vous fait souffrir.

Vous êtes possessif, que ce soit en amour ou en amitié. Par contre, vous êtes très fidèle et dévoué envers les gens qui comptent pour vous; avec eux, c'est à la vie à la mort. Vous taquinez parfois un peu vos proches, vous mettez l'être cher à l'épreuve. Mais si quelqu'un vient causer de la peine à ceux que vous aimez, vous saurez l'accueillir avec votre redoutable aiguillon. Votre confiance n'est pas facile à gagner, mais une fois que c'est fait, votre amitié et votre affection sont indéfectibles. Toutefois, personne n'est à l'abri de vos petites remarques acidulées, pas même votre entourage, que vous aimez tant.

## Comment se comporter avec un Scorpion?

Il n'est pas du tout facile de trouver la bonne attitude du premier coup lorsqu'on le rencontre. Que penser de lui, comment l'aborder sont autant de questions délicates. S'il fait preuve d'humour, on se demande s'il rit à nos dépens. Avec lui, on demeure perplexe, même lorsqu'il fait partie de nos proches depuis bon nombre d'années.

En fait, la première chose à faire est de mériter sa confiance, ce qui n'est pas gagné d'avance. De toute façon, il ne l'accordera pas spontanément. Avec lui, le mot « gagner » prend tout son sens. Car il faudra peut-être des années avant qu'il ne vous la donne. Et si jamais vous la perdez, ne comptez pas la retrouver facilement. Vous devrez aussi vous habituer à ses remarques, à ses petites crises, aux flèches qu'il décoche si facilement à tous. Comme c'est un être très sensible, vous constaterez que ses angoisses sont lourdes à supporter, pour lui, bien sûr... mais aussi pour les autres.

SCORPION

Pour le convaincre de votre idée, il ne sert à rien de tempêter ou de vouloir lui enfoncer vos principes dans le crâne... Laissez-le découvrir de lui-même les raisons profondes de vos positions. Il le fera souvent à votre insu, et ensuite seulement il se décidera. Vos arguments ne changeront rien. D'ailleurs, il ne se laissera sûrement pas influencer par votre raisonnement. Si, par malheur, vous lui cachez quoi que ce soit ou, pire, si vous lui mentez, c'est terminé ; il ne vous fera plus confiance, et vous ne pourrez certainement pas le convaincre du bien-fondé de votre opinion.

Le temps ne changera rien à son comportement ; vous aurez beau le connaître depuis des années, il ne sera pas plus sociable avec vous. Il s'ouvrira un peu – jamais complètement –, mais avec les autres, il ne changera pas. Son esprit de contradiction, ses sarcasmes, son humour cinglant et ses attitudes mystérieuses font partie intégrante de sa personnalité. Il faudra le prendre tel quel, sans chercher à vouloir le changer.

En toutes circonstances, le Scorpion est gouverné par ses émotions. Pour cette raison, il a besoin de savoir qu'il peut se fier aveuglément à vous, que vous lui êtes dévoué et fidèle, et surtout que, même lorsque vous ne le comprenez pas, vous l'acceptez totalement.

Le Scorpion n'est pas un être comme les autres, ne l'oubliez jamais. C'est un être exceptionnel, extraordinaire, dans le vrai sens du terme, c'est-à-dire qui sort de l'ordinaire. C'est d'ailleurs ce qui vous a attiré vers lui. Alors n'essayez surtout pas d'en faire un être ordinaire ; vous perdriez votre temps et dépenseriez votre énergie pour rien.

## Ses goûts

Par-dessus tout, il aime semer un léger trouble chez les autres. Pour lui, les choses sont tout blanc ou tout noir, c'est clair et net. Il n'y a pas de juste milieu. Il affiche sur lui cette caractéristique : ses vêtements seront blancs, rouges ou noirs et non crème, rose ou gris. Dans les matières, c'est la même chose. Elles sont généralement brutes : le cuir, le métal. Il ne détestera pas les chemises gitanes. Les femmes Scorpion portent presque exclusivement le pantalon. Si elles choisissent une robe, elle sera moulante et très sexy. Le Scorpion dégage beaucoup de magnétisme ; on le remarque de loin et, bien entendu, il utilise cette facette de sa personnalité. Pour son intérieur, il oubliera les flaflas. La décoration de son logement est généralement déconcertante, presque glaciale. En fait, on ne s'y sent pas toujours à l'aise. Vous entrez dans son domaine et avez cette sensation dès que vous avez franchi le pas de la porte. À table, il aime la viande, les fruits de mer, les mets très relevés, très épicés; n'ayez pas peur de brûler son palais! S'il a préparé le repas, demandez donc un verre d'eau: vous en aurez besoin, croyez-moi. Il aime les alcools grisants, les vins corsés et capiteux. Ainsi, même à table, il ne connaît pas les demi-mesures. Avec de tels goûts, ce n'est guère étonnant qu'il ait parfois des problèmes d'estomac.

## Son potentiel

Faire des cachotteries à un Scorpion relève de l'exploit. Il sait tout, devine tout, voit tout, entend tout, même lorsqu'on pense qu'il n'écoute pas. Il fera fureur dans des métiers où l'investigation est reine: policier, détective, espion ou chercheur. Le domaine de la recherche est vraiment sa discipline. Il excellera dans les techniques policières, la sécurité, la médecine, la recherche fondamentale, la chirurgie, la psychiatrie, l'astrologie ainsi que la boucherie et le travail des métaux. Étant attiré par tout ce qui touche de près ou de loin à la mort, à la sexualité ou au monde interlope, il pourrait devenir enquêteur aux homicides. De toute façon, peu importe sa branche, son intuition lui permet de trouver ce qu'il veut... Et il vaut mieux ne pas contrecarrer ses plans ou être l'objet de son enquête!

## Ses loisirs

Évidemment, notre cher Scorpion aime bien mettre ses capacités et son flair à l'épreuve. Il adore les romans policiers à l'univers très sombre, presque glauque, ou les livres qui lui permettent d'en découvrir plus sur un sujet qui le passionne, notamment les sciences occultes. Quand il veut trouver quelque chose, croyez-moi, il y arrive. Parfois, il lui faut remuer mer et monde, mais cela ne l'arrête pas, au contraire. Rat de musées, il affectionne ces endroits de culture, qui représentent pour lui une autre façon d'en apprendre un peu plus. Pour cette raison, il se montrera intéressé par l'archéologie, le monde du paranormal, des sciences occultes, bref, par ce que la majorité des gens ignorent ou craignent un peu. C'est un être qui analyse constamment ce qui l'entoure : les gens, les choses, les situations. Il devrait essayer de se dépenser un peu plus physiquement et de brûler son trop-plein d'énergie en pratiquant un sport ou en faisant des activités manuelles. Il développe beaucoup son côté intellectuel et cérébral au détriment de son physique. Pour lui faire plaisir, vous pouvez l'emmener au cinéma voir un *thriller* noir, rempli de rebondissements, avec une intrigue bien touffue où un suspect n'attend pas l'autre. Il vous étonnera, car il sera probablement le seul à découvrir le coupable avant la fin.

## Sa décoration

Le Scorpion recherche ce qu'il y a de plus à la mode, notamment dans les objets et les tendances, et évidemment sa décoration reflète ses goûts branchés. Du côté des couleurs, il opte pour des teintes franches, audacieuses, par exemple le rouge et le noir, qu'il n'hésite pas à marier. Pour les objets, il préfère ceux ayant une signification à ses yeux, leur valeur décorative important peu. Il se pourrait, par exemple, qu'il collectionne les armes et utilise une épée comme portemanteau... Déconcertant pour ses invités, mais tout à fait logique pour lui.

L'ambiance de sa tanière est souvent dramatique. Les meubles ont des angles marqués, l'éclairage est étonnant et même insolite. En fait, son intérieur est théâtral, surprenant... On a parfois l'impression d'entrer dans le repaire d'un être bizarre. Et il n'est pas toujours facile pour les autres d'y évoluer confortablement.

Son cadre de vie ne plaira certes pas à tous, mais n'oublions pas que notre Scorpion n'est justement pas n'importe qui.

## Son budget

Son compte en banque et ses finances sont, bien entendu, à son image, entourés d'un halo de mystère. Il vous demandera votre salaire sans sourciller, mais n'essayez pas de lui demander combien il gagne, car il vous répondra que ça ne vous regarde pas. Notre Scorpion se fie davantage à son intuition qu'à son jugement, même dans ses finances. Il a du flair et sait détecter les bonnes affaires lorsqu'elles se présentent. Ses placements et ses investissements suivent la même règle : il les choisit avec audace, dans des secteurs auxquels personne n'aurait pensé. Bien entendu, ses pressentiments se révèlent justes, et il fait de bonnes affaires. Par contre, pour gérer son budget au jour le jour, il effectue des acrobaties et ne calcule pas. Il dépense ce qu'il veut quand il le veut... du moins, en apparence. Parce que, ne vous en faites pas, il sait exactement de combien il dispose, jusqu'où aller dans ses petites folies sans mettre en péril son compte en banque.

## Quel cadeau lui offrir ?

Le Scorpion attache beaucoup d'importance aux émotions et aux sentiments ; l'objet est secondaire. Il préfère qu'on lui accorde du temps ; un diamant ou une voiture de luxe sans réelle amitié ne compte pas pour lui. Par contre, s'il sait combien vous tenez à lui, une simple carte de vœux lui fera plaisir. N'oubliez pas qu'il accorde une grande importance aux souvenirs et à des objets qui ont une réelle signification pour lui, et ce ne seront pas forcément les cadeaux les plus beaux ni les plus chers qu'il préférera. Si vous tenez absolument à lui offrir un présent dont il se souviendra, choisissez un objet inusité ou très rare. S'il sait qu'il n'y en a qu'un seul sur la terre (ou quelques-uns tout au plus), il en sera d'autant plus touché. Si vous lui donnez un objet que vous avez fait faire spécialement pour lui, un parfum ou un bibelot, il l'appréciera encore plus, car il y attachera une valeur sentimentale.

Le Scorpion est une personne à l'esprit analytique très aiguisé ; donc un roman policier où il défiera Hercule Poirot ou l'inspecteur Maigret saura lui plaire. Des ouvrages sur des civilisations disparues ou mythiques (l'Atlantide, Mu, le continent perdu) ou sur des sujets mystérieux ou relevant du paranormal piqueront sa curiosité. Des alcools rares ou des épices peu connues lui plairont beaucoup, et il s'en régalera.

## Les enfants Scorpion

Les petits Scorpion se démarquent des autres par leur regard puissant. Ils observent, ils veulent voir tout ce qui se passe, ils veulent comprendre. Même tout petits, ils en savent déjà beaucoup plus que ce que vous soupçonnez. Ce sont des enfants fouineurs, curieux de tout, qui auront mille et une questions à vous poser en toutes circonstances, et bien sûr pas n'importe lesquelles. Vous en serez souvent désemparé. Inutile de chercher à vous y soustraire en faisant semblant de n'avoir pas entendu, ou même de tenter de changer de sujet : ils vous attendent de pied ferme. N'allez pas leur dire n'importe quoi pour vous débarrasser d'eux, ils devineront votre astuce... On a souvent l'impression qu'ils pressentent les gens et lisent dans les pensées.

Ils ne sont pas faciles à éduquer, car ils sont trop intelligents. Ils cherchent sans cesse à tester les réactions d'autrui et sont d'habiles manipulateurs... Très curieux, ils fouilleront dans vos tiroirs, liront votre courrier personnel, essaieront de découvrir ce que vous leur cachez, sur votre passé notamment, bref, ils ne vous laisseront pas en paix une minute. Ils sont également très possessifs, surtout envers leurs parents, qu'ils n'acceptent pas de partager ; leurs frères et leurs sœurs en savent quelque chose. À l'école, comme ils sont très visuels, ils s'ennuient quand le professeur se lance dans des concepts trop vagues ; ils ont besoin d'exemples concrets.

Le Scorpion est un enfant très sensible ; il a peur d'être blessé. Pour cette raison, il préfère l'attaque à la défense. Il faut lui enseigner que pour être aimé il faut faire preuve d'amabilité et faire des compromis. Comme il ne donne pas facilement sa confiance, vous devez lui apprendre à partager et à être plus sociable, à se faire des amis au lieu de rester dans son coin. Son bonheur et son équilibre en dépendent.

## L'ado Scorpion

Cher Scorpion, tu n'es pas une personne très accessible, et il n'est pas toujours simple de te comprendre. Même tes proches ont de la difficulté à bien cerner ta nature. Et cela peut parfois créer des problèmes dans tes relations avec les autres, mais il faut dire que tu veilles jalousement à sauvegarder ton mystère. Tu leur fais un peu peur, et l'on dirait que cela t'amuse... Ta volonté est grande, tu es secret, passionné, mais tu parles peu.

Tu sembles très fort. Tu ne fais pas de compromis. Tu t'exprimes facilement et sans mâcher tes mots. Tu n'as pas envie de te montrer aimable simplement pour être gentil ou pour faire plaisir, et c'est justement en adoptant ce comportement que tu te crées des problèmes. Tu veux que les autres t'acceptent comme tu es, mais tu ne leur donnes pas la chance d'entrer en communication avec toi. Ils ne savent vraiment pas sur quel pied danser. Pourtant, lorsqu'on te connaît un peu mieux, on peut voir que sous ta carapace tu es un être très sensible et très émotif.

Tu décèles facilement les intentions des gens qui t'entourent, tu devines rapidement les choses et tu découvres aisément la personnalité des autres. Tu as beaucoup de flair; on ne peut rien te cacher. Lorsque quelqu'un te déplaît ou t'agace, tu trouves toujours le mot juste pour toucher son point faible.

En amour, ta passion explose, mais lorsque tu hais, aïe! tu es tout aussi excessif. Tes sentiments sont puissants, et il n'y a rien à ton épreuve. Ta volonté est exceptionnelle. Tout cela fait de toi quelqu'un de différent, de «pas comme les autres», et cela attire évidemment l'attention du sexe opposé. Tu dégages beaucoup de magnétisme et, même si tu décides de te mettre à l'écart, tu passes rarement inaperçu.

### Tes études

Tu es très curieux et tu t'intéresses à tout ce qui est ardu à comprendre; tu trouves souvent et rapidement la solution à des problèmes. Tout ce qui est caché t'intrigue. Par contre, l'échec t'effraie. Ta volonté et ta détermination font cependant en sorte que tu échoues rarement. Tu as un esprit scientifique. Comme tu approfondis tout, les travaux d'équipe ne te conviennent pas. Les autres se plaignent de ta lenteur, et toi, tu les trouves trop superficiels! Il vaut mieux que tu travailles seul: ton rendement scolaire sera alors exceptionnel.

Comme ta mémoire est fabuleuse, tu apprends très rapidement; tu retiens tout ce que tu entends et surtout tout ce que tu vois.

### Ton orientation

L'important, c'est que tu te diriges vers un domaine que tu aimes; généralement, tu opteras pour la recherche, que ce soit des études scientifiques ou les techniques policières. Un autre de tes domaines de prédilection est la psychologie, car tu analyses très bien les situations et les gens, et tu devines ce que les autres pensent ou ressentent.

Pour toi, la médecine, les sciences, la chirurgie, l'industrie minière, l'armée, la criminologie, la sexologie, les assurances, la sculpture sont des domaines intéressants. Mais tu peux également préférer des secteurs plus inusités encore, par exemple tout ce qui est lié à l'ésotérisme et à la mort. Des choix qui bien sûr étonneront ton entourage.

### Tes rapports avec les autres

Tu es une personne solitaire. On peut compter le nombre de tes copains sur les doigts d'une seule main. Si tu as peu d'amis, tu sais par contre que tu peux compter sur eux, car tu les as triés sur le volet. Pour les comprendre, pas besoin de discussions pendant des heures, tu lis en eux comme dans un livre ouvert. Avec les gens qui croisent ton chemin, tu te montres méfiant et souvent sarcastique ; tes remarques font grincer des dents... mais tu t'en moques un peu, n'est-ce pas ?

Lorsque tu cherches à plaire, tu sais mettre de l'avant ton petit côté mystérieux. Tu déploies alors tout ton charme, et ton magnétisme est surprenant. Tes sentiments ne connaissent pas la nuance, et tu n'aimes pas à moitié : c'est tout ou rien. Si quelqu'un te déçoit, te ment effrontément ou te blesse, tu deviens très désagréable, et regagner ta confiance est presque une mission impossible. Tu es assez rancunier et tu dois apprendre à balayer les vieilles histoires pour mieux aller de l'avant.

# LE SCORPION DANS LA CUISINE

## Votre façon de cuisiner

Vous êtes intense dans tout ce que vous faites, et quand vous vous en donnez la peine, vous êtes un as de la cuisine. Vos papilles gustatives sont extrêmement développées, et cela vous permet de concocter des plats complexes et très aromatiques.

## Vous adorez :

- les saveurs assez fortes et les plats relevés ;
- le piquant, le poivre, les épices et l'ail ;
- concocter des mets aux saveurs contrastées, par exemple une viande à la sauce épicée accompagnée d'une salade délicate ;
- cuisiner à feu fort : vous êtes le champion des grillades.

### CE QUE LA NATUROPATHE VOUS SUGGÈRE

- Ne forcez pas trop la note avec les épices, car votre estomac délicat pourrait en souffrir.
- Attention également aux aliments très acides, pour la même raison.
- Ajoutez davantage de verdure et de légumes frais à vos plats.

# ILS SONT SCORPION EUX AUSSI

Jean-Michel Anctil, Hilary Clinton, Louise Deschâtelets, Leonardo DiCaprio, Anne Dorval, Jodie Foster, Bill Gates, Noémie Godin-Vigneau, Luc Guérin, Anne Hathaway, Marc Labrèche, Andrée Lachapelle, Fabienne Larouche, Sylvie Legault, Sophie Lorain, Claudine Mercier, Demi Moore, Patricia Paquin, Katy Perry, Pablo Picasso, Claude Poirier, Serge Postigo, Érick Rémy, Geneviève Rioux, Julia Roberts, Meg Ryan, Nicolette Sheridan, Lise Watier, Nanette Workman.

### Pensée positive pour le Scorpion

Je me libère de tout ce qui est arrivé par le passé. Je me pardonne et je pardonne aux autres. Ainsi, ma route devient de plus en plus agréable et lumineuse.

### Pensée positive spéciale pour 2015

J'occupe enfin la place qui me revient. J'avance sur le chemin du bonheur et de l'épanouissement.

*Le subconscient nous dirige toujours selon nos pensées. En répétant le plus souvent possible ces pensées conçues tout spécialement pour vous, vous vous attirerez plein de belles choses.*

### Outils pour transformer votre destinée

- Cessez de ruminer de vieilles histoires. On ne peut pas refaire le passé ; de plus, cette attitude gâche souvent le présent.
- Osez faire confiance aux autres. Des déceptions sont possibles, pourtant dans bien des cas vous aurez de belles surprises.
- Laissez sortir la colère sur le coup. Vous refoulez trop, ça fermente, puis ça explose au mauvais moment ou avec la mauvaise personne. Réagissez immédiatement.

**Signe :** Scorpion
**Élément :** Eau
**Catégorie :** Fixe
**Symbole :** ♏
**Points sensibles :** Organes de reproduction, maladies vénériennes, rectum, estomac, sinus, prostate.
**Planète maîtresse :** Pluton, planète de la mort.
**Pierres précieuses :** Tourmaline, malachite, sanguine.
**Couleurs :** Noir, blanc, rouge et toutes les couleurs franches.
**Fleurs :** Orchidée, chrysanthème, fleurs exotiques... y compris les plantes carnivores !

**Chiffres chanceux :** 5-8-14-17-23-29-30-39-41-44.

**Qualités :** Ardent, passionné, intuitif, actif, magnétique, patient, capable de tout, trouve toujours ce qu'il cherche.

**Défauts :** Renfermé, sarcastique, catégorique, méfiant, rancunier, tendance à se cantonner dans le passé.

**Ce qu'il pense en lui-même :**
Je fais bien peu confiance aux êtres humains... je reste sur mes gardes.

**Ce que les autres disent de lui :**
Qu'est-ce qu'il va encore nous sortir aujourd'hui ?

# PRÉDICTIONS ANNUELLES

**S**aturne, qui occupait une position défavorable dans votre thème astral, se retire. C'est la fin d'un long cycle de déceptions et de revers de fortune. Vous vous sentirez plus libre d'agir, vos buts deviendront accessibles et vous reprendrez graduellement confiance en la vie. Il se peut cependant qu'un problème que vous pensiez réglé refasse surface entre le 14 juin et la mi-septembre, mais vous finirez certainement par vous en débarrasser pour de bon. Seuls les mauvais aspects de Jupiter risquent de freiner vos élans d'ici l'automne ; c'est par des actes irréfléchis ou une trop grande témérité que vous pourriez manquer votre coup. Alors, c'est simple, optez pour la sagesse, pesez bien le pour et le contre de vos gestes et, de cette façon, vous ferez des progrès notables. Les trois derniers mois marqueront le retour éclatant de la chance. Le meilleur s'en vient !

SANTÉ. Voici un domaine où l'influence de Jupiter peut vous jouer des tours. Les ennuis vous guettent si vous vous croyez tout permis, si vous abusez de vos forces ou si vous faites fi des règles du gros bon sens. La gourmandise, entre autres, serait à proscrire car elle menace tant votre silhouette que votre bonne forme. Saturne, qui, depuis des années, minait votre résistance en plus de vous rendre nerveux et inquiet, cesse de vous perturber. En fournissant quelques efforts, vous remonterez la pente. Graduellement, vous vous sentirez renaître.

SENTIMENTS. Certaines personnes au comportement douteux ne feront plus partie de votre vie. Au lieu de vous chagriner, cela s'avérera une véritable libération. De toute façon, vous en aviez assez de passer en dernier et de toujours devoir ronger votre frein. Vous avez plus de courage que par les années précédentes et vous êtes prêt à passer à autre chose. À partir du mois d'août, vous deviendrez extrêmement populaire, on vous remarquera davantage et vous serez enclin à nouer de nouvelles amitiés. Votre cercle de relations s'agrandira, et une de ces personnes pourrait transformer la destinée des solitaires.

AFFAIRES. Jusqu'au 11 août, les événements ne se produiront pas nécessairement selon vos attentes, et il se peut que vous ayez à réviser vos positions, voire à changer de cap. Malgré un certain brouhaha, vous arriverez à tirer votre épingle du jeu et vous vous adapterez plus aisément aux nouvelles situations. Vos finances connaîtront des hauts et des bas, alors évitez d'envenimer les choses avec des investissements risqués, des prêts ou des dépenses insensés. Le reste de l'année s'annonce beaucoup plus facile : vous renflouerez votre budget, profiterez d'excellentes opportunités et pourriez même décrocher un prix secondaire lors d'un tirage. Bref, ça repartira en grand.

# Janvier

| DIM | LUN | MAR | MER | JEU | VEN | SAM |
|:---:|:---:|:---:|:---:|:---:|:---:|:---:|
|  |  |  |  | 1 | 2 | 3 |
| 4 ○ D | 5 F | 6 F | 7 D | 8 D | 9 | 10 |
| 11 | 12 | 13 | 14 | 15 | 16 | 17 |
| 18 | 19 | 20 ● D | 21 D | 22 F | 23 F | 24 |
| 25 | 26 | 27 | 28 | 29 | 30 | 31 F |

| F Jour favorable | | D Jour difficile | |
|:---:|:---:|:---:|:---:|
| ○ Pleine lune | | ● Nouvelle lune | |

**SANTÉ.** La présence de Mars au carré de votre signe complique la gestion de votre énergie durant la première quinzaine : vous êtes tantôt survolté, tantôt complètement épuisé. Votre organisme semble moins résistant, ce qui pourrait se traduire par une infection ou différents malaises. Redoublez de prudence pour ne pas vous blesser. Par la suite, le ciel se dégagera et vous irez nettement mieux.

**SENTIMENTS.** Les choses ne vont pas à votre goût. On ne vous consacre pas toute l'attention que vous méritez, on interprète vos gestes et vos paroles de travers, et ça ne prend pas grand-chose pour mettre le feu aux poudres. Ce n'est qu'un mauvais moment à passer. Dès le mois prochain, on vous traitera aux petits oignons. En attendant, profitez donc d'une gentille invitation entre le 12 et le 31.

**AFFAIRES.** Ici aussi, ça brasse. Vous détestez que le contrôle vous échappe, mais ça ne sert à rien de vous emporter ni de ruer dans les brancards, vous ne feriez qu'envenimer la situation. Le budget fait parfois des siennes, les imprévus s'accumulent et, par moments, vous ne savez plus où donner de la tête. Un petit coup de chance vous déridera lors de la seconde quinzaine.

# Février

| DIM | LUN | MAR | MER | JEU | VEN | SAM |
|-----|-----|-----|-----|-----|-----|-----|
| 1 F | 2 | 3 ○ D | 4 D | 5 | 6 | 7 |
| 8 | 9 | 10 | 11 | 12 | 13 | 14 |
| 15 | 16 | 17 D | 18 ● D | 19 F | 20 F | 21 |
| 22 | 23 | 24 | 25 | 26 | 27 | 28 F |

| F  Jour favorable | | D  Jour difficile | |
|-------------------|--|-------------------|--|
| ○  Pleine lune | | ●  Nouvelle lune | |

SANTÉ. Vous êtes désormais libéré de ce vilain transit de Mars ; vous retrouvez votre énergie et votre aplomb. Vos progrès ne se feront pas attendre, pour peu que vous y mettiez un peu du vôtre. Toutefois, le moral demeure plus fragile. Mieux vaut donc éviter de ruminer de vieilles histoires ou de vous angoisser en inventant toutes sortes de scénarios catastrophiques.

SENTIMENTS. Vénus vous fait de l'œil jusqu'au 21. Les solitaires pourraient faire une rencontre déterminante, tandis que les autres pourront resserrer les liens qui les unissent à l'être cher. Bonne période également pour la vie sociale, qui s'annonce trépidante : de nouveaux amis et d'anciens copains égaient votre vie.

AFFAIRES. Voilà un autre domaine où une accalmie est la bienvenue. Petit à petit, vous reprendrez le dessus sur les événements. Les trois premières semaines sont propices aux démarches, aux recherches d'emploi et aux déplacements d'affaires ou de loisir. Mais attention, ce n'est pas parce que les choses se replacent que vous devez lancer votre argent par les fenêtres.

# Mars

| DIM | LUN | MAR | MER | JEU | VEN | SAM |
|-----|-----|-----|-----|-----|-----|-----|
| 1 F | 2 D | 3 D | 4 | 5 ○ | 6 | 7 |
| 8 | 9 | 10 | 11 | 12 | 13 | 14 |
| 15 | 16 D | 17 D | 18 F | 19 F | 20 ● | 21 |
| 22 | 23 | 24 | 25 | 26 | 27 F | 28 F |
| 29 D | 30 D | 31 | | | | |

| F  Jour favorable | | D  Jour difficile | |
|:---:|:---:|:---:|:---:|
| ○  Pleine lune | | ●  Nouvelle lune et éclipse solaire totale | |

SANTÉ. L'éclipse n'a guère de répercussions sur votre état. C'est plutôt votre laxisme qui risque de vous jouer des tours, spécialement lors des douze premiers jours. La gourmandise, le manque de rigueur ou la négligence pourraient être responsables d'un malaise ou d'une blessure. Par la suite, vous vous ressaisirez et tout ira mieux.

SENTIMENTS. Entre le 12 et le 31, vous serez en mesure de désamorcer les conflits avant qu'ils n'explosent. La logique de vos arguments viendra à bout des plus récalcitrants, pourvu que vous n'éleviez pas le ton. Un parent traverse des moments difficiles, et vous serez obligé de lui consacrer plus de temps que prévu.

AFFAIRES. C'est lors de la seconde quinzaine que vos négociations et démarches seront les plus avantageuses. Vous aurez ici aussi des arguments du tonnerre et finirez par obtenir à peu près ce que vous souhaitiez. Si vous désirez voyager, cette période s'y prête parfaitement. Une vieille affaire qui traînait finit par se régler et, même si le résultat vous déçoit quelque peu, vous êtes au moins heureux que ce soit un sujet clos.

# Avril

| DIM | LUN | MAR | MER | JEU | VEN | SAM |
|------|------|------|------|------|------|------|
|  |  |  | 1 | 2 | 3 | 4 ○ |
| 5 | 6 | 7 | 8 | 9 | 10 | 11 |
| 12 | 13 D | 14 D | 15 F | 16 F | 17 | 18 ● |
| 19 | 20 | 21 | 22 | 23 F | 24 F | 25 |
| 26 D | 27 D | 28 | 29 | 30 |  |  |

| F  Jour favorable | | D  Jour difficile | |
|---|---|---|---|
| ○  Pleine lune et éclipse lunaire partielle | | ●  Nouvelle lune | |

SANTÉ. Ce mois marque l'arrivée de la planète Mars dans un secteur délicat de votre ciel. Ce transit, qui durera jusqu'au 11 mai, risque de vous valoir divers désagréments. Afin de le contrer, redoublez de prudence pour ne pas vous blesser et soignez vos petits bobos. L'idéal serait d'adopter sans tarder une attitude préventive.

SENTIMENTS. Vous avez l'impression qu'un proche manque de transparence, voire qu'il vous cache quelque chose, mais avec votre flair aiguisé vous aurez tôt fait de mettre au jour ses cachotteries. D'autres tensions sur le plan intime risquent également de se produire en ce mois. Heureusement que vos amis demeurent présents, leur gentillesse et leur appui vous toucheront à maintes reprises.

AFFAIRES. La malléabilité et la résilience demeurent vos meilleurs atouts. Il est encore trop tôt pour vous révolter, claquer la porte ou vous dresser contre l'autorité. Tenez le coup, les choses iront mieux prochainement. En attendant, il serait sage de vous protéger contre les dégâts et les pertes de toutes sortes.

# Mai

| DIM | LUN | MAR | MER | JEU | VEN | SAM |
|-----|-----|-----|-----|-----|-----|-----|
|     |     |     |     |     | 1   | 2   |
| 3 ○ | 4   | 5   | 6   | 7   | 8   | 9   |
| 10 D | 11 D | 12 F | 13 F | 14 | 15 | 16 |
| 17 ● | 18 | 19 | 20 | 21 F | 22 F | 23 D |
| 24 D / 31 | 25 | 26 | 27 | 28 | 29 | 30 |

| F  Jour favorable | | | D  Jour difficile | | |
|---|---|---|---|---|---|
| ○  Pleine lune | | | ●  Nouvelle lune | | |

SANTÉ. Dès le 11, le climat s'allégera considérablement : la planète Mars, de même que les dangers de défaillances et d'accidents, cesseront de vous menacer. Vous trouverez des solutions à vos ennuis, ce qui augmentera sensiblement vos réserves énergétiques. Bonne période, donc, pour vous attaquer à ce qui accrochait, recouvrer la santé et repartir du bon pied.

SENTIMENTS. Entre le 7 mai et le 5 juin, vous bénéficierez du passage de Vénus dans votre neuvième secteur. Vous renouerez alors avec vos copains et pourrez même vous en faire de nouveaux. La vie sociale repartira en grand, vous ne vous en plaindrez certes pas. À l'intérieur des couples, l'heure sera à la réconciliation, tandis qu'une amitié amoureuse pourrait transformer l'existence des célibataires.

AFFAIRES. Ce n'est pas le temps d'imposer votre point de vue ou de partir en guerre. Mieux vaut vous faire discret en attendant que le ciel se dégage le 11 ; vous pourrez alors effectuer les changements dont vous avez envie. Une réparation, une contravention ou une réclamation du gouvernement vous obligent à débourser une somme que vous n'aviez pas prévue.

SCORPION

# Juin

| DIM | LUN | MAR | MER | JEU | VEN | SAM |
|-----|-----|-----|-----|-----|-----|-----|
| | 1 | 2 ○ | 3 | 4 | 5 | 6 D |
| 7 D | 8 F | 9 F | 10 | 11 | 12 | 13 |
| 14 | 15 | 16 ● | 17 F | 18 F | 19 D | 20 D |
| 21 | 22 | 23 | 24 | 25 | 26 | 27 |
| 28 | 29 | 30 | | | | |

| F Jour favorable | | D Jour difficile | |
|------------------|--|------------------|--|
| ○ Pleine lune | | ● Nouvelle lune | |

SANTÉ. La remontée physique et psychologique se poursuit de plus belle. Vous jouissez d'une énergie renouvelée ; la motivation et l'entrain ne fléchissent pas. Ce mois serait idéal pour entreprendre un programme d'exercices ou tout simplement pour passer plus de temps à l'extérieur. Le sport, la danse et la randonnée vous feraient le plus grand bien.

SENTIMENTS. Vous continuez à bénéficier de l'appui de Vénus jusqu'au 5. Que ce soit en société ou en privé, vous éprouverez d'énormes satisfactions. Par après, vous devrez mettre un peu d'eau dans votre vin si vous souhaitez conserver l'harmonie. Attention à un membre de la famille qui pourrait chercher à vous marcher sur les pieds ; si vous embarquez dans son jeu, ça risque de dégénérer.

AFFAIRES. Voilà un domaine où l'amélioration de votre sort devient particulièrement évidente. Vous reprenez le contrôle de votre vie et pourrez enfin apporter les correctifs nécessaires au redressement de votre situation. Bonne période pour vous faire valoir, vendre vos services, décrocher un nouveau poste, une promotion ou un contrat lucratif.

# Juillet

| DIM | LUN | MAR | MER | JEU | VEN | SAM |
|-----|-----|-----|-----|-----|-----|-----|
|  |  |  | 1 ○ | 2 | 3 D | 4 D |
| 5 F | 6 F | 7 | 8 | 9 | 10 | 11 |
| 12 | 13 | 14 F | 15 ● F | 16 D | 17 D | 18 D |
| 19 | 20 | 21 | 22 | 23 | 24 | 25 |
| 26 | 27 | 28 | 29 | 30 | 31 ○ D |  |

| F  Jour favorable | | D  Jour difficile | |
|-----|-----|-----|-----|
| ○  Pleine lune | | ●  Nouvelle lune | |

SANTÉ. Saturne fait une brève réapparition, mais cette fois, Mars est là pour vous protéger. C'est donc dire que si vous y mettez un peu du vôtre, vous pourrez non seulement demeurer à l'abri des contretemps, mais aussi faire d'énormes progrès. Pas de doute possible, c'est le moment d'investir dans votre bien-être moral et physique, puisque les résultats seront extraordinaires.

SENTIMENTS. Si le mois commence sous le thème de la confrontation, l'atmosphère devrait changer durant la seconde quinzaine. Votre entourage se montrera mieux disposé, et vous pourrez enfin vous mettre d'accord sur une foule de choses qui accrochaient. La vie sociale redémarrera, vous rencontrerez de nouvelles personnes et reprendrez contact avec vos amis. Même les relations familiales se font moins lourdes.

AFFAIRES. Vous avez le vent dans les voiles. Tous les efforts que vous déploierez en vue d'améliorer votre situation financière ou professionnelle seront couronnés de succès. Bonne période pour les négociations et les transactions immobilières ou autres, à la condition que vous pesiez bien le pour et le contre. Et surtout pas de coups de tête !

SCORPION

275

# Août

| DIM | LUN | MAR | MER | JEU | VEN | SAM |
|:---:|:---:|:---:|:---:|:---:|:---:|:---:|
|  |  |  |  |  |  | 1 D |
| 2 F | 3 F | 4 | 5 | 6 | 7 | 8 |
| 9 | 10 F | 11 F | 12 | 13 D | 14 ● D | 15 |
| 16 | 17 | 18 | 19 | 20 | 21 | 22 |
| 23 / 30 F | 24 / 31 | 25 | 26 | 27 D | 28 D | 29 ○ F |

| F Jour favorable | | D Jour difficile | |
|:---:|:---:|:---:|:---:|
| ○ Pleine lune | | ● Nouvelle lune | |

SANTÉ. À partir du 8, vous subirez les conséquences du carré de Mars dans votre signe. En plus de vous démotiver, ce transit vous prédispose aux accidents ainsi qu'aux malaises de toutes sortes. Avec Saturne dans le portrait, c'est le creux de la vague ; prenez donc les moyens nécessaires pour rester à l'abri des ennuis. Misez sur la prévention !

SENTIMENTS. Il n'y a pas que Mars et Saturne qui déstabilisent votre signe entre le 8 et le 31 : Vénus se met également de la partie, ce qui pourrait rendre vos relations interpersonnelles particulièrement épineuses. Vous devrez marcher sur des œufs et composer avec les sautes d'humeur de votre entourage, sans quoi la guerre risque d'éclater. Un ami vous accueille à bras ouverts et vous donne un conseil fort pertinent.

AFFAIRES. Agissez sans tarder lors de la première semaine, car, vous l'aurez deviné, les perturbations planétaires se feront sentir ici aussi, et vous n'y pourrez pas grand-chose. Prenez votre mal en patience et demeurez souple en toute situation, ça vous aidera à mieux fonctionner en attendant que ne passe l'orage. Gare aux actions irréfléchies et à la négligence tant avec le budget qu'au boulot !

# Septembre

| DIM | LUN | MAR | MER | JEU | VEN | SAM |
|---|---|---|---|---|---|---|
|  |  | 1 | 2 | 3 | 4 | 5 |
| 6 | 7 F | 8 F | 9 D | 10 D | 11 | 12 |
| 13  | 14 | 15 | 16 | 17 | 18 | 19 |
| 20 | 21 | 22 | 23 | 24 D | 25 D | 26 F |
| 27 ○ F | 28 | 29 | 30 |  |  |  |

| F  Jour favorable | D  Jour difficile |
|---|---|
| ○  Pleine lune et éclipse lunaire totale | ●  Nouvelle lune et éclipse solaire partielle |

SANTÉ. Les éclipses et le transit de Mars qui perdure risquent de compromettre votre bien-être si vous ne prenez pas les moyens qui s'imposent avant le 24. Demeurez vigilant dans vos déplacements et lorsque vous manipulez des substances ou objets avec lesquels vous pourriez vous blesser. Renforcez vos défenses immunitaires et n'hésitez pas à prendre le repos nécessaire.

SENTIMENTS. En plus d'avoir des relations tendues avec la famille, vous vous faites du mauvais sang pour un parent. Si tout le monde unissait ses efforts au lieu de semer la zizanie, ce serait tellement plus simple ! Au moins, la générosité de vos amis devrait vous procurer davantage de satisfactions. Plusieurs sorties sont à prévoir, et l'une d'entre elles pourrait permettre aux solitaires de croiser quelqu'un de bien sympathique.

AFFAIRES. Les trois premières semaines risquent encore d'être décevantes. Des retards, des frustrations, des dépenses imprévues vous accablent. Heureusement, à partir du 24, vous recevrez de bonnes nouvelles et vous accueillerez avec le plus grand soulagement le dénouement positif d'une impasse. Enfin, le vent s'apprête à tourner !

# Octobre

| DIM | LUN | MAR | MER | JEU | VEN | SAM |
|---|---|---|---|---|---|---|
|  |  |  | 1 | 2 | 3 |  |
|  |  |  | 1 | 2 | 3 | |
| 4 F | 5 F | 6 D | 7 D | 8 | 9 | 10 |
| 11 | 12 ● | 13 | 14 | 15 | 16 | 17 |
| 18 | 19 | 20 | 21 D | 22 D | 23 F | 24 F |
| 25 | 26 | 27 ○ | 28 | 29 | 30 | 31 F |

| F Jour favorable | | D Jour difficile | |
|---|---|---|---|
| ○ Pleine lune | | ● Nouvelle lune | |

SANTÉ. Aucune dissonance planétaire en ce mois, quel soulagement ! Vous avez désormais tout ce qu'il faut pour régler vos ennuis une fois pour toutes et repartir du bon pied. Vous vous sentez beaucoup plus solide, ce qui vous donne envie de mordre dans la vie à belles dents. Bravo ! Bon mois pour une remise en beauté ou pour actualiser votre look.

SENTIMENTS. Le moment est venu de faire la paix avec certaines personnes ; la décision finale vous appartient. Écoutez votre intuition et vous vous libérerez ainsi d'un gros fardeau. Même chose à l'intérieur de votre couple : en discutant avec votre chéri, vous pourrez vous mettre d'accord sur une foule de petits détails qui accrochaient. Et, si vous êtes seul, vous êtes parfaitement en droit de vous attendre à une belle surprise, surtout avec la tonne d'invitations qui s'en viennent.

AFFAIRES. Ici aussi, le mouvement des astres vous favorise. Les gestes que vous ferez afin de redresser votre situation donneront des résultats concrets. On apprécie davantage vos qualités et on reconnaît enfin votre valeur. Les démarches, les règlements de conflits et les déplacements sont d'autres secteurs où votre potentiel de réussite est élevé. La chance vous sourit, alors n'oubliez pas votre billet de loterie !

# Novembre

| DIM | LUN | MAR | MER | JEU | VEN | SAM |
|-----|-----|-----|-----|-----|-----|-----|
| 1 F | 2 D | 3 D | 4 D | 5 | 6 | 7 |
| 8 | 9 | 10 | 11 ● | 12 | 13 | 14 |
| 15 | 16 | 17 D | 18 D | 19 F | 20 F | 21 |
| 22 | 23 | 24 | 25 ○ | 26 | 27 | 28 F |
| 29 F | 30 D | | | | | |

| F  Jour favorable | | D  Jour difficile | |
|------------------|---|-------------------|---|
| ○  Pleine lune | | ●  Nouvelle lune | |

SANTÉ. Ça va de mieux en mieux. Le moral comme le physique semblent beaucoup plus résistants et vous avez désormais les atouts nécessaires pour maximiser votre bonne forme. La première quinzaine serait excellente pour adopter une meilleure hygiène de vie, faire davantage d'exercice ou vous mettre au régime.

SENTIMENTS. La communication avec vos proches continue de s'améliorer. Vous trouvez les mots justes et choisissez le moment opportun pour exprimer ce que vous avez sur le cœur. Les résultats sont magiques ! Les invitations, les activités entraînantes et les sorties vous procurent de nombreuses occasions de vous divertir et de croiser des gens sympathiques. Les célibataires pourraient d'ailleurs rencontrer l'amour.

AFFAIRES. Jusqu'au 12, la brillance de vos interventions et l'ingéniosité de vos idées vous permettent de faire un grand pas en avant. Vous marquez des points lorsqu'il faut participer à un concours ou chercher du boulot. Bref, vous avez une attitude gagnante, ce qui se traduit par une nette progression de votre situation et même par une petite surprise au jeu.

SCORPION

# Décembre

| DIM | LUN | MAR | MER | JEU | VEN | SAM |
|-----|-----|-----|-----|-----|-----|-----|
|     |     | 1 D | 2 | 3 | 4 | 5 |
| 6 | 7 | 8 | 9 | 10 | 11 ● | 12 |
| 13 | 14 D | 15 D | 16 | 17 F | 18 F | 19 |
| 20 | 21 | 22 | 23 | 24 | 25 ○ F | 26 F |
| 27 D | 28 D | 29 | 30 | 31 | | |

| F  Jour favorable | | D  Jour difficile | |
|----|----|----|----|
| ○  Pleine lune | | ●  Nouvelle lune | |

SANTÉ. Sur le plan psychologique, vous traverserez une phase d'aplomb remarquable à compter du 9. Vous verrez clair en vous, vous prendrez de sages décisions et votre philosophie de vie sera empreinte d'une bonne dose de positivisme, tout en demeurant réaliste. Du côté physique, vous avez tous les atouts en main, mais on dirait que vous ne vous en servez pas et que vous tombez dans le piège de la facilité.

SENTIMENTS. Vos relations interpersonnelles se portent de mieux en mieux. Vous avez le goût de voir du monde et ça tombe bien, puisque les possibilités de sorties ne cessent de se multiplier. Vos amis et les nouvelles connaissances que vous ferez sont fascinés par votre brillante personnalité. Dans votre vie intime, c'est entre le 4 et le 30 que vous vivrez les moments les plus doux.

AFFAIRES. Vous faites le point pendant les dix premiers jours. Une fois votre réflexion terminée, vous bondirez vers de nouveaux horizons. Toutes les chances sont de votre côté, et vous ne pourrez que vous féliciter de votre décision. Les finances se mettront elles aussi à remonter. Bonne période également pour les voyages, les démarches et les pourparlers.

# SAGITTAIRE

## DU 23 NOVEMBRE AU 20 DÉCEMBRE

**J**upiter, la planète de l'abondance, joue un rôle crucial dans votre vie, et toute votre personnalité en est fortement influencée. Seriez-vous le plus chanceux du zodiaque ? Tout porte à le croire.

Votre optimisme et votre bonne humeur légendaires contribuent à cette chance. Si vous sentez la tristesse et la mélancolie vous envahir, vous ne vous laissez pas abattre. Rapidement, vous y trouvez un remède : sortir, mettre le nez dehors. Pour vous, ne pas rester enfermé est la meilleure des solutions, le plus puissant des toniques. On se demande même pourquoi vous avez un domicile ; on ne vous y trouve jamais !

Vous ne pouvez pas rester en place. Demeurer à l'intérieur vous fait dépérir. Que ce soit pour faire une course au dépanneur du coin, pour aller voir une vieille connaissance à l'autre bout de la ville ou vous promener sur les canaux de Venise, vous devez sortir de chez vous. Vous êtes un fanatique des voyages, les tampons de votre passeport le prouvent. Et, bien sûr, plus c'est loin, plus vous êtes aux anges. Vivre dans vos valises ne vous fait absolument pas peur, au contraire, c'est ce que vous appréciez le plus.

Découvrir de nouvelles coutumes, le folklore régional, la cuisine et, surtout, les habitants des quatre coins du monde, voilà ce qui vous attire. Il ne serait pas étonnant que votre partenaire soit d'origine étrangère. Il se pourrait que vous ayez plusieurs amis en Nouvelle-Zélande ou au fin fond de la Mandchourie, que vous n'hésiterez d'ailleurs pas à aller voir, malgré les milliers de kilomètres qui vous séparent. Vous avez besoin de changement, de renouveau, et les voyages vous en fournissent une bonne dose. Vous êtes toujours entre deux avions, et vos proches s'en plaignent parfois, car ils n'arrivent pas à vous voir... à moins de se mettre à fréquenter assidûment les aéroports. Le symbole de votre signe est le centaure, mais au lieu d'un arc et de flèches, il pourrait porter des valises et avoir des billets d'avion à la main ! À la maison, les pays que vous avez visités ou que vous aimeriez connaître occupent une grande place dans votre décor. Vous collectionnez les bibelots, les tapis, les toiles représentant toutes ces contrées lointaines.

Mais le voyage n'est pas votre unique passion, vous en avez d'autres, qui demandent elles aussi beaucoup d'énergie : le sport, les jeux de hasard, le magasinage et surtout la danse sont pour vous d'excellents moyens de dépenser votre énergie... tout en sortant. Vous passeriez des nuits entières dans les boîtes de nuit à la mode, à vous trémousser sur la piste.

Votre trait de caractère le plus marquant est votre redoutable besoin d'indépendance. Vous devez vous sentir libre, être autonome, ne pas dépendre de qui que ce soit et aller où bon vous semble, sans avoir de comptes à rendre. Votre conjoint devra s'y faire. S'il tente de vous retenir dans les mailles de son filet, de vous garder tout à lui, le beau cheval fougueux qui vous représente ouvrira vite la porte de son écurie dorée. Évidemment, cela rend vos relations sentimentales un peu difficiles, surtout au début puisque votre conjoint n'a pas encore appris à bien vous connaître. En fait, pour vous garder, il faut savoir vous laisser partir...

Vous aimez les grands espaces, la nature et la campagne. Vous vous sentez très attiré par les animaux: chats, chiens, perroquets, chevaux. Vous vous entourez d'une véritable ménagerie. Le problème est de trouver quelqu'un pour garder tous vos pensionnaires lorsque vous décidez de lever les voiles pour quelque temps.

Vous êtes régi par la planète de l'abondance, et votre physique reflète bien cette influence. Votre stature est imposante, vous vous exprimez avec éloquence et par de grands gestes, et vous avez une légère prédisposition à l'embonpoint. De toute façon, on ne peut pas vous rater. Vous êtes de ceux qui apprécient les plaisirs de la vie, en particulier ceux de la table.

Franc et direct, vous n'aimez pas faire de chichi ni mettre de gants blancs pour donner votre opinion. Le problème est que tout le monde n'est pas comme vous et que certains se sentiront blessés par vos propos parfois peu diplomates. Avec vous, c'est à prendre ou à laisser... et cela fait grincer des dents certaines gens. Par contre, une fois qu'on vous connaît, c'est votre nature généreuse et votre cordialité qu'on remarque.

Vous brassez de grandes idées mais, en même temps, vous réussissez généralement à bien vous adapter au système et à vous créer une existence confortable, quitte à mener de front deux activités.

Comme vous êtes une personne chanceuse, il vous arrive souvent d'être sauvé par la cloche, c'est-à-dire que tout vous arrive à point nommé : un chèque substantiel, un contrat lucratif ou un gain viennent vous renflouer.

## Comment se comporter avec un Sagittaire ?

Il ne faut surtout pas brimer sa liberté ; s'il se sent enfermé ou attaché, il ne pourra pas le supporter et se sauvera. Même chose s'il sent que vous vous accrochez à lui : il prendra la poudre d'escampette. Donc, pour bien vous entendre avec un natif de ce signe, vous devez comprendre son besoin d'indépendance, son goût de liberté. Le laisser sortir, voyager à sa guise est une excellente façon de vous assurer qu'il vous reviendra...

Lors d'une discussion, il ne faut pas tergiverser avec lui. Allez droit au but, mais sans l'affronter directement ; il n'aime pas être contredit de manière trop radicale. Lui, de son côté, ne mâchera pas ses mots ; la diplomatie et le Sagittaire sont bien éloignés l'un de l'autre. Par contre, c'est un être très volubile. Si vous avez quelque chose à dire, dites-le vite, car après vous ne pourrez plus placer un mot. C'est un vrai moulin à paroles. Ou alors... il sera déjà parti !

Le Sagittaire discute sans écouter. Il fait presque un monologue. Armez-vous de patience pour le convaincre. En fait, vous devrez sans aucun doute rabâcher souvent les mêmes choses pour qu'il finisse par y porter attention. Le mieux est de lui faire croire que l'idée vient de lui ; dans ce cas, il dissertera longtemps sur le sujet, et vous n'aurez qu'à vous laisser convaincre... Mais attention, si vous vous rangez trop vite de son côté, il trouvera votre attitude suspecte. Il n'aime pas gagner sans combattre.

C'est un être essentiellement actif, qui ne reste jamais en place, qui a un besoin presque viscéral de bouger. S'il vous propose une sortie, acceptez... il serait bien capable de vous laisser seul à la maison et de sortir quand même. Par contre, si vous décidez de sortir seul, il n'y verra probablement aucun inconvénient, car il a besoin de se sentir libre. Il est indépendant dans l'âme.

S'il vous propose un voyage à l'autre bout du monde, n'hésitez pas à l'accompagner ; il a besoin de quelqu'un pour bien fonctionner dans ses pérégrinations. Et s'il désire partir seul, laissez-le faire ; il aime bien s'ennuyer un peu des êtres chers, à condition que ce soit lui qui parte.

Donc, si vous croisez la route d'un Sagittaire, mettez de bonnes chaussures de marche, gardez votre passeport valide sous la main et soyez prêt à le suivre. Soyez aussi prêt à l'attendre. Il a besoin de votre patience et de votre confiance, parce qu'il en manque terriblement.

## Ses goûts

Immanquablement, il sera fasciné par tout ce qui vient de loin, ce qui est exotique, ce qui sort de l'ordinaire. Généralement, il croit que c'est toujours plus beau dans le jardin du voisin ; il aimerait bien aller y jeter un coup d'œil.

Lorsqu'il part, ce n'est pas pour aller dans la ville voisine ; les destinations peu connues, les contrées inexplorées sont de nouveaux mondes à découvrir pour lui. Et ses bagages regorgeront vite de souvenirs achetés dans un souk du Moyen-Orient, d'armes de chasse ramenées d'Amazonie, de chants pygmées enregistrés sur bandes magnétiques et de recettes typiques de Papouasie–Nouvelle-Guinée. Évidemment, il fera aussi une razzia dans les boutiques des pays qu'il parcourt ; alors vous devez vous attendre à le voir avec une chemise tibétaine, des bijoux gigantesques, des pantalons hindous très amples, bref, des articles fort peu adaptés à nos conditions météo-rologiques, mais dans lesquels notre Sagittaire se sent parfaitement à l'aise.

Son intérieur est, bien entendu, à l'avenant. Les objets qui décorent sa demeure viennent des quatre coins du monde : meubles de bambous d'artisans népalais côtoyant des faïences de Quimper, estampes japonaises surmontant des tapis persans... On a l'impression de faire le tour de la planète en quelques secondes. Et devinez ce qu'on trouve dans son assiette ? Des tacos, des sushis, du couscous, de la paella, le fameux haggis écossais (panse de brebis farcie), de tout sauf du bon vieux pâté chinois. Et les portions sont généreuses ! Si vous l'invitez, n'hésitez pas une seconde à lui offrir des mets exotiques. Les vins et les alcools importés, le saké, l'ouzo, toutes ces boissons qui viennent d'ailleurs sont pour lui de véritables nectars... et il en redemandera. Pour terminer la soirée, si vous l'invitez à danser – évidemment, ce sera la salsa –, notre Sagittaire sera aux anges.

## Son potentiel

Comme il a constamment la bougeotte, il sera un formidable agent de voyages ou un guide touristique passionnant. L'import-export, les relations extérieures, la représentation de commerce et toutes les professions qui l'obligent à se déplacer, comme astronaute, agent de bord ou conducteur d'autobus, lui conviennent. Le gouvernement, la politique, la philosophie, la sociologie, les automobiles, la justice, l'élevage et le commerce de produits d'origine animale, le transport de personnes ou de marchandises sont d'autres sphères d'activité où il fera certainement ses preuves, car cela demande de bonnes connaissances et une grande soif d'apprendre. Si vous voulez faire dépérir un Sagittaire, vous n'avez qu'à lui offrir un travail de bureau ou de machiniste sur une chaîne de montage ; il fera une dépression à coup sûr.

## Ses loisirs

Au moindre petit congé, le voilà sautant dans un avion pour visiter des pays inconnus ou au volant de son véhicule tout-terrain dans les chemins cahoteux du fin fond de la Côte-Nord ou du

Labrador. Il ne peut rester bien longtemps à la maison et il n'hésitera pas à sortir pour un oui ou pour un non, même si ce n'est que pour aller chercher du pain au coin de la rue. Notre Sagittaire aime parcourir les rues à la recherche d'une bonne aubaine. Si vous voulez magasiner avec un natif de ce signe, armez-vous de patience et enfilez votre meilleure paire de chaussures de marche, car, avec lui, une courte visite au magasin peut se transformer en excursion d'une journée. Le Sagittaire est un être actif, qui doit dépenser son énergie ; il excelle donc dans le sport. Il adore aussi la danse et a le rythme dans le corps. Passionné de la vie animale, il est intrigué et intéressé par tous les animaux, de la fourmi au gigantesque dragon de Komodo. S'il peut aller les voir évoluer dans leur habitat naturel, il est encore plus heureux. Il passera des heures en compagnie de ses animaux. Exploiter un élevage d'autruches ou simplement promener son chien, tout est prétexte à sortir, à exprimer son goût de la liberté.

Comme il est curieux, il demeure sur le qui-vive et cherche sans cesse à améliorer ses connaissances. Il peut donc décider de suivre des cours universitaires sur des sujets peu orthodoxes ; pour lui, c'est une autre façon d'élargir ses horizons.

## Sa décoration

Il n'hésite pas à ramener des objets parfois bien hétéroclites de ses nombreuses expéditions de par le monde. Avec lui, il faut s'attendre à tout. Son intérieur peut ressembler à une véritable caverne d'Ali Baba : un tapis du Pakistan, de la vaisselle de l'île de Crète, des peintures éclatantes des Antilles... Même son conjoint peut venir de l'étranger ! Et comme le natif de ce signe est une personne de goût, tous ces objets de différentes origines donnent beaucoup de chaleur à son intérieur et s'harmonisent parfaitement bien entre eux. Notre Sagittaire est un citoyen du monde et il l'affiche. Son logis est invitant ; on peut y rester des heures à tout observer de près. Le dépaysement y est garanti. Et pour parfaire l'impression, il vous offrira sans doute un café turc, du saké ou une bonne grappa.

## Son budget

À quoi bon tenir un budget ? Telle pourrait être la devise d'un bon Sagittaire. Il se débrouille très bien sans aligner de colonnes de chiffres. Jupiter, la planète qui régit ce signe, est celle de l'abondance ; il ne manque jamais de rien. Il a beau être dans une impasse sur le plan financier, il y a toujours quelque chose qui lui tombe du ciel pour le sauver : un nouvel emploi, un contrat, une petite prime, qui sait ? Il attache peu d'importance à la vie matérielle, et l'argent ne semble pas au cœur de ses préoccupations. Il préfère s'accorder les plaisirs qui le tentent, y compris les sorties et les voyages, sans considérer l'aspect financier. Quant au travail, il est relativement chanceux ; il n'en manque jamais longtemps. Il a même un certain flair pour les bonnes affaires, pour faire fructifier son argent ou pour en gagner rapidement. Même s'il n'achète qu'un billet de loterie par année, il gagnera plus souvent qu'un autre qui participe à chaque tirage. L'argent lui tombe entre les mains, même s'il s'en préoccupe fort peu. C'est peut-être grâce à cela, justement !

## Quel cadeau lui offrir ?

Des billets d'avion ou une croisière sont le cadeau idéal ; mais si votre budget ne vous permet pas de lui offrir un tel présent, vous pouvez lui donner un objet exotique d'un pays qu'il n'a pas encore visité, ou des billets pour un film des *Grands Explorateurs*... il en sera ravi.

Si vous partez vous-même dans un pays lointain, pensez donc à lui rapporter un souvenir. Même une bagatelle, si elle a fait du chemin, lui fera beaucoup plus plaisir qu'un objet coûteux qu'il verra dans tous les magasins de la ville.

Si vous optez pour un livre, regardez du côté des récits de voyages, des guides sur des contrées qu'il n'a pas encore découvertes. Comme c'est un amateur de sport, un accessoire pour son vélo sera apprécié, tout comme des DVD ou des disques compacts de musique de danse. Et pourquoi pas un petit animal de compagnie, s'il n'en a pas encore ?

## Les enfants Sagittaire

Jouflus et potelés, ce sont de vrais chérubins. Ils affichent toujours un air satisfait, mais ils ont constamment faim. Ce sont de petits êtres dynamiques. Ils sont bien difficiles à suivre ou à contenir. Attention, ils sont fascinés par le feu ; ne laissez pas d'allumettes ou de briquets à portée de leurs petites mains fouineuses. Ils adorent les animaux, et votre foyer risque de ressembler très vite à une ménagerie : chiens, chats, lapins, souris blanches, iguanes, furets, et j'en passe. Ils adopteront probablement tous les animaux errants des alentours et vous les ramèneront à la maison sans vous avertir. Demander la permission ne leur viendra sûrement pas à l'idée.

Du côté des sports, ils aiment la compétition. Du tricycle à la trottinette, de la planche à roulettes aux patins à roues alignées, ils chercheront des moyens qui les aideront à se déplacer plus vite et plus loin. Un jour, ils finiront par vous demander une voiture.

Comme ils adorent la danse, ils passeront sûrement leurs soirées de fin de semaine dans les discothèques de la région. Très jeunes, ils ont déjà un bon groupe d'amis, et vous ne les verrez pas souvent, à moins qu'ils ne ramènent toute la bande dîner chez vous, sans vous prévenir, évidemment.

Le bambin Sagittaire déborde de vitalité et d'initiative, mais il serait bon de lui apprendre à respecter un peu les autres – à commencer par ses propres parents – et à écouter davantage. Ces enfants ont tendance à ne pas penser aux autres ; ce n'est pas qu'ils soient égoïstes, cela ne leur vient pas à l'idée, tout simplement. Il faudra donc leur apprendre à prêter attention aux autres, et plus tard vous verrez que ces beaux principes ne seront pas tombés dans l'oreille d'un sourd.

## L'ado Sagittaire

Tu ne peux rester en place plus de cinq minutes d'affilée. C'est vrai qu'il y a tellement de choses à réaliser, de gens à voir, de découvertes à faire qu'il serait aberrant de rester entre les quatre murs de ta maison. En fait, le seul endroit où tu n'es à peu près jamais, c'est chez toi.

Impulsif et honnête, tu as un franc-parler qui n'est pas toujours apprécié de ton entourage. Ta loyauté est exemplaire. Ton grand défaut est cependant ton manque de discipline : il est impossible de t'enfermer pour te forcer à faire quelque chose, que ce soit pour étudier ou simplement pour faire plaisir à tes parents. Tu es tellement indépendant et autonome que tu ne sembles avoir besoin de personne. Tu es très individualiste : tu as tes goûts et tes idées, et tu n'en changes pas facilement.

Tu adores découvrir des endroits que tu ne connais pas, rencontrer des gens, communiquer avec le plus de personnes possible. Tu es très attiré par les grands espaces et la nature ; partir en camping dans des endroits sauvages et reculés ne te fait vraiment pas peur. D'ailleurs, tu rêves de voyager, de rencontrer des gens différents, de découvrir d'autres cultures. Ta devise pourrait être « les voyages forment la jeunesse », et dès que tu en auras l'occasion, tu voudras sauter dans le premier avion pour un pays lointain. Tu aimes le sport et la danse, ce qui te permet de brûler ton énergie... tu en as tellement.

En général, tu te débrouilles bien. Tu es quelqu'un de chanceux qui a une attitude positive face à la vie et aux événements ; pas grand-chose ne peut te démonter. Tu sais toujours te tirer des situations les plus étranges haut la main.

Indépendant de nature, tu n'aimes pas attendre après les autres. Non seulement tu ne les attends pas, mais tu ne les écoutes pas non plus ; on risque de te le reprocher. Alors, même si tu aimes communiquer avec les autres, fais attention de ne pas imposer tes idées sans écouter celles de tes amis ou des étrangers qui croiseront ta route.

### Tes études

Tu as beaucoup de facilité pour apprendre, et comme tu as aussi une ambition plutôt démesurée, tu peux réussir presque tout ce que tu entreprends. Par contre, concentre-toi sur un seul but à la fois, car ta petite tendance à vouloir tout faire en même temps et quand tu en as envie pourrait te causer quelques problèmes. Tu as réponse à tout et tu adores discourir sur n'importe quel sujet, ce qui te permet de te faire remarquer. Tu aimes attirer l'attention. Tu as horreur de ne pas être le centre d'intérêt. Ta facilité à parler dérange les autres, tes amis, tes professeurs, car si la parole te vient à propos, écouter n'est pas toujours ton fort. Et en plus, tu aimes rire, alors tu prends énormément de place. Et si, par le plus grand des hasards, tu es en classe alors que le soleil brille joyeusement, il devient presque impossible de te garder sagement assis à écouter...

### Ton orientation

Tout t'intéresse. Cela devient un réel problème, car tu n'arrives pas à choisir un domaine précis ; tes champs d'intérêt varient au gré de tes humeurs et de tes découvertes. Fixe-toi un objectif, même s'il est très ambitieux, puis accroche-toi. Puisque tu es naturellement doué, si tu persistes, tu réussiras mieux que beaucoup d'autres. Évidemment, si l'on t'offre un emploi routinier et monotone, ça n'ira pas. Il te faut du mouvement, du monde autour de toi, des défis pour te stimuler. Un domaine qui te conviendrait bien est celui des voyages, que ce soit en tant qu'agent de bord, capitaine de bateau ou commandant de bord. Tu seras aussi excellent dans l'import-export et les échanges commerciaux en général, la promotion, la publicité, les communications, les relations publiques, les finances, le journalisme, la philosophie, les sports, les soins vétérinaires, l'agriculture, l'élevage, ainsi que tous les emplois qui demandent des déplacements fréquents.

### Tes rapports avec les autres

Chaleureux et sociable comme tu l'es, tu ne manques certes pas d'amis, et bien souvent tu es le leader d'un petit groupe. Tu proposes les activités, décides des sorties, et comme tu as beaucoup d'idées et que tu aimes bouger, les gens te suivent sans protester. Tu as beaucoup de copains et l'on recherche ta compagnie, car ta bonne humeur est contagieuse, ainsi que ton entrain et ta vivacité. Pas le temps de déprimer avec toi. Malgré tout, tu aimes bien t'isoler parfois, pour faire les choses par toi-même et à ta façon, histoire de bien démontrer que tu es une personne autonome.

# LE SAGITTAIRE DANS LA CUISINE

### Votre façon de cuisiner

On ne peut pas dire que vous raffolez de la cuisine, vous avez toujours tant de choses plus intéressantes à faire. Pour cette raison, vous adoptez souvent la cuisine rapide ou les plats préparés.

Toutefois, votre signe gouverne la fête et l'abondance, et lorsque l'envie vous prend de concocter quelque chose, le résultat est souvent très intéressant. L'exotisme et les cuisines étrangères vous fascinent. Vous servez des portions généreuses, à votre image.

### Vous adorez :

- innover et mêler des saveurs orientales et occidentales ;
- les plats qui sortent de l'ordinaire, mais qui ont en même temps l'avantage de se préparer facilement ;
- les grillades, le rôtissage et, bien sûr, le barbecue ;
- prendre un verre tout en cuisinant. Pourquoi pas ?

### CE QUE LA NATUROPATHE VOUS SUGGÈRE

- Modérez votre consommation de fritures ; votre foie, votre silhouette ainsi que votre santé en général en bénéficieraient.
- Réduisez un peu vos portions.
- Efforcez-vous de vous détendre et de prendre le temps de manger calmement, et évitez de faire autre chose en même temps.

# ILS SONT SAGITTAIRE EUX AUSSI

Christina Aguilera, Marie-Louise Arsenault, Tyra Banks, Sébastien Benoit, Jocelyne Cazin, Nicola Ciccone, Marc-André Coallier, Michel Courtemanche, Clémence DesRochers, Walt Disney, Simon Durivage, Varda Étienne, Brendan Fraser, André-Philippe Gagnon, Nathalie Gascon, Teri Hatcher, Felicity Huffman, Marie Laberge, Jean Lapointe, Diane Lavallée, Laurence Lebœuf, Bruce Lee, Macha Limonchik, Kent Nagano, Kevin Parent, Fred Pellerin, Brad Pitt, Marie-Claude Savard, Frank Sinatra, Britney Spears, Hugo St-Cyr, Karine Vanasse.

### Pensée positive pour le Sagittaire

Je vais où la vie m'appelle, sachant que l'univers s'apprête à me combler.
Je déborde de reconnaissance pour toute la chance dont je dispose.

### Pensée positive spéciale pour 2015

Je ralentis ma course pour bien analyser chaque situation.
J'agis après mûre réflexion, ce qui ouvre la porte au bonheur et à la réussite.

*Le subconscient nous dirige toujours selon nos pensées. En répétant le plus souvent possible ces pensées conçues tout spécialement pour vous, vous vous attirerez plein de belles choses.*

### Outils pour transformer votre destinée

- Ne confondez pas routine et ennui. Il y a moyen d'apprécier le quotidien et même d'y mettre du piquant, au lieu de tout envoyer promener.
- Arrêtez-vous pour écouter l'autre ; vous bougez, vous parlez sans arrêt, pourtant on apprend davantage en écoutant.
- Apprivoisez le calme et le silence plutôt que de vous étourdir dans le mouvement et dans le bruit.

**Signe :** Sagittaire

**Élément :** Feu

**Catégorie :** Mutable

**Symbole :** ♐

**Points sensibles :** Hanches, cuisses, reins, troubles musculaires, crampes, obésité. Ils ont les plus belles jambes du zodiaque.

**Planète maîtresse :** Jupiter, planète de l'abondance.

**Pierres précieuses :** Turquoise, grenat, saphir.

**Couleurs :** Crème, beige, brun, orange.

**Fleurs :** Amarante, violette et narcisse.

**Chiffres chanceux :** 8-9-12-18-23-27-35-36-44-45... et tous les autres. Ils ont tellement de veine !

**Qualités :** Autonome, indépendant, bon vivant, robuste, sportif, amateur de voyages, confiant, globe-trotter.

**Défauts :** Dépensier, gourmand, incapable de rester en place, matérialiste, n'écoute pas.

**Ce qu'il pense en lui-même :** J'ai tellement hâte d'aller me promener !

**Ce que les autres disent de lui :** Il n'est jamais chez lui... Il devrait au moins s'acheter un répondeur !

# PRÉDICTIONS ANNUELLES

Retroussez vos manches car l'année 2015 s'annonce extrêmement significative ! Vous arrivez présentement au terme d'un cycle, d'ailleurs vous le ressentez au plus profond de vous-même. Certains éléments qui vous satisfaisaient auparavant ne font plus votre affaire aujourd'hui. À vrai dire, vous avez envie de quelque chose de complètement différent, et c'est pour cette raison que vous vous lancez à fond de train dans le grand ménage de votre vie. Vous vous questionnez non seulement sur le sens de votre existence, mais aussi sur vos buts et vos objectifs. Sans savoir encore ce que vous désirez réellement, vous avez au moins une idée de plus en plus précise de ce que vous ne voulez plus. Toute une quête vous attend !

SANTÉ. Les influences planétaires sont contradictoires. Jupiter vous donne le goût de mordre dans la vie à belles dents et augmente vigueur et dynamisme. Néanmoins, vous ne pouvez pas abuser de vos forces ni vous permettre de faire tout ce qui vous passe par la tête, surtout pas à partir du 11 août. En vous négligeant, en commettant des imprudences, vous pourriez vous retrouver sur le carreau ou en panne d'énergie. Par ailleurs, ceux qui mettront de l'ordre dans leurs habitudes, alimentaires par exemple, obtiendront des résultats qui dépasseront leurs espérances.

SENTIMENTS. Une immense vague de popularité vous attend d'ici l'automne. Vous ferez tourner les têtes partout où vous passerez, et il va sans dire qu'avec ce charme accru, les personnes seules ne le seront plus très longtemps. Pour certains, il sera question de retrouvailles, de rapprochement et même d'engagement sérieux – fiançailles, mariage ou vie commune –, tandis que pour d'autres, le moment sera venu de faire le point et de prendre de grosses décisions. Ceux qui rencontreront vos attentes auront une place de choix dans votre existence, mais tant pis pour les autres : vous êtes sur le point de les mettre à la porte. L'important est de peser le pour et le contre avant de faire des gestes aussi draconiens. Il se peut qu'un proche traverse des moments difficiles ou vous cause quelques soucis.

AFFAIRES. Comme Saturne provoque la fin d'une étape, vous vous préparez donc à entreprendre une nouvelle phase de votre destinée. Sur le coup, vous risquez de vous sentir désemparé face à tous ces changements. Toutefois, vous constaterez rapidement que ceux-ci vous ouvrent de nouvelles portes et qu'ils entraînent une amélioration profonde de votre situation. L'argent rentre, vous avez même d'intéressantes possibilités au jeu, mais il risque de disparaître vite si vous n'y prenez garde. Attention donc aux investissements risqués, aux beaux parleurs, aux escrocs et même aux voleurs. Jusqu'à la mi-août, vous aurez de la veine dans vos voyages et vos transactions, à la condition de bien les planifier et de ne prendre aucun risque. Bonne période également pour les démarches et les recherches d'emploi ou d'un nouveau domicile.

# Janvier

| DIM | LUN | MAR | MER | JEU | VEN | SAM |
|---|---|---|---|---|---|---|
| | | | | 1 | 2 | 3 |
| 4 ○ | 5 | 6 | 7 F | 8 F | 9 D | 10 D |
| 11 | 12 | 13 | 14 | 15 | 16 | 17 |
| 18 | 19 | 20 ● | 21 | 22 D | 23 D | 24 F |
| 25 F | 26 | 27 | 28 | 29 | 30 | 31 |

| | |
|---|---|
| F  Jour favorable | D  Jour difficile |
| ○  Pleine lune | ●  Nouvelle lune |

SANTÉ. Les douze premiers jours sont excellents, mais, par la suite, les astres exigent de la prudence. En effet, si vous ne prenez pas vos précautions, vous pourriez être victime d'un malaise ou d'un accident. Allez-y mollo et restez dans les limites du gros bon sens. Si malgré tout un problème survenait, vous devriez le régler sans tarder, sans quoi il risquerait de s'installer pour un certain temps.

SENTIMENTS. Vénus, qu'on associe au charme, au bonheur intime et à l'amour, vous influence favorablement entre le 3 et le 27. Votre vie sociale sera effervescente, ce qui pourrait permettre aux solitaires de trouver l'âme sœur. Si vous êtes déjà en couple, vous vivrez un important rapprochement avec votre partenaire. Cependant, la seconde quinzaine risque d'être plus ardue sur le plan familial.

AFFAIRES. Si vous souhaitez présenter une demande, négocier ou faire des démarches, mieux vaut agir avant le 12; par après, ça risque de ne pas aller aussi rondement. Les choses avanceront alors trop lentement à votre goût et vous rencontrerez divers obstacles. Mauvaise idée de vous insurger contre l'autorité ou de défier la loi, vous vous en mordriez les doigts. Attention aux dégâts matériels, aux pertes et au vol.

# Février

| DIM | LUN | MAR | MER | JEU | VEN | SAM |
|-----|-----|-----|-----|-----|-----|-----|
| 1 | 2 | 3 ○ F | 4 F | 5 | 6 D | 7 D |
| 8 | 9 | 10 | 11 | 12 | 13 | 14 |
| 15 | 16 | 17 | 18 ● | 19 D | 20 D | 21 F |
| 22 F | 23 | 24 | 25 | 26 | 27 | 28 |

| F  Jour favorable | D  Jour difficile |
|-------------------|-------------------|
| ○  Pleine lune | ●  Nouvelle lune |

SANTÉ. Les influences planétaires demeurent délicates jusqu'au 19 et on ne peut que vous exhorter à la vigilance. Soyez sur vos gardes durant vos déplacements ainsi que lorsque vous bricolez ou cuisinez. Votre organisme semble moins résistant que d'habitude, et vous risquez d'attraper tout ce qui passe si vous ne le renforcez pas. Heureusement, la conjoncture change radicalement par la suite. Une véritable renaissance !

SENTIMENTS. Que ce soit avec la famille, les amis ou dans l'intimité, vous éprouvez de nombreuses frustrations. Par moments, vous auriez envie de hurler ! Hélas, cela n'arrangerait rien, au contraire. Le mieux que vous puissiez faire est de prendre votre mal en patience en attendant que ne passe la tempête, ce qui ne devrait pas être long puisque vous entrez dans un cycle de bonheur à partir du 20. Une gentille invitation ou une surprise en amour vous feront jubiler.

AFFAIRES. Il vous faudra une dose énorme de motivation et de souplesse pour affronter les retards, les imprévus et les contrariétés qui jonchent les trois premières semaines. Les dangers de vol ou d'escroquerie sont encore là : par conséquent, vous devez continuer à protéger ce qui vous appartient. Une panne, un vol, une affaire risquée ou un bris vous obligent à débourser une somme inattendue. La chance revient en fin de mois, même au jeu.

# Mars

| DIM | LUN | MAR | MER | JEU | VEN | SAM |
|-----|-----|-----|-----|-----|-----|-----|
| 1 | 2 F | 3 F | 4 D | 5 ○ D | 6 D | 7 |
| 8 | 9 | 10 | 11 | 12 | 13 | 14 |
| 15 | 16 | 17 | 18 D | 19 D | 20 ● F | 21 F |
| 22 | 23 | 24 | 25 | 26 | 27 | 28 |
| 29 F | 30 F | 31 | | | | |

| F Jour favorable | | D Jour difficile | |
|---|---|---|---|
| ○ Pleine lune | | ● Nouvelle lune et éclipse solaire totale | |

SANTÉ. Vous avez tout ce qu'il faut pour profiter de la vie et régler ce qui accrochait sur le plan physique. Ce serait le moment de miser sur l'exercice physique, le plein air et les cures de toutes sortes. Du côté du moral, l'éclipse pourrait vous jouer des tours. Attention de ne pas vous laisser submerger par le stress.

SENTIMENTS. Mars s'annonce exquis sur les plans social et amoureux. Votre partenaire se rapprochera de vous, et vous sentirez la flamme de votre union se raviver. Pour les solitaires, ce ne sont pas les occasions de rencontres qui manqueront ; ils pourraient même avoir à choisir entre deux prétendants. En société aussi, la période s'annonce excitante.

AFFAIRES. Le moment est venu de faire les changements dont vous rêviez depuis un certain temps. Les démarches et négociations pour améliorer votre situation donneront des résultats positifs. Un contrat, des heures supplémentaires ou un à-côté bien rémunéré vous donneront même davantage de latitude avec votre budget. Bonnes chances au jeu pour un prix secondaire. Bon mois aussi pour les recherches et les voyages.

**SAGITTAIRE**

# Avril

| DIM | LUN | MAR | MER | JEU | VEN | SAM |
|---|---|---|---|---|---|---|
| | | | 1 D | 2 D | 3 | 4 ○ |
| 5 | 6 | 7 | 8 | 9 | 10 | 11 |
| 12 | 13 | 14 | 15 D | 16 D | 17 F | 18 ● F |
| 19 | 20 | 21 | 22 | 23 | 24 | 25 |
| 26 F | 27 F | 28 D | 29 D | 30 | | |

| F  Jour favorable | | D  Jour difficile | |
|---|---|---|---|
| ○  Pleine lune et éclipse lunaire partielle | | ●  Nouvelle lune | |

SANTÉ. Cette éclipse ne devrait pas du tout vous perturber : au contraire, le moral remonte, vous vous sentez nettement mieux dans votre peau. Sur le plan physique, le mois serait parfait pour vous reprendre en main, bouger davantage et même pour vous mettre au régime.

SENTIMENTS. L'arrivée de Vénus dans votre septième secteur met l'accent sur vos relations intimes. En ce mois, ça passe ou ça casse. Vous savez trop ce que vous voulez pour vous contenter d'un prix de consolation. Vous n'avez pas peur de dire ce que vous avez sur le cœur et vous exigez qu'on vous écoute. Un souci que vous occasionnait un enfant pourrait disparaître durant la première quinzaine.

AFFAIRES. Le mois s'annonce très occupé, mais, heureusement, tout se déroule sous le thème du progrès. Vous marquez des points et vos finances s'en ressentent. Un gain imprévu pourrait aussi vous aider avant le 14. Durant cette période, vous vous exprimerez avec une aisance désarmante et tout le monde sera réceptif à vos propos.

# Mai

| DIM | LUN | MAR | MER | JEU | VEN | SAM |
|-----|-----|-----|-----|-----|-----|-----|
|     |     |     |     |     | 1 | 2 |
| 3 ○ | 4 | 5 | 6 | 7 | 8 | 9 |
| 10 | 11 | 12 D | 13 D | 14 F | 15 F | 16 |
| 17 ● | 18 | 19 | 20 | 21 | 22 | 23 F |
| 24 F / 31 | 25 D | 26 D | 27 | 28 | 29 | 30 |

| F  Jour favorable | D  Jour difficile |
|---|---|
| ○  Pleine lune | ●  Nouvelle lune |

SANTÉ. Jusqu'au 11, tout fonctionne comme sur des roulettes, vous êtes dans une forme splendide que rien ne semble atteindre. Par après, c'est une autre paire de manches. L'opposition de la planète Mars menace autant votre équilibre nerveux que votre intégrité physique. Respectez vos limites, prenez soin de vous et proscrivez tout risque inutile.

SENTIMENTS. Votre partenaire et vos amis se font plus discrets, et vous ne le prenez pas très bien. Vous allez même jusqu'à vous imaginer qu'ils tiennent moins à vous, voire qu'ils ne vous aiment plus. Dommage que vous vous fassiez du mal inutilement et que vous les bombardiez de questions alors qu'ils ont tout simplement besoin de se ressourcer. Attention, si vous y allez trop fort, vous allez les faire sortir de leurs gonds ! Encore quelques tracas pour un membre de la famille.

AFFAIRES. Vous avez tout intérêt à agir avant le 12 car tout ce que vous entreprendrez alors donnera des résultats positifs et concrets. Le reste du mois pourrait s'avérer plus problématique, attendez-vous à quelques obstacles ou affrontements. Ne mettez pas vos biens ni vos finances en péril et bannissez toute intervention précipitée.

# Juin

| DIM | LUN | MAR | MER | JEU | VEN | SAM |
|-----|-----|-----|-----|-----|-----|-----|
|  | 1 | 2 ○ | 3 | 4 | 5 | 6 |
| 7 | 8 D | 9 D | 10 F | 11 F | 12 | 13 |
| 14 | 15 | 16 ● | 17 | 18 | 19 F | 20 F |
| 21 | 22 D | 23 D | 24 | 25 | 26 | 27 |
| 28 | 29 | 30 |  |  |  |  |

| F  Jour favorable | | D  Jour difficile | |
|-------------------|---|-------------------|---|
| ○  Pleine lune | | ●  Nouvelle lune | |

SANTÉ. Comme l'opposition de Mars perdure jusqu'au 24, soyez vigilant. En redoublant de prudence dans vos déplacements et lorsque vous utilisez des objets dangereux, vous éviterez de vous blesser. De meilleures habitudes de vie vous garderont à l'abri des malaises. Souvent, vous avez les nerfs en boule, mieux vaut trouver un moyen de laisser la vapeur s'échapper.

SENTIMENTS. Entre le 5 juin et le 8 juillet, vous bénéficierez d'un double aspect favorable de Vénus et de Jupiter. Les célibataires tomberont en amour avec un être particulièrement compatible, tandis que les autres célébreront le retour de la passion. Les amis reviendront dans le portrait, bref, vous serez au paradis sur les plans social, amical et amoureux. Ce n'est pas aussi rose avec la famille : le moment est venu de prendre du recul.

AFFAIRES. Vous avez des idées brillantes mais il est impossible, du moins pour l'instant, de les mettre à exécution. Dès juillet, vous pourrez espérer la cristallisation de vos projets, mais en attendant, il faut patienter. Profitez-en donc pour bien établir votre plan d'action et le peaufiner. Gare aux contraventions, au vol et à l'escroquerie jusqu'au 24.

# Juillet

| DIM | LUN | MAR | MER | JEU | VEN | SAM |
|-----|-----|-----|-----|-----|-----|-----|
| | | | 1 ○ | 2 | 3 | 4 |
| 5 D | 6 D | 7 | 8 F | 9 F | 10 | 11 |
| 12 | 13 | 14 | 15 ● | 16 F | 17 F | 18 F |
| 19 D | 20 D | 21 | 22 | 23 | 24 | 25 |
| 26 | 27 | 28 | 29 | 30 | 31 ○ | |

| F Jour favorable | | D Jour difficile | |
|-----|-----|-----|-----|
| ○ Pleine lune | | ● Nouvelle lune | |

SANTÉ. La conjoncture est de plus en plus encourageante, même Saturne vous donne du répit. En fournissant quelques efforts, vous reprendrez aisément le dessus. Vous disposez désormais de la motivation nécessaire pour vous ressaisir et mettre de l'ordre dans votre vie. D'ailleurs, les résultats ne se feront pas attendre, ce qui vous confirmera le bien-fondé de vos décisions.

SENTIMENTS. Vous bénéficiez toujours d'un transit Vénus-Jupiter extraordinaire jusqu'au 18, ce qui devrait apporter l'amour aux personnes seules et un retour de la flamme aux autres. Du côté social, vous serez la vedette ; les activités que vous organiserez ou celles auxquelles vous serez convié vous permettront de vous amuser follement. N'oubliez pas vos gants blancs pendant le reste du mois...

AFFAIRES. Ce que vous entreprendrez ne fonctionnera peut-être pas du premier coup, mais ça vaut la peine de vous essayer à nouveau. Certains tentent de freiner vos élans ou déblatèrent à votre sujet. Ne vous en faites pas, vous êtes protégé et, finalement, c'est vous qui aurez le dernier mot. Quelques possibilités de remporter un prix secondaire lors d'un tirage.

**SAGITTAIRE** 301

# Août

| DIM | LUN | MAR | MER | JEU | VEN | SAM |
|---|---|---|---|---|---|---|
| | | | | | | 1 |
| 2 D | 3 D | 4 F | 5 F | 6 | 7 | 8 |
| 9 | 10 | 11 | 12 | 13 F | 14 ● F | 15 D |
| 16 D | 17 | 18 | 19 | 20 | 21 | 22 |
| 23 / 30 D | 24 / 31 F | 25 | 26 | 27 | 28 | 29 ○ D |

| F  Jour favorable | D  Jour difficile |
|---|---|
| ○  Pleine lune | ●  Nouvelle lune |

SANTÉ. La première semaine est géniale sur le plan psychologique, mais vous pourriez vous sentir plus nerveux par la suite. Physiquement, vous entamerez une période de récupération le 8, et votre énergie ne cessera d'augmenter. Toute cette vitalité vous fera croire que vous êtes invincible, et vous risquez quelques ennuis si vous dépassez les bornes. Elle vous donne aussi beaucoup, beaucoup d'appétit !

SENTIMENTS. Vous avez un tel charisme que tout le monde voudrait faire partie de votre cercle de relations. Vous pouvez vous permettre d'être sélectif et de ne retenir que les gens avec qui vous avez de véritables affinités. Face à la famille, vous développez une attitude plus saine et vous vous en faites beaucoup moins : voilà qui en froisse certains, mais cela ne vous dérange plus. Il était temps !

AFFAIRES. La chance revient en force à partir du 8, et vous pourriez encore faire des envieux. Professionnellement, tous les espoirs sont permis, qu'il s'agisse d'un nouveau poste, d'une permanence, d'une augmentation ou d'une promotion. Les déplacements d'affaires ou de plaisance de même que tout ce qui a trait à la maison ou à l'immobilier sont particulièrement privilégiés.

# Septembre

| DIM | LUN | MAR | MER | JEU | VEN | SAM |
|---|---|---|---|---|---|---|
|  |  | 1 F | 2 | 3 | 4 | 5 |
| 6 | 7 | 8 | 9 F | 10 F | 11 D | 12 D |
| 13 ● | 14 | 15 | 16 | 17 | 18 | 19 |
| 20 | 21 | 22 | 23 | 24 | 25 | 26 D |
| 27 ○ D | 28 F | 29 F | 30 |  |  |  |

| F  Jour favorable | D  Jour difficile |
|---|---|
| ○  Pleine lune et éclipse lunaire totale | ●  Nouvelle lune et éclipse solaire partielle |

SANTÉ. Jusqu'au 17, tout continuera d'aller comme dans le meilleur des mondes. Par la suite, le retour de Saturne dans votre signe et la quadrature de Mars risquent d'augmenter votre vulnérabilité, en particulier sur le plan physique. Il sera alors important d'adopter une attitude préventive pour ne pas vous blesser ni contracter un problème de santé. Par ailleurs, votre moral demeure excellent.

SENTIMENTS. Cet enfant qui vous tourmentait se mettra à aller beaucoup mieux, ce qui vous enlève une épine du pied. En amour, le mois s'annonce prometteur: une amitié pourrait évoluer en quelque chose de plus profond si vous êtes seul. Les copains sont gentils comme tout, vous ne vous ennuierez pas avec eux. Attention à une querelle inutile lors de la dernière semaine.

AFFAIRES. Vous avez encore énormément de pain sur la planche. Vos réalisations se poursuivent de plus belle, surtout pendant les trois premières semaines. De nouvelles responsabilités, un poste mieux adapté ou tout simplement une augmentation de salaire témoignent de votre veine. Et parlant de veine, n'oubliez pas de vérifier vos billets de loterie.

# Octobre

| DIM | LUN | MAR | MER | JEU | VEN | SAM |
|-----|-----|-----|-----|-----|-----|-----|
|     |     |     |     | 1 | 2 | 3 |
| 4 | 5 | 6 F | 7 F | 8 | 9 D | 10 D |
| 11 | 12 ● | 13 | 14 | 15 | 16 | 17 |
| 18 | 19 | 20 | 21 | 22 | 23 D | 24 D |
| 25 F | 26 F | 27 ○ | 28 | 29 | 30 | 31 |

| F Jour favorable | | D Jour difficile | |
|------------------|--|-----------------|--|
| ○ Pleine lune | | ● Nouvelle lune | |

SANTÉ. Les transits délicats de Mars et de Saturne demeurent bien présents. Si le moral tient bon, on ne peut pas en dire autant du physique. Vous vous sentez tantôt fatigué, tantôt survolté; ce n'est pas facile d'équilibrer votre énergie. Comme les menaces d'accidents bêtes et de défaillances persistent, restez sur le qui-vive. Mieux vaut prévenir que guérir.

SENTIMENTS. N'espérez pas que vos proches vous comprennent parfaitement, ils semblent trop pris par leurs propres tracas. Au lieu de faire une scène, essayez plutôt de vous mettre à leur place. N'attendez pas après les autres, lancez des invitations, organisez quelques activités, tout le monde sera content, vous le premier. De toute façon, mieux vaut vous changer les idées, avec toutes ces préoccupations d'ordre familial.

AFFAIRES. La confusion règne. Les événements ne se déroulent pas nécessairement selon le scénario que vous aviez établi, sans compter que des oppositions imprévues surgissent. Soyez discret, ne jetez surtout pas d'huile sur le feu. Ce n'est qu'une question de temps, vous finirez par triompher. En attendant, protégez-vous contre les pertes matérielles, les dégâts et les beaux parleurs.

# Novembre

| DIM | LUN | MAR | MER | JEU | VEN | SAM |
|-----|-----|-----|-----|-----|-----|-----|
| 1 | 2 | 3 F | 4 F | 5 D | 6 D | 7 |
| 8 | 9 | 10 | 11 ● | 12 | 13 | 14 |
| 15 | 16 | 17 | 18 | 19 D | 20 D | 21 F |
| 22 F | 23 | 24 | 25 ○ | 26 | 27 | 28 |
| 29 | 30 F | | | | | |

| F  Jour favorable | | D  Jour difficile | |
|-----|-----|-----|-----|
| ○  Pleine lune | | ●  Nouvelle lune | |

SANTÉ. Bonne nouvelle : il y aura un important relâchement des dissonances planétaires à compter du 12, ce qui se traduira par une diminution marquée du risque de blessures. En attendant, mieux vaut demeurer vigilant. L'énergie remontera, vous vous sentirez mieux dans votre peau et pourrez enfin vous refaire une santé. Les seules choses susceptibles de vous nuire demeurent la gourmandise et l'abus de vos forces.

SENTIMENTS. Quelques soubresauts sont encore possibles durant la première quinzaine, mais le climat devrait s'alléger par la suite. Vous communiquerez beaucoup plus facilement avec vos proches, ce qui vous permettra d'élucider certaines situations ou de mettre un point final à un conflit. Vos amis seront plus présents et vous feront des propositions alléchantes. Quand aux inquiétudes familiales, elles devraient s'estomper.

AFFAIRES. Vous n'avez pas grand-chose à espérer des douze premiers jours, ça avance difficilement. On dirait qu'il y a toujours quelqu'un ou quelque chose pour contrecarrer vos plans. Allez-y mollo ; de toute façon, le reste du mois vous appartient et vous pourrez alors largement rattraper le temps perdu. Ce sera également une excellente période pour tourner certaines pages et repartir du bon pied.

# Décembre

| DIM | LUN | MAR | MER | JEU | VEN | SAM |
|-----|-----|-----|-----|-----|-----|-----|
|     |     | 1 F | 2 D | 3 D | 4 | 5 |
| 6 | 7 | 8 | 9 | 10 | 11 ● | 12 |
| 13 | 14 | 15 | 16 | 17 D | 18 D | 19 F |
| 20 F | 21 | 22 | 23 | 24 | 25 ○ | 26 |
| 27 F | 28 F | 29 | 30 D | 31 D |  |  |

| F  Jour favorable | D  Jour difficile |
|-------------------|-------------------|
| ○  Pleine lune | ●  Nouvelle lune |

SANTÉ. Vous êtes désormais débarrassé des menaces de blessures, et votre résistance continue d'augmenter. Attention toutefois aux excès de table, qui pourraient freiner cette belle remontée et même vous faire perdre quelques points. Les nerfs lâchent à quelques reprises durant la première moitié du mois, puis tout rentre dans l'ordre.

SENTIMENTS. C'est le temps de mettre les choses au point, d'éclaircir certaines situations embrouillées et surtout d'échanger harmonieusement avec ceux que vous aimez. Les malentendus tombent et, dans bien des cas, vous constatez que rien ne justifiait au départ ce qui s'est passé. Qu'importe, on se fait une grosse bise et la vie continue. Autre bonne nouvelle : un proche commence enfin à se sortir de ses problèmes.

AFFAIRES. Dans ce domaine également, l'heure est aux solutions et aux nouveaux départs. Vous changez votre fusil d'épaule et laissez tomber certains projets qui n'aboutissaient pas. D'autres défis se présentent aussitôt et vous décidez de les relever. Grand bien vous fasse, vous marquez ainsi plusieurs bons coups !

# CAPRICORNE

## DU 21 DÉCEMBRE
## AU 20 JANVIER

L e natif du Capricorne a un don tout à fait particulier : il passe inaperçu, tellement qu'il finit par se faire remarquer ! Quel paradoxe ! Si vous trouvez un de vos invités tout seul dans la cuisine en train d'essuyer les verres, pas de doute, il s'agit d'un Capricorne.

Ce signe est la sagesse et le sérieux incarnés. Quant à sa patience, elle est légendaire. Le temps court pour le Capricorne. Avec votre capacité de travail étonnante, on se demande pourquoi vous n'êtes pas un peu plus énergique. Vous êtes plutôt flegmatique, et rien ne semble vous démonter. Vous maîtrisez les concepts abstraits comme nul autre, tant et si bien que votre esprit analytique et votre logique terre à terre sont des atouts indéniables.

Vous êtes cependant d'une telle rectitude – oserions-nous dire d'une telle rigidité – que votre peur des changements, votre sens de l'économie, qui tient de l'ascèse, sont souvent critiqués par votre entourage. Vous n'êtes pas une personne qui agit sur des coups de tête ; avec vous, tout est mûrement réfléchi. Vous n'êtes vraiment pas démonstratif, et vous exprimer oralement n'est pas une de vos qualités. D'ailleurs, vous parlez peu et surtout jamais de vous.

Votre modestie peut parfois vous jouer des tours. Vous préférez rester dans l'ombre, et c'est sûrement la peur qui conditionne cet isolement. Par contre, lorsque vient le moment de rationaliser, de travailler sur un problème complexe, vous n'hésitez pas à vous mettre à la tâche, souvent en solitaire. Votre minutie, votre perfectionnisme sont exceptionnels, mais toujours dans le but de ne pas vous faire remarquer. Vous pouvez être président d'une société et avoir l'air d'un simple ouvrier, être riche comme Crésus et porter des vêtements dont votre bonne ne voudrait pas. L'habit ne fait pas le moine... et surtout pas le Capricorne !

En bon signe de terre, vous souffrez d'insécurité et vous craignez la solitude. Pourtant, vous n'hésitez pas à vous retirer pour vous ressourcer. Vous avez un sens de l'économie très développé et vous avez peur de manquer de ressources financières... tellement que vous cachez de l'argent ici et là pour les mauvais jours, mais vous ne l'avouerez jamais ! Votre pire crainte est d'être rejeté, et vous anticipez la fuite du temps. À partir de la trentaine, toutefois, la vie des Capricorne prend un tournant pour le moins surprenant lorsqu'on les sait si réservés. Plusieurs d'entre eux sortent de l'ombre, leur situation évolue très favorablement. Leur caractère, leur moral et même leur vitalité s'améliorent, tout comme leur compte en banque ! Le temps qui passe est votre meilleur allié ; grâce à lui, vous vous bonifiez, comme le vin.

Le natif du Capricorne fonctionne différemment des autres, à « rebrousse-temps » serait-on tenté de dire. Il se comporte comme un vieillard dans sa jeunesse et semble rajeunir avec les années. La deuxième partie de sa vie est bien meilleure que la première, alors que dire de la troisième ! Le Capricorne n'a donc pas à s'inquiéter des années qui passent car, pour lui, le meilleur est à venir.

Pour gagner votre amitié ou votre amour, la patience est de rigueur. Mais une fois que vous avez accordé votre confiance et votre cœur, vous êtes prêt à tous les sacrifices pour ceux que vous aimez. Comme vous ne parlez pas beaucoup, vous exprimez vos sentiments par des gestes qui sont souvent empreints d'une grande générosité. L'amitié et l'amour sont éternels pour vous, et vous ne dérogez pas à cette règle.

Dévoué, parfois jusqu'à l'abnégation, vous vous effacez devant les autres, vous sacrifiez vos propres intérêts, vous vous consacrez à des missions impossibles, à des gens qui n'en valent pas la peine ou qui abusent de vous. Votre générosité n'a pas de bornes, et bien des gens le savent et en profitent. Heureusement, avec le temps, votre grand complice, vous apprenez à mieux mesurer votre propension à vous dédier aux autres et à choisir ceux qui vous entourent. Peu à peu, vous déterminez avec plus de justesse ce que vous voulez donner et jusqu'à quel point vous pouvez le faire. De plus en plus, vous balisez votre générosité, ce qui n'est pas plus mal.

Vous êtes sage, sérieux, vous n'avez pas de temps pour la frivolité et les divertissements stériles, ce qui peut vous faire paraître distant. Vous ne vous liez pas facilement et vous ne vous confiez pas non plus ; vous avez l'impression que vous ennuyez les autres avec vos petits malheurs. Tant de discrétion passe pour de la froideur. Avec le temps, vous vous ouvrirez un peu plus, au grand bonheur de votre entourage et au vôtre également.

## Comment se comporter avec un Capricorne ?

S'approcher d'un Capricorne relève parfois du parcours du combattant. Si l'on se fait insistant, il recule et reste dans son coin, discret. Si on le laisse s'éloigner, la solitude le fait souffrir. Ce n'est pas évident, avec lui, de doser ses approches. Pourtant, vous devez impérativement faire le premier pas parce qu'il ne prendra pas d'initiative.

Par contre, si un Capricorne décèle un problème ou un ennui chez vous, il sera le premier à vouloir vous aider, mais sans dévoiler ses propres attentes et ses propres difficultés. Pour commencer une relation avec un natif de ce signe, la patience, l'attention, la capacité de lire entre les lignes sont vos meilleurs atouts. Il n'est pas facile de l'approcher, mais une fois qu'il se sera laissé apprivoiser, vous aurez sans aucun doute le meilleur et le plus fidèle allié dont vous pouviez rêver.

Dans une réunion entre amis, s'il vide le lave-vaisselle ou passe un coup de balai dans la cuisine, cela ne veut pas dire qu'il ne s'amuse pas... il se rend utile. Il aime bien qu'il y ait du monde... dans la pièce d'à côté. Les mondanités ne l'intéressent pas, et il n'aime pas gaspiller le temps.

Si votre conjoint est un Capricorne, ne l'obligez pas à vous suivre dans vos sorties ; il le ferait à reculons, et ce ne serait agréable ni pour l'un ni pour l'autre. Dans ces cas-là, son âme de solitaire prend le

dessus. Puisqu'il vous fait confiance, vous pouvez sortir et vous amuser l'esprit en paix ; il en sera très heureux pour vous. Si vous tenez à le convaincre de s'afficher en société, il faudra y aller graduellement, argument par argument, en lui démontrant la logique de votre raisonnement. Il ne faut jamais chercher à transformer radicalement la vie d'un Capricorne par des changements trop brusques. Montrez-lui ses intérêts et les avantages, oubliez autant que possible les inconvénients – il pourrait avoir peur – et surtout laissez-le peser le pour et le contre avant de lui demander de prendre sa décision.

La réflexion lui est aussi indispensable que l'air qu'il respire. Il doit considérer et reconsidérer la suggestion avant de se ranger à votre avis, mais il n'avouera peut-être pas ce qu'il pense. Si finalement vous constatez que rien n'y fait, qu'aucune de vos propositions ne l'aide à se décider, il faudra peut-être le prendre par les sentiments et lui démontrer à quel point telle ou telle chose, telle ou telle sortie compte pour vous. Dans ce cas, si c'est pour vous donner un coup de main, il acceptera sans trop rechigner. Il ne voudrait pas se sentir coupable de vous avoir fait rater une rencontre avec des gens importants pour votre carrière, par exemple.

Le Capricorne n'a pas confiance en ses moyens, et l'énergie pour lancer des projets lui fait souvent défaut. Sa crainte le paralyse. Votre aide et votre appui sont significatifs pour lui ; vous pouvez lui donner un sérieux coup de main, et il vous en sera éternellement reconnaissant.

## Ses goûts

Ce qui le caractérise, c'est la simplicité et la frugalité. Il n'a pas besoin de strass, de paillettes, de flaflas pour vivre heureux. Il vit selon ses moyens, même parfois en dessous, mais c'est ainsi. Rien chez lui n'est ostentatoire.

Les objets sobres, classiques, voire anciens, ont sa préférence. Ses vêtements sont bien coupés ou, plutôt, ont été bien coupés à l'époque ; la mode a eu le temps de passer et de revenir, mais il a toujours le même ensemble. En fait, notre Capricorne ne paie pas de mine ; ses employés, ses enfants sont mieux habillés que lui, mais son portefeuille est drôlement bien garni. Quel économe, quand même !

Dans son intérieur, son besoin de sécurité entre parfois en contradiction avec son goût de la parcimonie. Pour cette raison, il préfère les grosses maisons, les gros meubles, ce qui a l'air solide, durable, ce qui traversera la barrière du temps.

À table, les excès sont presque bannis, sa sagesse prenant le dessus. Mais il a un petit problème, il oublie de diversifier suffisamment son alimentation. Les légumes, les crudités, les fruits ne se retrouvent pas forcément à son menu en quantité suffisante pour maintenir un bon état de santé... et, surtout, il aime parfois un peu trop les sucreries !

## Son potentiel

Travailleur déterminé, le Capricorne ne craint pas les projets à très long terme. Il travaille à son rythme, c'est-à-dire lentement ; dans l'ombre ou à l'écart, il fait son chemin sans que personne s'en aperçoive. Lorsqu'il touche au but, tout le monde est bien étonné. Sa devise pourrait être : « Rien ne sert de courir, il faut partir à point. »

Comme c'est un travailleur méticuleux qui ne laisse rien au hasard, il fera sa marque dans les domaines qui requièrent un esprit plus terre à terre : l'administration, la gestion, les banques – il aime bien l'argent ! –, les mathématiques, les recherches, les investigations (comptables ou autres), les relations d'aide, la gérontologie, l'enseignement ou la politique.

Le natif du Capricorne peut être une personne influente, exercer un pouvoir étendu et gérer une immense fortune, et rien n'y paraîtra. Il laisse les autres s'auréoler de leur succès, alors que c'est plutôt lui qui tire les ficelles dans l'ombre.

## Ses loisirs

Sérieux comme il est, on se demande bien quels loisirs lui permettent de se détendre. Dans ses moments libres comme dans sa vie quotidienne, le Capricorne aime bien rester à l'écart. Il optera donc pour des passe-temps de solitaire, qui lui permettent de réfléchir, de penser à ce qu'il lui plaît sans être obligé de converser ou de faire belle figure devant quiconque.

Il choisira souvent de se promener longuement, même en ville. Le ski, la raquette, la natation et la pêche lui conviennent très bien.

La lecture est pour lui un excellent moyen d'évasion, et il choisira souvent des ouvrages en rapport avec ses préoccupations ou ses activités professionnelles. C'est un être réfléchi qui se ressource en plongeant dans ses pensées. Mais il ne faut pas oublier qu'il est aussi sensible ; alors, de temps à autre, il faut le secouer et le convaincre de socialiser un peu plus.

## Sa décoration

En matière de décoration, comme en toute chose dans sa vie, la sobriété est sa marque ; il a un esprit très conservateur. D'ailleurs, il accumule les objets, et ce, depuis des années. C'est un véritable écureuil. Ses armoires sont des petites réserves où il entasse ce qui lui permettrait de survivre plusieurs années en cas de disette subite : nourriture, papeterie, vêtements, quincaillerie... Il ne sera jamais pris au dépourvu. Et puis il y a la remise, le grenier, la cave...

Son sens de l'économie est tellement fort qu'il ne dépensera pas un sou pour toutes ces babioles vite démodées qu'on annonce dans les magazines. Par contre, comme il souffre d'insécurité, tout le nécessaire sera toujours à portée de main. Son domicile est son refuge ; il lui faut donc quatre murs bien solides autour de lui. Il peut acheter une immense maison, et l'on se demandera ce qu'il fera de tant d'espace ; il sera vite utilisé, n'ayez crainte.

Le Capricorne n'aime pas la modernité ; il préfère les objets et les choses que le temps a éprouvés. Ce sera donc un amateur éclairé d'antiquités qui représentent des valeurs sûres ; il en aura certainement beaucoup chez lui. Pour son intérieur, il choisira des meubles lourds, solides, imposants, ceux qui donnent une image de stabilité, et cela, souvent en quantité industrielle. Bien qu'il reçoive très rarement, il dispose d'un assortiment de vaisselle à faire rougir les plus grands restaurateurs. Il conserve tout, des assiettes de grand-maman au gros La-Z-Boy de papy, de l'armoire canadienne au canapé Louis XV hérité de la vieille tante Hortense, du bureau de son enfance au lit de son adolescence : tout est là. Vous comprenez maintenant pourquoi il lui faut une si grande maison.

Le Capricorne a ses petites habitudes, ses petites manies. Il aime sa tranquillité, et c'est souvent à son domicile qu'il trouve cette sécurité dont il est si friand. Retrouver ses petites affaires là où il les a déposées, quel soulagement ! Bref, si vous êtes son conjoint ou son colocataire, de grâce, ne changez pas les meubles de place pendant qu'il a le dos tourné... vous le mettriez très mal à l'aise.

## Son budget

L'économie n'est pas un vain mot pour le Capricorne. Sage et prévoyant de nature, il ne se laisse jamais aller à des dépenses inconsidérées. Il n'ouvre son portefeuille bien garni que lorsqu'il y est obligé. Au magasin, il vérifiera la qualité, évaluera la valeur, la garantie, essaiera peut-être même d'obtenir un rabais, s'assurera de faire une bonne affaire, et, malgré tout, à la caisse, il aura encore un pincement au cœur. Tout coûte terriblement cher de nos jours, n'est-ce pas ? Le Capricorne n'est pas avare, mais il souffre d'insécurité et a toujours peur de manquer d'argent. Il est également conscient de la valeur des choses. Comme il a des goûts modestes, il ne se fait jamais à l'idée de devoir dépenser. Mais il a bon cœur, et quand il se permet une dépense, c'est pour offrir quelque chose aux autres, pas à lui-même... Le Capricorne économise sur tout ; il fait constamment attention à son portefeuille et arrive à faire des prouesses avec un budget limité. Même si ses revenus sont peu élevés, il réussira à mettre de l'argent de côté en prévision de jours moins fastes. Il adore créer des petites cachettes : quelques pièces dans le pot de biscuits, une enveloppe bien garnie sous une pile de chandails, des sous dans le compartiment secret du portefeuille ; un peu ici, un peu là, sans parler des comptes en banque, des placements... Avec lui, l'expression « avoir son bas de laine » est tout à fait juste. La prévoyance est l'une de ses belles qualités ; il prépare ses vieux jours depuis longtemps et, croyez-moi, il ne sera pas dans le besoin, loin de là. Il a des REER, des obligations, des placements, des actions en tout genre. Et pourtant, même s'il est assis sur des millions, l'inquiétude lui triture quand même les neurones...

## Quel cadeau lui offrir ?

On a vu que notre Capricorne est plutôt conservateur et qu'il garde tout très longtemps. Il serait peut-être indiqué de remplacer quelques objets, comme sa vieille télé en noir et blanc, qui pourrait passer au numérique... à condition que vous la lui achetiez, car son téléviseur des années 1960 lui convient bien (d'ailleurs, il le gardera au fond du grenier, même s'il accepte d'en mettre un modèle plus récent dans le salon).

Le natif du Capricorne vous dira qu'il n'a besoin de rien, et il en est convaincu. Vous devrez donc faire de sérieux efforts pour trouver une chose utile qu'il n'a pas en quatre ou cinq exemplaires. Optez avant tout pour des objets sobres et plutôt traditionnels ; la modernité et les gadgets ne sont pas dans ses goûts. S'il a besoin d'un bon agenda, n'arrivez pas avec un Palm ; achetez-en un plus classique. Regardez aussi du côté des vêtements, car les siens doivent être complètement démodés ; il en achète si peu souvent. Les coupes classiques, la qualité et les teintes neutres lui conviendront le mieux. Un beau tricot, des gants ou un foulard le réchaufferont, car il est frileux et aime son confort.

Le natif du Capricorne ne se permet jamais de gâteries. Il revient à ses proches de lui offrir des petits luxes. Il sera mal à l'aise, ne saura pas comment vous remercier, mais sera si content que son bonheur fera plaisir à voir.

## Les enfants Capricorne

Sage et docile, le bébé Capricorne ne pose jamais de problèmes. En grandissant, il sera toujours aussi sage, et même sérieux pour son âge. Il a besoin de contact avec des enfants plus vieux, voire des adultes ou des personnes âgées. Il est fasciné par les vieilles personnes et les écouterait pendant des heures. Les grands-mamans et les grands-papas sont aux anges avec eux. Par contre, avec les amis de son âge, il n'est pas très sociable ; en fait, le petit Capricorne préfère rester à l'écart pour observer de loin le monde. La solitude lui plaît, et son côté individualiste ressort déjà. Il est important de lui apprendre à s'amuser, à avoir du plaisir et surtout à fréquenter des camarades de son âge. Il est craintif, renfermé et manque de confiance en lui. Par contre, au fil du temps, il réussira à surmonter sa timidité maladive.

## L'ado Capricorne

Pour ton âge, tu es quelqu'un de très mûr, qui ne perd pas son temps pour des broutilles. Tes amis sont probablement plus vieux que toi et ils te stimulent beaucoup. Tu es tranquille, réfléchi, calme, et tu aimes prendre ton temps. Mais lorsque tu te décides à agir, tu vas jusqu'au bout de tes idées et de tes actes. On ne peut pas te reprocher de faire les choses à moitié. Comme tu es très responsable, les gens n'hésitent pas à te confier certaines tâches, et bien souvent cela passe avant tout, même au détriment de tes loisirs ou de tes goûts personnels. On peut se fier à toi, mais on t'en demande un peu trop pour ton âge, car tu es si raisonnable qu'on te croit plus vieux que tu ne l'es réellement. Tu as des valeurs traditionnelles, conservatrices : la justice, la famille, l'ordre établi comptent beaucoup pour toi. Tu t'intègres bien au système, sans te rebeller. Tu es aussi attaché à l'aspect matériel de la vie, tu es économe et sérieux, tu te fais même de petites réserves en cas de besoin, et tu ne jettes jamais rien, tu prends soin de tes affaires. Malgré les apparences, tu es un être très fier, et lorsqu'on pique ton orgueil, tu t'en souviens longtemps. Sur le plan social, tu es plutôt discret. On te trouve même distant et froid. Tu préfères rester dans l'ombre, par prudence et aussi à cause de ta timidité. Tu as une nature plutôt triste et, avoue-le, la vie te fait peur. Pourtant, tu as tous les atouts en main pour réussir, pour monter très haut... Tu dois apprendre à cultiver ta confiance en toi, car avec les années qui passent tu accompliras de grandes et belles choses, et la réussite sera au rendez-vous si tu parviens à écarter ce sentiment d'insécurité qui te ralentit.

### Tes études

Travailleur, tenace et méticuleux, tu te consacres à fond à tout ce que tu entreprends. Tu apprends lentement, mais comme tu comprends bien ce qu'on t'enseigne et que tu as une bonne mémoire, on ne peut pas te prendre en défaut. Ce que tu sais, c'est pour la vie. Étant donné que tu es déterminé, les études supérieures te conviennent fort bien ; le temps joue pour toi. Tu travailles mieux seul qu'en équipe. Tu devras te montrer plus souple avec les autres, car cela te sera bien utile pour évoluer en société.

### Ton orientation

Peu importe le domaine que tu choisiras, tu réussiras. Tu es si sérieux, tu as si bien balisé ta vie, calculé le pour et le contre, que ton application sera récompensée. Tu surmonteras les obstacles et atteindras ton objectif, envers et contre tous. Les domaines qui pourraient t'amener sur le chemin du succès sont les finances, la comptabilité, le droit, la politique, la Bourse, l'administration, la fonction publique, le système bancaire, l'industrie, la santé, la gérontologie, les antiquités, le commerce, l'immobilier, l'agriculture, les affaires et les emplois ayant trait à la terre. Tu vois, tu as l'embarras du choix. Ta carrière pourrait commencer dans l'ombre, mais dès que tu auras atteint la trentaine la réussite t'attend, et tu te mets un peu plus en évidence.

### Tes rapports avec les autres

Les gens te croient froid, car tu es souvent distant et renfermé. Tu as peu d'amis, mais tu as su les choisir. Ils savent qu'ils peuvent compter sur toi, même s'ils en abusent un peu, avoue-le. Au fil du temps, tu parviens à dire non lorsque tu sens que les autres tirent trop sur la corde. L'amitié doit être un échange équitable. On en sait peu sur toi, car tu as du mal à exprimer tes sentiments ou à parler ; tu crains souvent de déranger. Tu as beaucoup à offrir, et lorsqu'on te connaît vraiment on découvre en toi un être adorable sur qui l'on peut compter.

# LE CAPRICORNE DANS LA CUISINE

## Votre façon de cuisiner

Vous avez des goûts classiques, et votre façon de cuisiner est assez traditionnelle. Vous privilégiez les saveurs simples et les recettes de base, sans trop de fioritures.

Votre signe correspond à la fidélité, et cela s'applique aussi à vos recettes. Vous aimez les valeurs sûres, et parfois on vous reproche de manquer un peu d'imagination.

## Vous adorez :

- profiter des rabais à l'épicerie et faire des réserves ; votre garde-manger déborde, et vous pourriez faire face à tout imprévu ;
- servir des repas simples mais substantiels, comme le classique « steak-patates-légumes » (vous n'aimez pas rester sur votre faim) ;
- préparer les plats qui ont bercé votre enfance, par exemple le pâté chinois que faisait votre mère ;
- les plats réchauffés et les pâtes alimentaires.

---

### CE QUE LA NATUROPATHE VOUS SUGGÈRE

- Limitez la consommation d'aliments acides qui menacent vos articulations et votre peau.
- Vous avez besoin de protéines : mangez-en plus, et choisissez-les de bonne qualité.
- Consommez davantage de légumes verts.

---

# ILS SONT CAPRICORNE EUX AUSSI

Jean Airoldi, René Angélil, Daniel Bélanger, Dan Bigras, David Bowie, Carla Bruni, Nicolas Cage, Jim Carey, Véronique Cloutier, Daniel Daignault, Bernard Derome, Yves Desgagnés, Étienne Drapeau, Lara Fabian, Bernard Fortin, Mel Gibson, Patrick Huard, Guy Jodoin, Patrick Lagacé, Jude Law, Annie Lessard, Ricky Martin, Kate Middleton, Sophie Moreau, Sylvie Moreau, Marina Orsini, Mahée Paiement, Brigitte Paquette, Yves P. Pelletier, Elvis Presley, Louise Richer, Michael Schumacher, Kiefer Sutherland, Mariloup Wolfe.

### Pensée positive pour le Capricorne

Ma confiance en moi et dans la vie augmente constamment. J'ose accepter les nombreux bienfaits qu'on m'envoie. Plus j'en accepte, plus il m'en arrive.

### Pensée positive spéciale pour 2015

J'accueille le bonheur et la chance.
C'est à mon tour de profiter de ce que la vie a de mieux à offrir.

*Le subconscient nous dirige toujours selon nos pensées. En répétant le plus souvent possible ces pensées conçues tout spécialement pour vous, vous vous attirerez plein de belles choses.*

### Outils pour transformer votre destinée

- Cessez de trop accumuler ; cela engendre le chaos et accentue le stress et la peur. Faites le ménage dans vos affaires de temps à autre.
- Valorisez le plaisir. Vous êtes trop sérieux, vous misez trop sur le devoir, mais il est également important de profiter de la vie et des gens qui vous entourent.
- Méfiez-vous de l'autosabotage ; vous avez un potentiel énorme et votre plus gros handicap est votre autocritique. Croyez en vous.

**Signe :** Capricorne

**Élément :** Terre

**Catégorie :** Cardinal

**Symbole :** ♑

**Points sensibles :** Ossature, décalcification, dentition faible, articulations, genoux, jambes, arthrite, surdité, problème d'ouïe et de peau. Jeune, il a peu de vitalité... mais il rajeunit tous les ans.

**Planète maîtresse :** Saturne, planète de la sagesse.

**Pierres précieuses :** Améthyste, grenat, diamant.

**Couleurs :** Gris et toutes les couleurs terre.

**Fleurs :** Rose, œillet rouge, glaïeul.

**Chiffres chanceux :** 3-8-11-17-23-28-30-35-44-48.

**Qualités :** Discipliné, sérieux, économe, sage, discret, déterminé, diplomate, traditionnel, terre à terre. Il sait que le temps est son précieux allié.

**Défauts :** Manque d'assurance, timide, renfermé, autoritaire, ne jette rien, pessimiste, manque de confiance.

**Ce qu'il pense en lui-même :**
Je vais tout faire pour eux... Je veux qu'ils m'aiment à tout prix !

**Ce que les autres disent de lui :**
Demandons-lui ce qu'on veut : il ne sait pas dire non !

# PRÉDICTIONS ANNUELLES

**V**ous avez devant vous une année particulièrement intéressante. Saturne, votre planète maîtresse, occupe un secteur plutôt neutre de votre thème astrologique. Par conséquent, vous ne devriez pas subir de gros coups durs. Cette conjoncture peut même jouer en votre faveur, pour peu que vous restiez centré sur vous-même et sur vos véritables besoins. Laissez faire les autres, vous avez déjà trop donné! Mieux encore, vous commencerez à bénéficier d'un transit fort avantageux de Jupiter à compter du 11 août, ce qui vous permettra de donner un nouveau sens à votre vie. La chance se rangera de votre côté et vous entrerez dans une phase merveilleuse où tous les espoirs sont permis.

SANTÉ. Vous demeurez assez solide durant la première partie de l'année. En faisant preuve de sagesse et en prenant soin de vous, tout ira comme sur des roulettes. Par la suite, vous sentirez vos forces s'amplifier sur le plan tant physique que moral. En effet, les cinq derniers mois s'annoncent tout à fait extraordinaires. Votre vitalité et votre résistance iront en augmentant, vous vous débarrasserez de tout ce qui vous a dérangé auparavant et vous ressentirez un profond bien-être. Excellente période pour vous prendre en main et ainsi repartir du bon pied.

SENTIMENTS. Vous vous connaissez beaucoup mieux et, désormais, vous arrivez à définir ce qu'il vous faut pour être heureux ; vous n'avez absolument pas le goût de faire de compromis. À vrai dire, vous avez le courage nécessaire pour dire ce qui vous dérange même si cela en choque certains. Ceux qui vous aiment comprendront le message, et tant pis pour les autres : ils ne valent pas la peine que vous leur consacriez davantage d'énergie. À partir de la mi-août, la vie mettra sur votre route plein de gens à la hauteur de vos aspirations. Si vous avez vécu une rupture ou souffert de la solitude, les chances de rencontrer l'âme sœur sont élevées. Ceux qui sont impliqués dans une relation amorceront une phase de rapprochement et de complicité. Bref, votre cote d'amour sera à la hausse en société comme en intimité. Ça promet !

AFFAIRES. Ici aussi, il existe une nette différence entre la première et la seconde partie de l'année. Jusqu'en août, vous traverserez une période de remise en question durant laquelle vous serez possiblement obligé de vous recycler ou, du moins, de modifier votre plan d'action. Vous travaillerez dur, c'est vrai, mais petit à petit vous marquerez des points. Puis, avec l'arrivée d'un fort coefficient de chance le 11 août, vous serez en droit d'espérer un sérieux déblocage dans votre carrière et vos finances. À cette époque, vous pourriez même décrocher un prix au jeu. Tout ira au-delà de vos espérances, et vous serez parfois estomaqué de voir comment le destin fait bien les choses.

# Janvier

| DIM | LUN | MAR | MER | JEU | VEN | SAM |
|-----|-----|-----|-----|-----|-----|-----|
|     |     |     |     | 1 | 2 | 3 |
| 4 ○ | 5 | 6 | 7 | 8 | 9 F | 10 F |
| 11 D | 12 D | 13 D | 14 | 15 | 16 | 17 |
| 18 | 19 | 20 ● | 21 | 22 | 23 | 24 D |
| 25 D | 26 | 27 F | 28 F | 29 | 30 | 31 |

| F  Jour favorable | | D  Jour difficile | |
|-----|-----|-----|-----|
| ○  Pleine lune | | ●  Nouvelle lune | |

SANTÉ. Plus le mois avancera, plus vous vous sentirez énergique et motivé. Vous arrivez à mettre le doigt sur ce qui accrochait, vous réglez vos problèmes sans tarder et vous serez parfaitement d'attaque pour affronter le froid. À partir du 13, vous traverserez un cycle positif sur le plan tant moral que physique. Bonne période pour perdre un peu de poids, adopter un nouveau look ou prendre une bonne résolution.

SENTIMENTS. C'est la seconde quinzaine qui constitue votre meilleure période. Les différends des dernières semaines disparaîtront sans laisser de traces, vous renouerez avec certaines connaissances et vous aurez de nombreuses occasions de sortir et de rencontrer de nouvelles personnes. En amour, c'est la stabilité qui domine, mais vous trouvez qu'il manque un peu de piquant.

AFFAIRES. Vous avez le vent dans les voiles. Si le début du mois comporte quelques retards et obstacles, vous arriverez rapidement à reprendre le contrôle de la situation. Vos activités vous procureront de plus en plus de satisfactions. On pourrait vous refiler un tuyau, suggérer votre nom pour un nouveau poste ou vous donner un sérieux coup de main.

# Février

| DIM | LUN | MAR | MER | JEU | VEN | SAM |
|---|---|---|---|---|---|---|
| 1 | 2 | 3 ○ | 4 | 5 | 6 F | 7 F |
| 8 D | 9 D | 10 | 11 | 12 | 13 | 14 |
| 15 | 16 | 17 | 18 ● | 19 | 20 | 21 D |
| 22 D | 23 F | 24 F | 25 | 26 | 27 | 28 |

| F Jour favorable | | D Jour difficile | |
|---|---|---|---|
| ○ Pleine lune | | ● Nouvelle lune | |

SANTÉ. Tout semble se dérouler correctement jusqu'au 19. Par la suite, quelques dissonances planétaires seront susceptibles de diminuer votre résistance. Vous pourriez également traverser une phase de confusion : vous aurez du mal à rester concentré et vos réflexes seront moins bons que d'habitude. Attention, car si vous n'y prenez garde, vous pourriez faire une chute ou vous blesser.

SENTIMENTS. C'est durant les trois premières semaines que vous vivrez les plus beaux moments. Votre vie sociale sera effervescente, tandis que vos amours vous transporteront au septième ciel. Le reste du mois s'annonce plus tranquille, voire quelque peu ennuyant. Ne montez pas sur vos grands chevaux inutilement, vous sèmeriez la pagaille.

AFFAIRES. Ici aussi, le mois démarre en trombe. Des offres intéressantes ou une réponse favorable à l'une de vos demandes vous permettent de vous rapprocher de vos objectifs. Si vous comptez mettre un projet en branle, mieux vaut agir avant le 20, sans quoi vous risquez de vous heurter par la suite à toutes sortes d'obstacles.

# Mars

| DIM | LUN | MAR | MER | JEU | VEN | SAM |
|-----|-----|-----|-----|-----|-----|-----|
| 1 | 2 | 3 | 4 F | 5 ○ F | 6 F | 7 D |
| 8 D | 9 | 10 | 11 | 12 | 13 | 14 |
| 15 | 16 | 17 | 18 | 19 | 20 ● D | 21 D |
| 22 F | 23 F | 24 | 25 | 26 | 27 | 28 |
| 29 | 30 | 31 | | | | |

| F  Jour favorable | D  Jour difficile |
|-------------------|-------------------|
| ○  Pleine lune | ●  Nouvelle lune et éclipse solaire totale |

SANTÉ. Le carré de la planète Mars fait obstruction à votre quiétude. Vous avez les nerfs en boule, vous vous sentez épuisé, ce qui ouvre la porte à différents malaises. Par-dessus le marché, vous êtes sujet aux accidents. Vous n'avez pas le choix, il faut à tout prix adopter une attitude préventive et prendre davantage soin de vous.

SENTIMENTS. Le mois commence de travers, vous avez l'impression qu'on vous délaisse ou qu'on ne fait aucun effort pour vous comprendre. À compter du 17, vous vous entendrez beaucoup mieux avec votre partenaire et la marmaille. Vos amis vous traiteront aux petits oignons, et on vous proposera de nombreuses sorties. Vous feriez bien de les accepter, surtout si vous êtes seul, car c'est au cours de l'une d'elles que vous pourriez trouver l'amour.

AFFAIRES. Ici aussi, ça ne va pas très bien. Vous avez beau faire de votre mieux, on dirait que ce n'est jamais assez. Ce n'est qu'une vilaine passe, tout s'arrangera le mois prochain. D'ici là, essayez de proscrire les conflits, avec l'autorité entre autres, et ne laissez personne vous entraîner dans une galère. La patience et la souplesse sont présentement vos meilleurs atouts.

CAPRICORNE

# Avril

| DIM | LUN | MAR | MER | JEU | VEN | SAM |
|-----|-----|-----|-----|-----|-----|-----|
|     |     |     | 1 F | 2 F | 3 D | 4 ○ D |
| 5   | 6   | 7   | 8   | 9   | 10  | 11  |
| 12  | 13  | 14  | 15  | 16  | 17 D | 18 ● D |
| 19 F | 20 F | 21  | 22  | 23  | 24  | 25  |
| 26  | 27  | 28 F | 29 F | 30 D |     |     |

| F  Jour favorable | | D  Jour difficile | |
|---|---|---|---|
| ○  Pleine lune et éclipse lunaire partielle | | ●  Nouvelle lune | |

SANTÉ. C'est le retour des jours meilleurs. Vous devriez aller beaucoup mieux. Votre énergie remonte, ce qui fait que vous vous sentirez plus entreprenant et, surtout, que vous pourrez vous débarrasser d'un malaise ou d'une infection. Le moral fait encore des siennes jusqu'au 14, puis tout se replace.

SENTIMENTS. Un membre de la famille vous embête durant la première quinzaine, mais vous en avez assez ; ce ne sera pas long avant que vous le mettiez au pied du mur. En amour, c'est l'inverse, votre partenaire nourrit des sentiments enflammés à votre endroit et vous appuie dans tout ce que vous faites. Si vous êtes seul, l'amour est sur le point de frapper à votre porte. Beau mois également avec les amis et les relations sociales.

AFFAIRES. Voici un autre secteur où le vent tourne. Au lieu d'être constamment en position d'infériorité, vous vous hissez au sommet du peloton. Certaines situations embrouillées se résolvent à votre avantage. Un nouvel emploi ou une permanence pourraient même témoigner du retour de la chance. Excellent mois pour les recherches domiciliaires ou professionnelles ainsi que les déplacements.

# Mai

| DIM | LUN | MAR | MER | JEU | VEN | SAM |
|-----|-----|-----|-----|-----|-----|-----|
|     |     |     |     |     | 1 D | 2 D |
| 3 ○ | 4 | 5 | 6 | 7 | 8 | 9 |
| 10 | 11 | 12 | 13 | 14 D | 15 D | 16 F |
| 17 ● F | 18 | 19 | 20 | 21 | 22 | 23 |
| 24 / 31 | 25 F | 26 F | 27 | 28 D | 29 D | 30 |

| F  Jour favorable | D  Jour difficile |
|-------------------|-------------------|
| ○  Pleine lune | ●  Nouvelle lune |

SANTÉ. La tendance est à la hausse. Vous continuez de recouvrer vos forces. D'ailleurs, tous les efforts fournis en ce sens donnent des résultats exceptionnels. Si vous trouvez que vos progrès ne sont pas assez rapides, n'hésitez pas à demander de l'aide, vous trouverez une personne compétente qui vous guidera dans la bonne direction. Autre nouvelle positive : vous retrouvez enfin le calme intérieur et la paix de l'esprit.

SENTIMENTS. Les dix premiers jours sont fantastiques et, avec une vie sociale aussi remplie, vous n'avez guère le temps de vous ennuyer. En plus de passer d'agréables moments avec vos amis, ceux-ci vous font découvrir de nouvelles personnes avec qui vous sympathisez instantanément. Le reste du mois est plus tranquille, et vous risquez de vous morfondre si vous ne prenez pas quelques initiatives.

AFFAIRES. Essayez d'agir avant le 11, car vous êtes toujours sur une excellente lancée. Vous réussirez à régler une foule de problèmes et pourrez faire de beaux progrès. Si vous attendez, ce sera plus ardu mais pas impossible. Bonne période également pour les négociations, les signatures de contrats, les concours et les voyages.

# Juin

| DIM | LUN | MAR | MER | JEU | VEN | SAM |
|-----|-----|-----|-----|-----|-----|-----|
|  | 1 | 2 ○ | 3 | 4 | 5 | 6 |
| 7 | 8 | 9 | 10 D | 11 D | 12 F | 13 F |
| 14 | 15 | 16 ● | 17 | 18 | 19 | 20 |
| 21 | 22 F | 23 F | 24 D | 25 D | 26 | 27 |
| 28 | 29 | 30 |  |  |  |  |

| F Jour favorable | D Jour difficile |
|------------------|------------------|
| ○ Pleine lune | ● Nouvelle lune |

SANTÉ. Vous allez de mieux en mieux, vous semblez rajeunir à vue d'œil et cela fait plaisir à voir. Vous disposez d'une solide énergie ainsi que d'une motivation peu commune. D'ailleurs, on envie autant votre allure que vos dispositions. Afin de ne pas entacher ce joli tableau, prenez quelques précautions durant la dernière semaine pour éviter de vous blesser.

SENTIMENTS. Vous avez tout ce qu'il faut pour être heureux, mais vous ne vous en rendez pas toujours compte. Vous attendez que les autres devinent vos besoins, alors que ce serait tellement plus simple si vous vous ouvriez davantage. Dans le fond, votre entourage ne demande pas mieux que de vous faire plaisir... À vous d'en profiter !

AFFAIRES. Vous continuez à travailler d'arrache-pied, vous vous dévouez corps et âme. Par moments, cependant, vous vous demandez si vous n'êtes pas en train de vous faire avoir. Heureusement, il n'en est rien, vous en aurez justement la preuve sous peu. Évitez de prendre des risques entre le 24 et le 30, surtout qu'une dépense imprévue risque de vous tomber dessus.

# Juillet

| DIM | LUN | MAR | MER | JEU | VEN | SAM |
|-----|-----|-----|-----|-----|-----|-----|
|     |     |     | 1 ○ | 2 | 3 | 4 |
| 5 | 6 | 7 | 8 D | 9 D | 10 F | 11 F |
| 12 | 13 | 14 | 15 ● | 16 | 17 | 18 |
| 19 F | 20 F | 21 | 22 D | 23 D | 24 | 25 |
| 26 | 27 | 28 | 29 | 30 | 31 ○ | |

| F Jour favorable | | D Jour difficile | |
|---|---|---|---|
| ○ Pleine lune | | ● Nouvelle lune | |

SANTÉ. La planète Mars s'est installée à l'opposé de votre signe. Par conséquent, vous devriez agir avec davantage de discernement. Soyez vigilant dans vos déplacements, ne prenez aucun risque inutile et tâchez de rester dans les limites d'une saine hygiène de vie. En agissant de la sorte, vous demeurerez à l'abri des malaises, des infections et des blessures.

SENTIMENTS. Vous devrez mettre un peu d'eau dans votre vin et faire preuve d'humilité si vous souhaitez conserver l'harmonie. Un enfant vous tracasse avant le 23, mais cela devrait se replacer par la suite. La seconde quinzaine sera avantagée par le passage de Vénus, et vous vivrez de doux moments sur les plans amoureux et social. Attention, toutefois : une gaffe pourrait créer un certain malaise.

AFFAIRES. Le mois s'annonce compliqué. Des retards et des obstacles vous empêchent de fonctionner à votre guise. Gardez confiance, car, à partir d'août, ça devrait aller beaucoup plus rondement. Vous rattraperez alors le temps perdu, et il ne restera aucune trace des avatars que vous vivez présentement. En attendant, vous auriez tort de croire que les dépenses farfelues vous feraient oublier vos frustrations.

# Août

| DIM | LUN | MAR | MER | JEU | VEN | SAM |
|---|---|---|---|---|---|---|
| | | | | | | 1 |
| 2 | 3 | 4 D | 5 D | 6 F | 7 F | 8 |
| 9 | 10 | 11 | 12 | 13 | 14 ● | 15 F |
| 16 F | 17 | 18 D | 19 D | 20 | 21 | 22 |
| 23 / 30 | 24 / 31 D | 25 | 26 | 27 | 28 | 29 ○ |

| F Jour favorable | | D Jour difficile | |
|---|---|---|---|
| ○ Pleine lune | | ● Nouvelle lune | |

SANTÉ. Les huit premiers jours sont encore marqués par l'opposition de Mars, puis le ciel se dégagera rapidement. Tenez le coup, la libération n'est pas loin. En effet, le reste du mois s'annonce extrêmement positif tant moralement que physiquement. D'ailleurs, vous vous sentirez tellement en forme que plusieurs vous demanderont votre secret.

SENTIMENTS. Ici aussi, tout ira à merveille une fois la première semaine écoulée. Vous bénéficierez d'une conjoncture particulièrement agréable sur le plan affectif, et le mot qui décrit le mieux le climat qui régnera est «complicité». Vous serez exactement sur la même longueur d'onde que votre conjoint, la marmaille et les copains. Si vous êtes seul, une amitié amoureuse donnera une nouvelle dimension à votre existence. Du côté social, ça repartira en grand.

AFFAIRES. Deux dates très importantes sont à noter. D'abord, le 8 marque la fin des dissonances de Mars, et les obstacles se mettront à tomber un à un. Puis, le 11, vous commencerez à jouir d'un trigone de Jupiter, ce qui signifie un indice de chance très élevé, même dans les jeux de hasard. Ce transit favorable, qui durera quinze mois, verra vos finances augmenter significativement et votre situation prospérer.

# Septembre

| DIM | LUN | MAR | MER | JEU | VEN | SAM |
|---|---|---|---|---|---|---|
|  |  | 1 D | 2 F | 3 F | 4 | 5 |
| 6 | 7 | 8 | 9 | 10 | 11 F | 12 F |
| 13 ● F | 14 D | 15 D | 16 | 17 | 18 | 19 |
| 20 | 21 | 22 | 23 | 24 | 25 | 26 |
| 27 ○ | 28 D | 29 D | 30 F |  |  |  |

| F Jour favorable | | D Jour difficile | |
|---|---|---|---|
| ○ Pleine lune et éclipse lunaire totale | | ● Nouvelle lune et éclipse solaire partielle | |

SANTÉ. Les éclipses vous ébranlent légèrement. Vous vous sentez moins énergique, vous manquez de ressort et vous avez tendance à broyer du noir. Un tonique, un programme d'exercices léger ou des heures de sommeil plus régulières vous rendront rapidement la forme. Inutile de revenir en arrière, le passé ne doit pas être déterré.

SENTIMENTS. Bien qu'il n'y ait pas de gros problèmes en vue, vous ne vous sentez pas parfaitement heureux. Vous trouvez que votre vie manque de piquant, que votre entourage se replie sur lui-même ; bref, la routine vous agace. Au lieu d'attendre après les autres, proposez des activités qui sortent de l'ordinaire et engagez la discussion. Tout le monde s'en réjouira, à commencer par vous.

AFFAIRES. Ici aussi, c'est le train-train quotidien qui prévaut durant les premières semaines. Rien de très excitant à l'horizon, mais pas de catastrophes non plus. Vous poursuivez votre petit bonhomme de chemin, et vos occupations se déroulent dans un cadre plutôt agréable. Le 24 marque l'arrivée d'un très fort courant de chance, y compris dans les tirages.

# Octobre

| DIM | LUN | MAR | MER | JEU | VEN | SAM |
|-----|-----|-----|-----|-----|-----|-----|
| | | | | 1 F | 2 | 3 |
| 4 | 5 | 6 | 7 | 8 | 9 F | 10 F |
| 11 D | 12 ● D | 13 | 14 | 15 | 16 | 17 |
| 18 | 19 | 20 | 21 | 22 | 23 | 24 |
| 25 D | 26 D | 27 ○ F | 28 F | 29 | 30 | 31 |

| F Jour favorable | D Jour difficile |
|-----|-----|
| ○ Pleine lune | ● Nouvelle lune |

SANTÉ. Les choses vont de mieux en mieux. De fait, vous vous apprêtez à entamer un des meilleurs mois de votre année. Le moment est venu de vous prendre en main, de mettre de l'ordre dans votre vie et de faire preuve de davantage d'autonomie. Cette nouvelle attitude aura des répercussions favorables tant sur votre psyché que sur votre physique, et même sur votre allure.

SENTIMENTS. Entre le 8 octobre et le 8 novembre, Vénus, Mars et Jupiter illumineront votre destinée et vous conféreront un charisme si exceptionnel que personne ne pourra vous résister. La vie mettra des gens extraordinaires sur votre route, et vous pourrez ainsi nouer de solides amitiés et même trouver l'âme sœur. Si vous êtes en couple, votre conjoint vous prouvera qu'il vous adore, et vous en serez énormément touché.

AFFAIRES. La chance vous sourit ! Tout ce que vous ferez en vue de donner un nouvel élan à votre carrière ou d'améliorer vos finances donnera des résultats du tonnerre à court et à long terme. C'est le moment d'asseoir solidement votre avenir. Les déplacements d'affaires ou de loisirs, les rénovations, le commerce et les transactions sont d'autres secteurs favorisés. En passant, n'oubliez pas votre billet de loterie !

# Novembre

| DIM | LUN | MAR | MER | JEU | VEN | SAM |
|-----|-----|-----|-----|-----|-----|-----|
| 1 | 2 | 3 | 4 | 5 F | 6 F | 7 |
| 8 D | 9 D | 10 | 11 ● | 12 | 13 | 14 |
| 15 | 16 | 17 | 18 | 19 | 20 | 21 D |
| 22 D | 23 F | 24 F | 25 ○ | 26 | 27 | 28 |
| 29 | 30 | | | | | |

| F  Jour favorable | D  Jour difficile |
|-------------------|-------------------|
| ○  Pleine lune | ●  Nouvelle lune |

SANTÉ. Jusqu'au 12, pas de problème, rien ne peut venir à bout de vous. Vous avez tout ce qu'il faut pour profiter de la vie et augmenter votre bien-être. Arrangez-vous pour que cela ne soit pas de courte durée et prenez vos précautions, car un risque de blessure ou de défaillance vous menace après le 12. Le moral, quant à lui, semble imperturbable du début à la fin.

SENTIMENTS. Les huit premiers jours demeurent magiques. De belles rencontres, des amours suaves et un entourage dévoué contribuent à votre bonheur. Sur le plan social, le mois en entier promet d'être enivrant: tant mieux, car cela vous permettra d'oublier, au moins temporairement, le climat de confrontation qui règne entre certains membres de la famille.

AFFAIRES. La chance est dans le portrait jusqu'au 12. Tâchez donc d'agir rapidement si vous voulez mettre vos projets en marche, négocier, présenter une demande ou participer à un tirage. Vous auriez tort, par contre, de tout tenir pour acquis. Par la suite, vous risquez d'avoir des pépins en vous croyant tout permis, en agissant de manière précipitée ou en vous montrant arrogant.

# Décembre

| DIM | LUN | MAR | MER | JEU | VEN | SAM |
|-----|-----|-----|-----|-----|-----|-----|
|     |     | 1 | 2 F | 3 F | 4 | 5 D |
| 6 D | 7 | 8 | 9 | 10 | 11 ● | 12 |
| 13 | 14 | 15 | 16 | 17 | 18 | 19 D |
| 20 D | 21 F | 22 F | 23 | 24 | 25 ○ | 26 |
| 27 | 28 | 29 | 30 F | 31 F |     |     |

| F  Jour favorable | | D  Jour difficile | |
|-----|-----|-----|-----|
| ○  Pleine lune | | ●  Nouvelle lune | |

SANTÉ. La planète Mars occupe présentement un secteur plus délicat de votre ciel. Ce transit coïncide généralement avec un risque accru d'accidents, de poussées de fièvre et de maux de tête. Prenez donc les moyens nécessaires pour ne pas être affecté. Vous aurez également un peu de difficulté à gérer votre énergie : en voulant faire trop de choses à la fois, vous risquez de vous éparpiller ou de vous mettre à terre.

SENTIMENTS. Du 4 au 30, Vénus et Jupiter vous choieront dans ce domaine, ce qui vous permettra de raviver la flamme avec votre conjoint ou, si vous êtes seul, de faire une belle rencontre. On vous dira des choses adorables, on aura toutes sortes d'attentions délicates à votre endroit. Par-dessus le marché, vous recevrez encore une foule d'invitations.

AFFAIRES. Dans vos activités, c'est le désordre total, en plein ce qu'il faut pour que vous prouviez à votre entourage que vous savez comment tout arranger. Votre sens de l'organisation est impressionnant, on se demande d'ailleurs ce qu'on ferait sans vous. Entre le 2 et le 20, vous serez très avantagé si vous faites des démarches, si vous effectuez une transaction ou si vous vous déplacez. Un tirage peut même vous réserver une surprise.

# VERSEAU

## DU 21 JANVIER AU 19 FÉVRIER

On dit souvent du Verseau qu'il est né au moins un siècle trop tôt. On le trouve original, voire plutôt excentrique, et il n'est pas toujours facile de le comprendre. Ses idées sont renversantes, osées, bref, très avant-gardistes.

Le Verseau est un amateur de nouveautés : le dernier gadget trouve toujours une place dans sa cuisine, son atelier, son bureau. Les bidules, les machins, les trucs, vous les connaissez tous et vous pouvez faire découvrir bien des objets aux autres, ceux que le monde ignore totalement. Et tout ça, sans parler de ce que vous avez bricolé ou « bidouillé » vous-même, parce que personne n'avait pensé à l'inventer avant vous !

Le signe du Verseau est donc associé aux nouvelles technologies, quel qu'en soit le domaine : électricité, télécommunications, satellites, informatique, énergie nucléaire et science atomique.

Le plus célèbre des Verseau, Jules Verne, a beaucoup fait jaser avec ses idées abracadabrantes, révolutionnaires pour l'époque : imaginez, il disait que l'homme pourrait voler dans un oiseau de métal, aller sur d'autres planètes, voyager au plus profond des océans, creuser des tunnels sous les montagnes, regarder la télévision, et j'en passe... Certains sceptiques le tenaient pour fou. Pourtant, aujourd'hui, ces exploits ne nous étonnent plus, ils sont monnaie courante. Dans un siècle, cher Verseau, on reconnaîtra que vous étiez un visionnaire, mais en attendant, il pourra vous sembler irritant d'avoir à convaincre les autres que vous n'affabulez pas et que vos idées trouveront des applications insoupçonnées dans l'avenir.

Votre signe est également placé sous un aspect humanitaire. Dans votre cœur, il n'y a pas de frontières; l'univers entier devient votre domicile. Vous aimez tout le monde sans distinction : blancs, noirs, rouges, jaunes... ou verts extraterrestres ! Peu importe la classe sociale, la religion, la race, le sexe, vous savez trouver ce que chacun a de meilleur en soi. Pour vous, c'est l'humanité qui compte. Et ce grand esprit de famille qui vous anime se reflète jusque dans votre cercle d'amis. Celui-ci est très diversifié et étonnant ; s'y côtoient des gens qui, hormis vous, n'auraient pas grand-chose en commun. Vous mélangez les genres : le président d'une entreprise cotée en Bourse, un violoniste de l'orchestre symphonique, une militante antimondialisation, un installateur de téléphones, une vieille missionnaire à la retraite et une *top model*. Vous mixez les histoires, les expériences de vie et les points de vue... et votre petite soirée fera encore jaser dix ans plus tard.

Pour vous, apprendre et expérimenter – que ce soit dans votre cuisine (sans doute un laboratoire de chrome et d'acier) ou au travail, par l'éducation des petits ou en réglant les problèmes des pays en voie de développement – ne sont pas des mots vides de sens. Les sentiers battus, les habitudes, les manies, ce n'est pas votre genre. Vous voulez faire mieux que les autres, et avec votre touche bien personnelle.

Anticonformiste comme vous l'êtes, vous astreindre à respecter un budget n'est pas dans vos pratiques courantes. Vous craquez pour un objet... eh bien, vous l'achetez à crédit, et la facture viendra plus tard. Vous jouez à la Bourse, mais vous oubliez la facture d'épicerie que vous devez acquitter... Vous jonglez avec votre argent comme avec vos idées.

Comme vous placez la générosité sur un piédestal, vous êtes parfois d'une grandeur magnifique. Cependant, vous sacrifier vous demande quelquefois beaucoup d'efforts. Vous êtes débordant d'idées, mais vous aimez laisser les autres les appliquer.

Sur le plan affectif, vous vous avouez large d'esprit... quand vous n'êtes pas impliqué. Mais si, par malheur, votre conjoint prend ce principe au pied de la lettre, il risque de lui en cuire. Vous avez l'esprit ouvert, mais quand ça ne s'applique pas à vous. Indépendant, vous prônez la liberté, et l'élu de votre cœur doit l'accepter. Par contre, si lui-même accorde ses faveurs à une autre personne... aïe! La liberté a quand même des limites, n'est-ce pas? Surtout celles que vous lui mettez!

## Comment se comporter avec un Verseau?

Pour devenir l'amour de la vie d'un Verseau, il faut être patient, être d'abord son ami et laisser les sentiments mûrir entre vous. Si vous avez en tête l'image du petit couple charmant vivant dans une maison coquette entourée de fleurs, vous pourriez avoir une amère déception. Cette seule pensée lui donne la chair de poule. Par contre, une tour de verre ultramoderne au centre-ville, ou une maison dont il a lui-même dessiné les plans, vous attend sûrement. Ainsi, la jolie maisonnette blanche à volets bleus dans un jardinet fleuri... oubliez ça tout de suite.

Notre Verseau est anticonformiste dans l'âme, et vous ne pourrez rien y faire, autant vous y habituer tout de suite. Si vous cherchez à lui parler de problèmes quotidiens, de la fenêtre du sous-sol qui coince ou de la dernière marche de l'escalier qui se fend, vous tombez plutôt mal. Le mieux est de régler ces détails vous-même; le Verseau a d'autres choses plus importantes à faire, et perdre son temps pour de telles broutilles ne l'intéresse tout simplement pas.

Par contre, si vous voulez discuter de la question des sans-abri dans les grandes villes occidentales, de la peine de mort ou de la Première Guerre mondiale, vous tomberez sur un interlocuteur attentif et renseigné, mais de grâce, oubliez les soucis domestiques.

Il vous faut aussi apprendre à respecter sa liberté, à le laisser découvrir ce qui lui plaît, à accepter qu'il ait des occupations autres que les vôtres. Emboîtez-lui le pas, secondez-le et épaulez-le. Notre Verseau aime bien avoir un bon complice, mais doit avoir le dernier mot. Quant à vouloir lui faire faire le grand ménage du printemps ou récurer les casseroles... laissez tomber, car vous gaspillerez votre salive.

Pour le convaincre de faire quelque chose, parlez-lui d'aider les pays défavorisés et sortez vos grandes théories humanitaires, car les arguments simples et terre à terre, il n'en a que faire. Il évolue dans la haute stratosphère, notre Verseau, bien au-dessus des banalités. De toute façon, puisque vous êtes là et que cela vous interpelle, vous vous en occuperez à sa place. Le mieux pour vous est qu'il trouve lui-même ce dont vous voulez le convaincre. Bien sûr, faites cela à son insu. De cette façon, il vous expliquera le problème avec un exemple concret, et vous aurez atteint votre but. Mais n'oubliez jamais qu'avec un natif du Verseau il y a deux vérités : celle du monde et celle de son quotidien, et elles sont loin d'être compatibles.

Ce qui l'indispose, ce sont les plaintes, les reproches et les pressions. Se faire pousser dans le dos l'exaspère et le fait même fuir. Le meilleur moyen de vous en faire un ami est de faire comme lui, de vous joindre à sa bande, de l'accompagner dans ses sorties, de discuter à bâtons rompus des grandes théories humanistes. Et tant pis pour le tube de dentifrice mal rebouché qui gît dans le lavabo de la salle de bains.

## Ses goûts

Avec une personnalité aussi originale, il ne peut évidemment pas avoir des goûts conventionnels. Ce qui choque ou surprend, et surtout qui sera à la mode dans dix ans seulement, voilà ce qui fait son bonheur. Bien sûr, tout le monde le trouve excentrique. Mais pour lui, il est tout à fait normal d'être à l'avant-garde, jusque dans sa tenue vestimentaire. Les complets-cravate ou les tailleurs bon chic bon genre, très peu pour notre Verseau. Par contre, un look hyper « flyé », affichant sa petite touche, voilà dans quoi il se sent bien. Il ne supporte pas d'être pareil aux autres. Chez lui, regardez-y de plus près et vous découvrirez les plus récents gadgets et les inventions les plus bizarres. Il réussit même à dénicher des objets qui ne seront probablement sur le marché que trois mois plus tard. Dans son assiette aussi, on peut lire son goût pour l'originalité. Ainsi, à table, il aime découvrir, innover, voire se surprendre lui-même. Des combinaisons inusitées, gâteau au confit d'oignons, poulet à la confiture de cerises de terre, potage aux pommes et au fenouil... il essaie les mixtures les plus étranges. Alors, s'il vous invite à dîner, vous serez surpris, mais vous conviendrez que c'est bon... dans le genre. Malheureusement, comme notre Verseau est aussi un être très occupé, les services de restauration rapide connaissent bien son adresse.

## Son potentiel

Le Verseau s'intéresse aux nouvelles technologies, à tout ce qui sort de l'ordinaire et au bien-être de l'humanité. Les domaines où il évoluera le mieux sont ceux de l'industrie aérospatiale, l'informatique, l'électronique, le génie électrique, l'invention, la futurologie, le cinéma, la télévision, la radio, mais aussi la psychologie, les sciences sociales et les arts. Il a une personnalité originale, et des idées fulgurantes et brillantes jaillissent de son esprit. Il est souvent très créatif. De toute façon, quoi qu'il fasse, il ne se conformera jamais aux normes, et ce sera toujours étonnant.

## Ses loisirs

Le Verseau est intrigué par tellement de choses que vouloir lui attribuer un ou des passe-temps n'est pas facile. C'est une personne polyvalente, mais la nouveauté et l'inconnu le captivent et le passionnent tout particulièrement. Il est avide de découvertes ; il veut sans cesse apprendre, explorer, comprendre et être étonné. De telles aptitudes lui permettent d'explorer à fond le monde de l'informatique, de la création par ordinateur, et même de la conception et de la programmation de machines intelligentes. Même s'il travaille dans un secteur particulier, il voudra continuer chez lui, le soir, pour approfondir ses connaissances ou faire de nouvelles trouvailles.

Les technologies de pointe l'attirent comme un aimant. Aéronautique, missions spatiales, intelligence artificielle, manipulations génétiques émoustillent sa curiosité. Il est aussi irrésistiblement intrigué par ce qui semble mystérieux, comme la spiritualité. S'il aime la lecture, il choisira certainement un ouvrage ou un magazine qui traite d'un de ces sujets.

Le Verseau a besoin de compagnie, de voir des gens, de discuter, de confronter ses idées à celles des autres, de régler le sort de l'humanité ; il ne peut rester seul bien longtemps. Son cercle de relations s'agrandit d'année en année, et il consacre un temps considérable à sa vie en société, avec ses amis. Pour cette raison, la psychologie humaine pourrait être un autre de ses multiples champs d'intérêt. En fait, il peut s'adonner à n'importe quelle activité et y trouver du plaisir, du moment qu'il sent que son esprit est mis à contribution. Car notre Verseau aime faire fonctionner ses neurones, tellement qu'il se plaît à inventer : il a toujours quelque chose à « patenter », des stores verticaux à ouverture télécommandée ou un programme d'ordinateur pour inventer des recettes très personnelles aux ingrédients inusités, un dévidoir électrique pour permettre au chat de se nourrir tout seul, etc. Avec lui, la science n'a pas de limites. Et devinez quel genre de films obtient sa préférence ? La science-fiction, bien entendu !

## Sa décoration

Lorsqu'on franchit le seuil de sa maison, on a souvent l'impression d'entrer dans un magasin d'appareils électroniques. Son domicile est rempli de multiples gadgets qui lui simplifient la vie. Si vous voulez découvrir les plus récents appareils ménagers, par exemple ce fameux réfrigérateur qui se branche sur Internet pour passer lui-même la commande de ce qui manque sur ses rayons, c'est chez le Verseau que vous le trouverez en premier. En fait, il ne serait guère étonnant que sa maison soit bourrée de domotique. Elle est si moderne, si informatisée qu'on a parfois le sentiment de débarquer sur une autre planète.

Le chrome, l'acier inoxydable, les métaux dépolis, la laque blanche ou noire et le granit composent un intérieur résolument contemporain. On dirait qu'il habite la station internationale en orbite autour de notre planète. Mais il ne se contente pas d'avoir un style futuriste. Il le personnalise, et là, croyez-moi, vous n'êtes pas au bout de vos surprises. Une tapisserie du Moyen Âge pourrait bien voisiner avec un cadre d'aluminium anodisé... vide. Pour lui, l'objet ancien met le reste du décor en valeur. Bien sûr, chacun a ses goûts et ses couleurs préférées, n'est-ce pas ?

Et puis, avez-vous remarqué combien sa maison est toujours grouillante de monde ? Ses proches prendraient-ils son intérieur pour un musée ou pour une curiosité à voir absolument ?

## Son budget

Le Verseau vit dans le futur. Pour son budget, c'est pareil! Il achète maintenant et paiera plus tard. La tentation est si forte – un nouvel appareil, un gadget qui vient de sortir – qu'il vous est inutile de lui dire qu'il peut s'en passer. Si le bidule existe, il le lui faut, et pas dans un mois, tout de suite. Une autre partie de son argent est consacrée à l'aide à autrui; il a tellement d'amis qu'il y en a toujours un qui se trouve dans le besoin. Tout cela fait en sorte que son compte en banque est parfois à bout de souffle.

En fait, l'argent lui brûle les doigts. Ses proches et son conjoint auront beau essayer de le raisonner, l'économie... très peu pour lui. Il méprise le capitalisme: il le dit souvent à qui veut bien l'entendre. Néanmoins, il consomme diablement.

Tenez, il vient de s'acheter un nouvel ordinateur et il passe des heures sur un nouveau programme de comptabilité censé l'aider à tenir son budget... mais voilà, si le logiciel est bien au point, il n'aura ni le temps ni l'envie de s'en servir pour faire tous ces calculs idiots. Une machine pour imprimer de beaux billets bruns serait peut-être un meilleur gadget pour notre Verseau.

## Quel cadeau lui offrir?

Trouver un cadeau pour un Verseau, c'est facile: tout ce qui est nouveau, électronique, à l'avant-garde lui plaira. Le problème est qu'il l'a peut-être déjà acheté lui-même. Il sait dénicher les nouveautés avant même qu'elles soient annoncées dans les journaux.

De toute façon, peu importe ce que vous pensiez lui offrir, cherchez un objet qui lui simplifiera la vie. Entre deux modèles, choisissez le plus futuriste, avec des tas de boutons, de réglages et de manettes. Vous, vous y perdriez sûrement votre latin. Lui, il trouvera comment ça marche en un rien de temps. Un nouvel aspirateur qui sert de brosse à vêtements en même temps, une perceuse qui fait des trous carrés, bref, plus c'est bizarre, plus c'est compliqué, plus c'est nouveau, plus il aimera. Sans même lire le mode d'emploi, il a un flair pour comprendre comment utiliser la moindre fonction avec le maximum d'efficacité.

Le marché abonde en nouveautés; vous trouverez sûrement le cadeau idéal pour un Verseau qui a tout: le dernier modèle de cellulaire intelligent, une calculatrice avec microémetteur intégré, une montre qu'on peut utiliser comme GPS, un agenda avec écran numérique qui se branche sur Internet et permet de voir les enfants à la garderie... enfin, visez le plus bizarre des cadeaux *high tech* et vous tomberez dans le mille.

## Les enfants Verseau

Éveillés, curieux, avides d'apprendre, les petits bouts de chou Verseau aiment avoir beaucoup de monde autour d'eux et, forcément, ils sont le centre d'attention de tous, car ils sont dynamiques. Au fil des années, ils deviendront des enfants très sociables, avec plein de copains. Ces derniers ne seront pas toujours de votre quartier, et vous ne les apprécierez pas forcément, mais votre petit Verseau aime la diversité, ce qui est différent. De plus, il a l'âme humanitaire; ne l'oubliez pas. Comme il aime être entouré, la garderie ne lui fera pas peur, et il ramènera sa bande à la maison. Les jouets qu'il préférera seront ceux qu'il pourra monter et démonter à loisir, et même transformer au gré de sa fantaisie, car il adore bricoler, «patenter». Les avions, les fusées, les jeux électroniques, les consoles de jeux vidéo ou les sites internet, voilà de quoi le tenir fort occupé pendant des heures. Il faudrait toutefois essayer de lui inculquer le respect de certaines valeurs plus traditionnelles. Il n'est pas facile, notamment, de lui apprendre à demeurer à l'écoute des autres, de ses proches. C'est bien beau d'avoir des idées humanitaires, de vouloir sauver la planète et les Indiens d'Amazonie, mais ses parents ne sont pas simplement là pour nettoyer sa chambre et lui donner de l'argent pour s'acheter le plus récent logiciel. Le respect des autres commence à la maison; lorsqu'il aura compris cela, il mettra son esprit inventif et ses capacités au service de sa famille, pour votre plus grande joie.

## L'ado Verseau

Tu es un anticonformiste-né; ton comportement, ta personnalité et tes idées surprennent ton entourage. Tu possèdes une intelligence aiguë, un esprit avant-gardiste, presque futuriste. Tu demeures à l'affût des nouvelles tendances et tu t'intéresses à tout ce qui est inédit. Tu es vif d'esprit, et il ne te faut pas longtemps pour comprendre quelque chose et même l'adapter à tes besoins. Tes champs d'intérêt sont si vastes – tu en découvres de nouveaux chaque jour – qu'il est impossible d'en faire la liste.

Une telle personnalité ne te permet pas de passer inaperçu. De toute façon, ce n'est pas ce que tu recherches ; tu aimes au contraire être bien entouré, et tu veux que ton originalité soit reconnue. Tu y arrives bien souvent. Comme tu es très indépendant, l'ordre établi et les conventions t'énervent.

Tu trouves que les gouvernements de la planète ne font pas grand-chose de constructif, et comme tu ne veux pas être écrasé par le système, tu développes un sens de la répartie, de l'idéalisme, de la justice sociale et de la liberté plus grand que les autres.

Tu aimes beaucoup les gens ; tu t'entoures d'un tas de copains qui occupent une place importante dans ta vie. Mais cela ne veut pas dire que tu fais des compromis pour qu'on t'aime. En fait, on te reproche même de ne pas être assez affectueux et démonstratif. Mais pour toi, prouver tes sentiments ne se fait pas seulement avec des câlins.

Comme tout ce qui est à l'avant-garde t'attire, les jeux électroniques, l'informatique, les instruments de musique nouveau genre ou les gadgets inusités remplissent ta chambre. Tu passes aussi beaucoup de temps penché au-dessus de toutes ces bricoles. Tu aimes les monter, les démonter, les remonter pour en faire autre chose, bref, tu es ingénieux et bricoleur, et tu inventes constamment. Cependant, et c'est étonnant, les objets comptent très peu pour toi ; tu les utilises à pleine capacité et puis, lorsqu'ils ne te servent plus, tu les oublies. Tes proches déplorent ton manque de sens pratique et tes dépenses... Mais, à la fin, pour toi, les gens et les idées passent avant tout.

### Tes études

Tu apprends très facilement dans n'importe quel domaine, du moment que ton intérêt est stimulé. Les programmes scolaires stricts et les cours obligatoires ne sont pas pour toi. Le problème, c'est que beaucoup de sujets retiennent ton attention. Mais dès que tu as trouvé le « pourquoi du comment », tu passes à autre chose et délaisses ce qui te passionnait quelques semaines plus tôt. La vie étudiante t'intéresse plus que les études elles-mêmes. Pourtant, tu as beaucoup de

**VERSEAU**

talent, et si tu parviens à trouver une direction et à la maintenir, tu pourrais réaliser de grandes choses pour la collectivité. En fait, je te conseille de dénicher un domaine qui sort de l'ordinaire... tu y seras imbattable.

### Ton orientation

Il n'est pas facile de choisir ton orientation, il y a tellement de choses intéressantes et de métiers d'avenir. Heureusement, tu es capable de voir à long terme, si tu t'en donnes un peu la peine. Les deux champs d'intérêt où tu exprimeras le mieux tes talents sont le travail social et les nouvelles technologies. Tu pourrais donc exceller dans tout ce qui est psychologie, criminologie, syndicalisme, justice, politique, journalisme, télévision, radio, cinéma, marketing, électronique, astrologie, informatique, astronautique, technologies de pointe, génie, électricité, aéronautique, domotique, robotique, ou même futurologie, nano-technologie, vie artificielle, etc. Quoi que tu fasses, tu mettras souvent au point une méthode ingénieuse et inédite pour réussir.

### Tes rapports avec les autres

Tu as de nombreux camarades, et vous formez un groupe peu ordinaire ; c'est le moins qu'on puisse dire. Les préjugés n'ont aucune emprise sur toi ; tu choisis les gens qui t'entourent sans tenir compte de leur statut, de leurs origines et encore moins des rumeurs sur l'un ou sur l'autre. Pour cette raison, ton cercle d'amis est un peu disparate, mais il est le reflet de la société, et cette diversité est pour toi une source constante de découvertes. Tu passes énormément de temps avec tes copains à discuter, à échanger et à refaire le monde. Pour toi, l'amitié n'est pas un mot dénué de sens.

# LE VERSEAU DANS LA CUISINE

## Votre façon de cuisiner

Vous aimez sortir des sentiers battus. Vous êtes original, tout comme l'est votre façon de cuisiner. Vous aimez surprendre et impressionner avec des plats insolites et des combinaisons surprenantes dont vous seul avez le secret.

Votre signe correspond au partage, et vous aimez beaucoup les préparations où tous les convives interviennent, comme les fondues ou la raclette.

## Vous adorez :

- les gadgets et appareils de toutes sortes, à commencer par le micro-ondes ;
- faire vos emplettes dans des endroits inusités ou exotiques ;
- inventer des recettes : vous pouvez vous montrer à la fois audacieux et ingénieux ;
- les plats colorés et les présentations qui captent l'attention, car vous êtes un visuel.

### CE QUE LA NATUROPATHE VOUS SUGGÈRE

- Vous êtes toujours pressé : vous devez quand même modérer la cuisine minute et les préparations commerciales.
- Essayez de vous discipliner pour manger à des heures régulières et évitez de sauter des repas.
- Faites attention aux abus d'excitants (alcool, café), qui vous rendent nerveux.

# ILS SONT VERSEAU EUX AUSSI

Jennifer Aniston, Émily Bégin, Gregory Charles, Deano Clavet, Angèle Coutu, Ellen DeGeneres, Clodine Desrochers, Louis-Georges Girard, Wayne Gretzky, Mario Jean, Bruno Landry, Taylor Lautner, Manon Leblanc, Ana Ortiz, Mario Pelchat, Marie-Chantal Perron, Marie-Lise Pilote, Kim Rusk, Mario Saint-Amand, Nicolas Sarkozy, Shakira, Gilbert Sicotte, Natasha St-Pier, Justin Timberlake, John Travolta, Jules Verne, Andrée Watters, Oprah Winfrey.

### Pensée positive pour le Verseau

Je suis un être unique et je remercie la vie de me faire vivre des expériences uniques. Je suis en harmonie avec la création.

### Pensée positive spéciale pour 2015

Je me libère du passé, j'accepte le renouveau avec enthousiasme et sourit à l'arrivée d'un plus grand bien-être.

*Le subconscient nous dirige toujours selon nos pensées. En répétant le plus souvent possible ces pensées conçues tout spécialement pour vous, vous vous attirerez plein de belles choses.*

### Outils pour transformer votre destinée

- Il ne faut pas avoir peur de l'autorité ni des responsabilités. Même si ce n'est pas dans votre nature, si vous voulez faire votre chemin, il faut vous affirmer.
- Devenez un modèle pour ceux qui vous entourent ; ainsi, vous ne vous sentirez plus à part.
- Ne rejetez pas le passé ou les traditions en bloc ; même si tout ne vous convient pas, il y a néanmoins du bon en eux.

**Signe :** Verseau

**Élément :** Air

**Catégorie :** Fixe

**Symbole :** ♒

**Points sensibles :** Chevilles, jambes, varices, enflures, chutes, crampes, engourdissements, système cardiovasculaire.

**Planète maîtresse :** Uranus, planète des nouvelles technologies.

**Pierres précieuses :** Améthyste, saphir étoilé, ambre.

**Couleurs :** Pêche, turquoise et tous les tons de bleu.

**Fleurs :** Mandragore, oiseau de paradis, toutes les fleurs inhabituelles... À moins qu'il n'en invente !

**Chiffres chanceux :** 4-8-13-16-21-22-34-37-44-48.

**Qualités :** Avant-gardiste, indépendant, original, plein d'humanité, intelligent, compréhensif, sans préjugés, désintéressé, en avance sur son temps.

**Défauts :** Instable, indifférent, anarchiste, peur de s'attacher, refus des responsabilités, difficultés avec le budget.

**Ce qu'il pense en lui-même :**
Si je n'avais pas été là, les voitures seraient encore tirées par des chevaux...

**Ce que les autres disent de lui :**
Il ne pourrait pas faire comme les autres pour une fois ?

# PRÉDICTIONS ANNUELLES

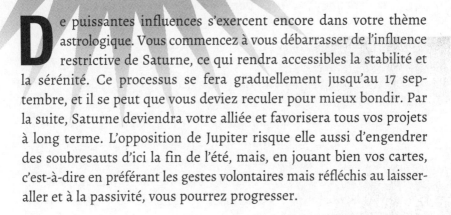

De puissantes influences s'exercent encore dans votre thème astrologique. Vous commencez à vous débarrasser de l'influence restrictive de Saturne, ce qui rendra accessibles la stabilité et la sérénité. Ce processus se fera graduellement jusqu'au 17 septembre, et il se peut que vous deviez reculer pour mieux bondir. Par la suite, Saturne deviendra votre alliée et favorisera tous vos projets à long terme. L'opposition de Jupiter risque elle aussi d'engendrer des soubresauts d'ici la fin de l'été, mais, en jouant bien vos cartes, c'est-à-dire en préférant les gestes volontaires mais réfléchis au laisser-aller et à la passivité, vous pourrez progresser.

SANTÉ. Voici un secteur où, justement, la négligence et le manque de contrôle sur vous-même pourraient encore vous jouer des tours avant la mi-septembre ; il est temps de prendre quelques bonnes résolutions. Pas question non plus de jouer au héros ou au casse-cou cette année, vous vous épuiseriez. Les derniers mois de 2015 vous retrouveront dans une forme splendide, vous renaîtrez et trouverez des solutions à tous vos ennuis. Du côté psychologique aussi, vous irez de mieux en mieux et commencerez à vous affranchir du passé. Vous qui avez déjà énormément d'intuition, vous en aurez encore davantage. À surveiller !

SENTIMENTS. Vous êtes décidé plus que jamais à faire du ménage autour de vous. Ceux qui abusaient de vous, qui croyaient que tout leur était dû ou qui exerçaient un contrôle malsain sur votre destinée n'ont qu'à bien se tenir, car vous pourriez les envoyer promener. Par contre, à l'intérieur des relations qui vous conviennent, qui vous font du bien, vous pouvez espérer une douce et agréable continuité. À partir du 11 août, votre vie sociale sera encore plus effervescente et verra apparaître toutes sortes de bonnes nouvelles sur le plan amoureux.

AFFAIRES. Mieux vaut favoriser les actions raisonnables plutôt que les gestes intempestifs durant les huit premiers mois. Ne tenez rien pour acquis et travaillez à entretenir ce que vous avez mis en place. Un de vos meilleurs atouts demeure la souplesse, mais évitez de confondre celle-ci avec la passivité. Gardez votre direction, évitez de vous laisser manipuler, tout en sachant vous adapter aux différentes situations susceptibles de se produire. En effet, des transformations, parfois inattendues, ponctueront l'évolution de votre destinée, et si vous faites l'effort de vous ajuster, vous en sortirez gagnant. Méfiez-vous toujours de votre naïveté, qui pourrait vous faire céder aux balivernes d'un beau parleur. Mauvaise période également pour braver la loi : des contraventions ou une amende pourraient vous tomber dessus. À la mi-août, ça changera du tout au tout. Vous aurez enfin la voie libre, vous ferez des progrès notoires et disposerez de davantage de latitude dans vos activités ainsi que dans votre budget.

# Janvier

| DIM | LUN | MAR | MER | JEU | VEN | SAM |
|-----|-----|-----|-----|-----|-----|-----|
|     |     |     |     | 1   | 2 F | 3 F |
| 4 ○ | 5   | 6   | 7   | 8   | 9   | 10  |
| 11 F | 12 F | 13 F | 14 D | 15 D | 16 | 17 |
| 18  | 19  | 20 ● | 21  | 22  | 23  | 24  |
| 25  | 26  | 27 D | 28 D | 29 F | 30 F | 31 |

| F  Jour favorable | D  Jour difficile |
|-------------------|-------------------|
| ○  Pleine lune | ●  Nouvelle lune |

SANTÉ. Sur le plan physique, vous commencez l'année avec Mars dans votre signe jusqu'au 8, ce qui maximise votre dynamisme. Cependant, ce transit prédispose aux blessures et aux ennuis de santé. Un minimum de précautions vous gardera à l'abri des pépins. Psychologiquement, vous vivrez une phase plus délicate entre le 4 et le 31: vous risquez de vous inquiéter pour un rien ou de trop vivre dans le passé.

SENTIMENTS. Vénus sera dans votre signe du 3 au 27. Grâce à cette conjoncture bénéfique, vous pourrez vous rapprocher de votre chéri, et même raviver les sentiments qui vous unissent. Les solitaires, quant à eux, feront une belle rencontre. Du côté social, vous serez très en demande, vous aurez le goût de voir des gens, et ça tombe bien, puisque de nombreuses activités et sorties excitantes vous attendent.

AFFAIRES. Voici un mois chargé durant lequel les activités ne cessent de se multiplier. Même si tout ce travail ne paie pas plus qu'il ne le faut, il vous fournit néanmoins l'occasion d'établir de précieux contacts. Quelques soubresauts avec le budget marquent la première quinzaine, tandis que la seconde s'annonce beaucoup plus calme. Bon mois pour les déplacements d'affaires et de plaisance.

VERSEAU

# Février

| DIM | LUN | MAR | MER | JEU | VEN | SAM |
|-----|-----|-----|-----|-----|-----|-----|
| 1 | 2 | 3 ○ | 4 | 5 | 6 | 7 |
| 8 F | 9 F | 10 F | 11 D | 12 D | 13 | 14 |
| 15 | 16 | 17 | 18 ● | 19 | 20 | 21 |
| 22 | 23 D | 24 D | 25 F | 26 F | 27 | 28 |

| F  Jour favorable | | D  Jour difficile | |
|---|---|---|---|
| ○  Pleine lune | | ●  Nouvelle lune | |

SANTÉ. Le moral fait encore des siennes lors des trois premières semaines : vous êtes nostalgique et vous faites des montagnes avec des riens. Attention, à ce rythme-là, vous finirez par déprimer et même par affaiblir votre organisme. Essayez de parler un peu plus, cela vous aidera. Mieux encore, faites un effort pour bouger davantage, vous occuperez ainsi votre esprit. À compter du 21, vous retrouverez votre courage ainsi que votre entrain.

SENTIMENTS. On ne vous reconnaît pas : vous êtes taciturne, vous avez davantage tendance à vous replier sur vous-même et la compagnie des autres risque de vous agacer jusqu'au 20. Heureusement, vous aurez à nouveau l'esprit à la fête par la suite et vous ne tiendrez pas en place. À cette même période, de belles surprises sur le plan amoureux vous attendent.

AFFAIRES. Ici aussi, le début du mois laisse à désirer, vous avez l'impression de vous empêtrer. Dès le 19, vous pourrez donner suite à vos projets et effectuer les changements dont vous rêviez depuis quelque temps. Tout ce que vous entreprendrez fonctionnera plus rondement, et vous évoluerez finalement selon vos plans. Le budget cessera de vous tracasser si vous apprenez à mieux gérer vos finances.

# Mars

| DIM | LUN | MAR | MER | JEU | VEN | SAM |
|-----|-----|-----|-----|-----|-----|-----|
| 1 | 2 | 3 | 4 | 5 ○ | 6 | 7 F |
| 8 F | 9 | 10 D | 11 D | 12 | 13 | 14 |
| 15 | 16 | 17 | 18 | 19 | 20 ● | 21 |
| 22 D | 23 D | 24 F | 25 F | 26 | 27 | 28 |
| 29 | 30 | 31 | | | | |

| F  Jour favorable | | D  Jour difficile | |
|---|---|---|---|
| ○  Pleine lune | | ●  Nouvelle lune et éclipse solaire totale | |

SANTÉ. L'éclipse du soleil ne semble pas vous malmener du tout, au contraire, vous êtes dans une forme resplendissante et affichez un dynamisme hors du commun. La seule chose qui risque de miner votre résistance est la gourmandise. Attention également à votre silhouette, car si vous ne freinez pas vos élans, vous risquez de ne plus entrer dans vos vêtements !

SENTIMENTS. Vénus vous favorise entre 1er et le 17. Votre vie sociale s'annonce emballante et vous rencontrerez plein de monde intéressant. Ceci pourrait d'ailleurs constituer une chance inouïe pour les solitaires. Si vous êtes en couple, tout ira comme sur des roulettes, mais vous devrez mettre un peu d'eau dans votre vin lors de la dernière quinzaine.

AFFAIRES. La période avantageuse se poursuit de plus belle. Les gestes que vous ferez en vue d'améliorer votre situation professionnelle ou de consolider vos finances se solderont par une réussite bien tangible. Les déplacements d'affaires ou de loisirs ainsi que les démarches et les recherches s'avèrent positifs. Un conseil, restez loin des magasins, vous avez trop le goût de dépenser.

VERSEAU

**349**

# Avril

| DIM | LUN | MAR | MER | JEU | VEN | SAM |
|-----|-----|-----|-----|-----|-----|-----|
|     |     |     | 1   | 2   | 3 F | 4 ○ F |
| 5   | 6 D | 7 D | 8   | 9   | 10  | 11  |
| 12  | 13  | 14  | 15  | 16  | 17  | 18 ● |
| 19 D | 20 D | 21 F | 22 F | 23  | 24  | 25  |
| 26  | 27  | 28  | 29  | 30 F |     |     |

| F  Jour favorable | | D  Jour difficile | |
|---|---|---|---|
| ○  Pleine lune et éclipse lunaire partielle | | ●  Nouvelle lune | |

SANTÉ. C'est embêtant: Mars donne présentement un mauvais aspect à votre signe. Soyez sur le qui-vive si vous souhaitez éviter une blessure ou des ennuis de santé. Le moral demeure solide lors de la première quinzaine, mais vous risquez de vous sentir plus agité, voire angoissé, par la suite. Mieux vaut donc prévoir des moyens de relaxer et d'évacuer la tension intérieure.

SENTIMENTS. C'est du 11 au 30 que vous vivrez les plus beaux moments en amour et en amitié. Rapprochements, rencontres, échanges positifs et nombreuses invitations sont au programme. Avec la famille, ça va un peu moins bien : le dialogue est ardu, alors vous décidez de prendre vos distances. Bonne idée, de toute façon on s'entête à faire la sourde oreille.

AFFAIRES. Vous manquez de motivation, vous vous questionnez sur l'issue de plusieurs situations et vous avez l'impression de ne pas être traité à votre juste valeur. Vous avez beau y mettre tout votre cœur, vos efforts donnent peu de résultats. Inutile de bousculer les événements ou l'entourage, cela n'ira pas plus vite, vous en resterez au même point. Ne faites pas de folies avec vos sous ce mois-ci !

# Mai

| DIM | LUN | MAR | MER | JEU | VEN | SAM |
|-----|-----|-----|-----|-----|-----|-----|
|     |     |     |     |     | 1 F | 2 F |
| 3 ○ D | 4 D | 5 | 6 | 7 | 8 | 9 |
| 10 | 11 | 12 | 13 | 14 | 15 | 16 D |
| 17 ● D | 18 F | 19 F | 20 | 21 | 22 | 23 |
| 24 / 31 D | 25 | 26 | 27 | 28 F | 29 F | 30 D |

| F  Jour favorable | | D  Jour difficile | |
|-------------------|--|-------------------|--|
| ○  Pleine lune | | ●  Nouvelle lune | |

SANTÉ. Jusqu'au 12, la quadrature de Mars vous prédispose toujours aux blessures de toutes sortes. Mieux vaut donc être sur vos gardes dans vos déplacements, quand vous cuisinez ou quand vous bricolez. Votre résistance semble moins forte que d'habitude, plusieurs petits bobos vous agacent et risquent même de perdurer si vous n'y voyez pas immédiatement. La seconde partie du mois s'annonce fantastique, vous remonterez la pente à vive allure.

SENTIMENTS. Vous serez comblé en amour durant la première semaine; les autres ne seront pas vilaines pour autant, tout simplement plus routinières. Du côté social, vous serez à nouveau très en demande à partir du 11. Vos amis seront adorables, et ce ne sont pas les occasions de rencontrer des gens sympathiques qui manqueront. D'ici là, la famille continue de vous tracasser.

AFFAIRES. Ici, c'est comme en santé: les onze premiers jours s'annoncent agités, voire déconcertants, puis cela changera du tout au tout. Période hautement favorable pour les démarches, les projets, les signatures de contrats, les transactions et l'obtention d'un poste en vue. Profitez de la chance quand elle passera et ne remettez pas les choses au lendemain.

# Juin

| DIM | LUN | MAR | MER | JEU | VEN | SAM |
|---|---|---|---|---|---|---|
|  | 1 | 2 ○ | 3 | 4 | 5 | 6 |
| 7 | 8 | 9 | 10 | 11 | 12 | 13 D |
| 14 D | 15 F | 16 ● F | 17 | 18 | 19 | 20 |
| 21 | 22 | 23 | 24 F | 25 F | 26 | 27 D |
| 28 D | 29 | 30 |  |  |  |  |

| F Jour favorable | D Jour difficile |
|---|---|
| ○ Pleine lune | ● Nouvelle lune |

SANTÉ. Mars a non seulement fini de vous compliquer la vie, mais elle vous fait également les yeux doux. Vous êtes au meilleur de votre forme, vous affichez un dynamisme hors du commun. Sur le plan psychologique aussi, le mois s'annonce sensationnel, vous retrouvez votre dynamisme et votre paix intérieure. Cependant, ce n'est pas parce que ça va mieux que vous pouvez tout tenir pour acquis.

SENTIMENTS. La première semaine est fantastique, vous ne vous ennuyez pas une seconde. Par la suite, comme votre entourage sera moins disponible, vous aurez tendance à vous tourner les pouces. Pourquoi ne pas en profiter pour prendre du temps pour vous-même ou pour accomplir certaines tâches que vous remettiez sans cesse au lendemain ? Pesez bien vos mots, car un rien pourrait déclencher une querelle avec un proche.

AFFAIRES. Si vous avez des projets à mettre sur pied, si vous devez participer à un concours ou si vous comptez présenter une demande, vous avez tout intérêt à agir avant le 24, puisque c'est à ce moment que votre potentiel est le meilleur. La dernière semaine du mois risque de comporter des retards et quelques obstacles. Protégez vos biens et votre argent entre le 14 et le 30.

# Juillet

| DIM | LUN | MAR | MER | JEU | VEN | SAM |
|-----|-----|-----|-----|-----|-----|-----|
|  |  |  | 1 ○ | 2 | 3 | 4 |
| 5 | 6 | 7 | 8 | 9 | 10 D | 11 D |
| 12 F | 13 F | 14 | 15 ● | 16 | 17 | 18 |
| 19 | 20 | 21 | 22 F | 23 F | 24 D | 25 D |
| 26 | 27 | 28 | 29 | 30 | 31 ○ |  |

| F Jour favorable | | D Jour difficile | |
|---|---|---|---|
| ○ Pleine lune | | ● Nouvelle lune | |

SANTÉ. Voici un autre mois durant lequel vous pourrez fonctionner librement si vous suivez les règles du gros bon sens. Les initiatives que vous prendrez afin de maximiser votre bien-être seront même couronnées de succès. Vous avez le goût de bouger, de vous aérer l'esprit, et c'est ce qui pouvait vous arriver de mieux. La marche, la danse, le sport et l'exercice vous conviennent donc parfaitement.

SENTIMENTS. On vous lance une foule d'invitations, on vous propose toutes sortes d'activités. Toutefois, vous avez bien du mal à sortir de votre coquille. Dieu merci, vous finirez par accepter et vous ne le regretterez certainement pas. De toute façon, votre partenaire, qui est à prendre avec des pincettes présentement, vous appréciera davantage quand vous rentrerez à la maison.

AFFAIRES. Bien que ce ne soit pas votre mois le plus excitant de 2015, il se déroule sans problèmes majeurs. Vous travaillez fort et, parfois, vous vous demandez si ça en vaut vraiment le coup. Tenez bon, vous entrerez cet automne dans un cycle fortuné durant lequel tous les espoirs seront permis. En attendant, pourquoi ne pas en profiter pour justement planifier, préparer le terrain?

# Août

| DIM | LUN | MAR | MER | JEU | VEN | SAM |
|-----|-----|-----|-----|-----|-----|-----|
|  |  |  |  |  |  | 1 |
| 2 | 3 | 4 | 5 | 6 D | 7 D | 8 F |
| 9 F | 10 | 11 | 12 | 13 | 14 ● | 15 |
| 16 | 17 | 18 F | 19 F | 20 D | 21 D | 22 D |
| 23 / 30 | 24 / 31 | 25 | 26 | 27 | 28 | 29 ○ |

| F  Jour favorable | D  Jour difficile |
|-------------------|-------------------|
| ○  Pleine lune | ●  Nouvelle lune |

**SANTÉ.** Vos idées ne sont pas aussi claires que le mois dernier, vous avez plus de mal à vous décider. Physiquement, tout est beau jusqu'au 8, mais, par la suite, vous devrez user de vigilance pour ne pas vous infliger une blessure ou être victime d'une défaillance. Si vous vous négligez ou si vous abusez de vos forces, vous ne ferez qu'envenimer les choses.

**SENTIMENTS.** La première semaine s'annonce plutôt bien, tout ira comme sur des roulettes et vous évoluerez sans rencontrer d'obstacles. Le reste du mois exige davantage de doigté, sans quoi vous pourriez froisser un proche et ainsi déclencher une sérieuse discussion. Rappelez-vous que personne n'est parfait et que, à trop idéaliser les autres, on finit par être déçu. Un proche vit des moments difficiles, ce qui vous affecte par ricochet.

**AFFAIRES.** Ça piétine encore. De plus, des lenteurs, des pépins et l'arrogance de certains jouent avec vos nerfs. Hélas, vous n'êtes pas en position de force actuellement, mieux vaut donc éviter de ruer dans les brancards, vous empireriez votre situation. Gare au vol, à l'escroquerie et aux signatures apposées précipitamment.

# Septembre

| DIM | LUN | MAR | MER | JEU | VEN | SAM |
|---|---|---|---|---|---|---|
|  |  | 1 | 2 D | 3 D | 4 F | 5 F |
| 6 | 7 | 8 | 9 | 10 | 11 | 12 |
| 13 ● | 14 F | 15 F | 16 D | 17 D | 18 D | 19 |
| 20 | 21 | 22 | 23 | 24 | 25 | 26 |
| 27 ○ | 28 | 29 | 30 D |  |  |  |

| F   Jour favorable | D   Jour difficile |
|---|---|
| ○   Pleine lune et éclipse lunaire totale | ●   Nouvelle lune et éclipse solaire partielle |

SANTÉ. Ce ne sont pas tant les éclipses que l'opposition de Mars qui risque de jouer contre vous avant le 24 ; à vous de prendre les moyens nécessaires pour ne pas en subir les effets. Soyez prudent dans vos déplacements et lorsque vous utilisez des objets avec lesquels vous pourriez vous faire mal. Méfiez-vous des virus et des abus en tout genre, et gardez-vous du temps pour décompresser et refaire le plein d'énergie.

SENTIMENTS. Vous avez l'impression que votre entourage se désin-téresse de vous, ou qu'il ne vous comprend pas. Évitez de dramatiser, il ne s'agit que d'un nuage, et non d'une tempête. Si vous êtes toujours sur le dos de ceux qui vous aiment ou si vous les bombardez de ques-tions, vous risquez de provoquer des situations déplaisantes. Un proche continue de vous tracasser. Bref, plusieurs frustrations en ce mois... Heureusement, un ami ne demande pas mieux que de vous épauler.

AFFAIRES. Vous êtes déçu que les choses ne se produisent pas comme vous le souhaitez et avez l'impression que le sort s'acharne sur vous. Tenez bon, car à partir du 24 vous serez libéré des influences contra-riantes de Mars et même de Saturne. Les obstacles tomberont un à un, et vous pourrez mettre le cap sur vos objectifs. D'ici là, pas de gestes impulsifs ni de risques avec vos sous.

**VERSEAU**

# Octobre

| DIM | LUN | MAR | MER | JEU | VEN | SAM |
|-----|-----|-----|-----|-----|-----|-----|
|     |     |     |     | 1 D | 2 F | 3 F |
| 4 | 5 | 6 | 7 | 8 | 9 | 10 |
| 11 F | 12 ● F | 13 F | 14 D | 15 D | 16 | 17 |
| 18 | 19 | 20 | 21 | 22 | 23 | 24 |
| 25 | 26 | 27 ○ D | 28 D | 29 F | 30 F | 31 |

| F  Jour favorable | | D  Jour difficile |
|---|---|---|
| ○  Pleine lune | | ● Nouvelle lune |

SANTÉ. Finies les mauvaises influences de Mars et de Saturne! Vous avez désormais tout ce qu'il faut pour vous refaire une santé. Vous trouvez des solutions à vos problèmes, vous adoptez un meilleur régime de vie, et ça ne prend pas de temps que vous vous sentez renaître. Les forces morales et physiques sont de retour, bref, vous êtes d'attaque pour profiter de l'automne.

SENTIMENTS. C'est entre le 8 et le 31 que s'exerceront les meilleurs transits. Vous recevrez de nombreuses invitations, sans compter que le comportement de vos proches sera à la hauteur de vos attentes. Avec votre chéri, vous célébrerez le retour de l'harmonie, tandis qu'une personne avec qui vous vous étiez disputé pourrait même vous présenter ses excuses. Rétablissement en vue pour un être cher qui vous inquiétait.

AFFAIRES. Ça va beaucoup plus rondement. Le mois est parfait pour vous attaquer à ce qui accrochait, tourner certaines pages et repartir dans une nouvelle direction. Une affaire qui semblait vouloir s'éterniser pourrait même se régler une fois pour toutes. Bon temps également pour les démarches, les négociations et les déplacements d'affaires ou de loisirs.

# Novembre

| DIM | LUN | MAR | MER | JEU | VEN | SAM |
|-----|-----|-----|-----|-----|-----|-----|
| 1 | 2 | 3 | 4 | 5 | 6 | 7 |
| 8 F | 9 F | 10 D | 11 ● D | 12 | 13 | 14 |
| 15 | 16 | 17 | 18 | 19 | 20 | 21 |
| 22 | 23 D | 24 D | 25 ○ D | 26 F | 27 F | 28 |
| 29 | 30 | | | | | |

| F  Jour favorable | D  Jour difficile |
|-------------------|-------------------|
| ○  Pleine lune | ●  Nouvelle lune |

SANTÉ. Vous ne cessez de gagner du terrain. Si la première quinzaine est bonne, la seconde s'annonce encore meilleure. Vous deviendrez beaucoup plus résistant, sans compter que vous aurez de l'énergie à revendre – tellement, d'ailleurs, qu'on aura souvent du mal à vous suivre. À force d'en faire autant, il n'est donc pas étonnant que vous soyez un peu plus nerveux entre le 2 et le 20.

SENTIMENTS. Vous jouirez d'un beau trigone de Vénus du 8 novembre au 5 décembre. Vous pourrez alors approfondir les liens qui vous unissent à votre chéri ainsi qu'à vos amis. Les solitaires, quant à eux, pourraient croiser un être mature qui n'a pas peur de l'engagement. Le téléphone ne dérougit pas, on s'arrache littéralement votre présence.

AFFAIRES. Le 12, vous entrerez dans un cycle de chance. Ce ne sera vraiment pas le temps de vous poser des questions ni de tergiverser. Agissez, allez de l'avant, présentez vos demandes, soumettez vos projets, vous serez assurément surpris des résultats. Vous pourriez même décrocher un prix secondaire lors d'un tirage. Seul hic : une dépense que vous n'aviez pas prévue.

# Décembre

| DIM | LUN | MAR | MER | JEU | VEN | SAM |
|-----|-----|-----|-----|-----|-----|-----|
|     |     | 1 | 2 | 3 | 4 | 5 F |
| 6 F | 7 D | 8 D | 9 D | 10 | 11 ● | 12 |
| 13 | 14 | 15 | 16 | 17 | 18 | 19 |
| 20 | 21 D | 22 D | 23 F | 24 F | 25 ○ | 26 |
| 27 | 28 | 29 | 30 | 31 |     |     |

| F  Jour favorable | D  Jour difficile |
|-------------------|-------------------|
| ○  Pleine lune | ●  Nouvelle lune |

SANTÉ. Vous arrivez à mieux contrôler votre tension nerveuse. Par contre, vous vous éloignez de vos bonnes habitudes de vie. Un brin de paresse, des petites gâteries alimentaires çà et là font en sorte que vous gagnez quelques kilos. Voyez-y avant qu'ils ne s'accumulent! Si vous vous prenez en main, vous avez tout ce qu'il faut pour vivre un mois formidable.

SENTIMENTS. La vie sociale demeure excitante, on vous invite à gauche et à droite, vous renouez avec d'anciens amis en plus de vous en faire de nouveaux. Dans l'intimité, vous n'y allez pas avec le dos de la cuillère, vous en demandez peut-être même un peu trop. Modérez vos attentes et essayez d'apprécier ce qu'on fait pour vous. Ce n'est pas parfait, mais, chose certaine, c'est de bon cœur.

AFFAIRES. Vous vous découvrez un courage et une audace que vous ne soupçonniez même pas. Grand bien vous fasse, toutes les portes s'ouvrent devant vous. Vos affaires deviennent prospères, vos revenus vont en augmentant et une rentrée d'argent inattendue vient s'ajouter aux bonnes nouvelles. Bon mois pour voyager, conclure une transaction ou négocier. Mais ne prêtez pas un sou!

# POISSONS

## DU 20 FÉVRIER AU 20 MARS

**V**otre signe est marqué du sceau de la sensibilité. Vous pouvez passer des éclats de rire aux larmes en peu de temps. Vos yeux ont toujours un petit quelque chose qui trahit votre richesse émotive exceptionnelle. Vous êtes énormément touché par ce qui se passe autour de vous.

L'attitude de votre conjoint, les tendres attentions de vos enfants, le comportement de vos collègues ou de vos voisins, tout cela vous remue au plus profond de votre être. Vous vivez les émotions à 100 %, qu'elles se déroulent sur le petit ou le grand écran.

En plus de votre émotivité à fleur de peau, vous êtes une personne empreinte d'une générosité presque sans bornes. Vous voulez que tous soient heureux autour de vous et même ailleurs dans le monde. Vous êtes prêt à donner jusqu'à votre dernière chemise pour réaliser un rêve bien utopique. Avec une telle façon de penser et d'agir, vous pouvez vous mettre vous-même dans l'embarras. À force de tout sacrifier pour aider les autres, il peut vous arriver de vous retrouver dans le besoin.

Mélancolique et souvent rêveur, le Poissons n'est guère intéressé par le côté terre à terre des choses. Vos activités domestiques quotidiennes et même votre travail ne mobilisent pas votre énergie. On pourrait penser que vous manquez d'ambition, que vous vous laissez porter par les événements, alors que pour vous ce sont les sentiments qui comptent avant tout et qui régissent votre vie et vos actes.

Doux et bienveillant avec tout le monde, vous savez prêter une oreille attentive à ceux qui ont des problèmes et leur remonter le moral. Ces derniers vous choisissent pour confident, et ce, même lorsque vous-même n'êtes pas au mieux de votre forme. Quelle que soit l'heure du jour ou de la nuit, vous êtes prêt à accorder temps et énergie à ceux qui sont dans le besoin ; c'est pourquoi les soins prodigués à autrui vous conviennent très bien. Vous avez une âme de missionnaire, et c'est vrai jusque dans vos relations avec les autres.

Malheureusement, votre bonté et votre altruisme sont si forts que les gens tiennent souvent votre gentillesse pour acquise et n'essaient pas de la mériter. Il n'est pas rare que vous aidiez une personne à surmonter une difficulté ; cependant, après l'avoir fait, vous vous retrouvez seul alors que vous auriez à votre tour besoin d'un petit coup de pouce. Vous êtes déçu. Pourtant, vous gardez le cœur sur la main et vous êtes prêt à aider de nouveau chaque fois que le besoin s'en fait sentir.

Pour vous, la vie matérielle est bien secondaire. Vivre dans une petite maison délabrée ne vous effraie pas, du moment qu'elle est remplie d'amour. Les disputes, les engueulades, la méchanceté ou l'indifférence vous perturbent ; il est donc essentiel pour vous de rechercher un entourage de gens positifs et attentionnés.

Vous êtes si émotif, si malléable, que vous vous laissez facilement happer par les autres, manipuler même. De mauvaises influences peuvent vous causer beaucoup de tort. Vous ne vous fâchez que rarement, lorsque vous constatez à quel point on abuse de vous ; vous préférez vous plaindre, vous lamenter, tout en refusant de faire de la peine à ceux qui vous blessent... Vous êtes si sensible que pour oublier vos chagrins vous pourriez avoir recours à l'alcool ou à différentes drogues. Pourtant, au fond de vous, vous savez bien que s'évader de cette façon ne règle jamais rien, au contraire.

Votre plus grand problème est que vous en faites trop pour être aimé, et vos si belles qualités deviennent alors vos pires défauts.

Vous êtes sensible, bienveillant et gentil. Vous pouvez compter sur une imagination fertile et une vie spirituelle très riche, car vous avez souvent des dons pour pressentir les choses. Vous avez des prémonitions ou du moins une intuition fantastique ; vous devez veiller à mettre toutes ces qualités à votre service et pas seulement à celui des autres. Car comme vous avez tendance à laisser aller les choses, à attendre que les problèmes se règlent d'eux-mêmes, à tout remettre au lendemain, vous pâtirez souvent de ce trait de votre personnalité. Malgré tout, comment vous en vouloir ? Cela fait partie de votre petit côté bohème que l'on trouve si charmant.

## Comment se comporter avec un Poissons ?

Les Poissons accordent leur priorité aux sentiments. Alors, n'essayez pas de faire appel à la raison, à la logique, pour démontrer votre point de vue si leur cœur leur en dicte un autre ; vous perdrez votre temps à essayer de les convaincre. Pour eux, la vie courante, les plans de carrière, les affaires personnelles sont avant tout une question de sixième sens ; ils se fient beaucoup plus à leur intuition qu'à la réflexion pure.

Donc, pour convaincre un Poissons de se ranger à votre avis, prenez-le plutôt par les sentiments et jouez sur le plan des émotions. Dites-lui que ça vous ferait plaisir, que ses proches seraient fiers de lui, qu'il dépannerait Untel, et le tour sera joué. Généreux et affable avec tous, le Poissons veut rendre le monde entier heureux et a bien du mal à dire non.

Romantique comme pas un, il a aussi une petite tendance à la nonchalance ; il a besoin de moments de répit pour se ressourcer, car sa vie émotive est son carburant.

Puisqu'il n'est pas très énergique, notre ami Poissons a souvent besoin de se faire pousser dans le dos, de se faire rappeler ses obligations, si peu importantes pour lui. Par contre, vous ne trouverez sans doute jamais quelqu'un qui vous aimera plus que lui et qui sera, comme lui, toujours prêt à vous secourir, à vous consoler et à vous dorloter.

## Ses goûts

Les goûts du Poissons reflètent bien sa personnalité bohème. Il accorde peu d'intérêt à son apparence et opte donc souvent pour de vieux vêtements confortables mais romantiques. Avec lui, c'est le confort qui prime, et suivre la mode n'est pas dans ses priorités. Il préfère vagabonder pieds nus et se déchausse à la première occasion, parfois même en public. Chez lui, c'est la même chose : son intérieur n'est peut-être pas impeccable, mais on s'y sent si bien !

Notre beau Poissons aime bien manger, et la gourmandise pourrait être son principal défaut. Par contre, c'est le convive idéal, car il appréciera tout ce que vous lui offrirez et se resservira fort probablement. S'il suit un régime amaigrissant, permettez-lui de tricher à l'occasion ; il sera ravi de succomber à la tentation.

## Son potentiel

Sa richesse émotive et son grand cœur lui permettent d'envisager le travail social, la médecine, les soins à autrui, que ce soit dans les domaines médicaux, paramédicaux, la police, l'armée ou la marine, à moins qu'il ne se dirige vers les milieux hospitaliers ou carcéraux ; notre Poissons a besoin de se rendre utile. Les commerces de boisson ou d'alcool lui conviennent aussi tout à fait ; s'il est barman, il portera toujours une oreille attentive à ses clients.

C'est également un être doté d'un talent artistique indéniable, son intuition lui permettant d'appréhender un autre monde, celui de l'imaginaire. Il se révélera aussi très à l'aise dans ce qui a trait à la religion, aux sciences occultes et au paranormal. Le Poissons possède un potentiel énorme. Malheureusement, sa nonchalance, voire sa paresse, l'empêche de se réaliser pleinement et de développer totalement ses innombrables capacités.

## Ses loisirs

Il aime passer d'agréables moments en compagnie de ses amis, de sa famille, autour d'une bonne table, peut-être avec un verre ou deux d'un excellent vin.

Comme il est sensible et qu'il se montre une « bonne oreille », tout le monde lui confie ses petits malheurs. S'il peut aider quelqu'un ou faire du bien autour de lui, il en sera ravi. Sa sensibilité et son goût inné pour toutes les formes d'expression de la beauté font de lui un fervent admirateur des arts et de la musique, et il pourrait s'y adonner lui-même avec bonheur et succès.

La vie spirituelle, la parapsychologie, les sciences occultes, l'astrologie ou la métaphysique l'intéressent vivement. Il ne sera donc pas rare de le voir plonger pendant de longs moments dans un livre sur l'un de ces sujets. Il pourrait aussi passer quelques soirées à assister à des conférences traitant de ces domaines. Il a une excellente intuition et pourrait exceller dans des activités relevant de matières ésotériques.

Mais notre Poissons est surtout un adepte du farniente, de la douce oisiveté. Rester des heures à rêvasser sans rien faire de particulier ne le dérange nullement. À quoi peut-il donc rêver ainsi ?

## Sa décoration

Ni très grande ni très somptueuse, sa demeure est cependant si chaleureuse, si invitante, qu'on s'y attarde souvent plus qu'on ne l'avait prévu au départ. Le Poissons nous y accueille à bras ouverts, ravi de voir quelqu'un qu'il pourra dorloter. Et puis se vautrer dans ses fauteuils moelleux est si agréable qu'on a bien du mal à les quitter.

Le décor du Poissons est plutôt romantique : belles dentelles, fleurs séchées, fin cristal et photos attendrissantes. S'il pense aux petites douceurs de l'âme, celles du palais ne sont pas en reste : vous y découvrirez une jolie boîte de biscuits, une bonbonnière remplie de gâteries... Il y a peut-être un peu de poussière çà et là, mais qu'importe, on est si bien qu'on oublie vite ce détail pour profiter de tout le reste. Cela ajoute au charme de notre tendre Poissons.

## Son budget

Puisqu'il évolue dans la sphère élevée des sentiments, faire son budget n'est pas le souci premier de ce cher Poissons. Ses affaires sont plutôt fluctuantes, mais il ne s'en préoccupe pas trop.

Si sa vie financière prend souvent l'allure de montagnes russes, son imprévoyance n'est pas en cause, c'est plutôt son grand cœur et sa confiance démesurée qui peuvent mettre son portefeuille à rude épreuve. Il se trouve toujours quelqu'un autour de lui qui est mal pris – ou, hélas, mal intentionné – pour tirer de lui de l'argent ou une faveur. Et comme il a du mal à dire non, notre Poissons finit immanquablement par se retrouver à tirer le diable par la queue.

Il faudrait qu'il fasse quelques efforts et, surtout, qu'il apprenne à se protéger en affaires s'il veut mieux équilibrer son budget. La première étape pour y parvenir est de refuser catégoriquement de prêter de l'argent ou d'endosser un prêt, ce qui n'est guère facile à lui faire comprendre. Il doit aussi apprendre à se méfier de sa crédulité et à demander des garanties, car il fait trop rapidement confiance au genre humain. Et le pire, c'est que ce sont souvent ceux en qui il a le plus foi qui se défilent au moment de le rembourser.

Sa générosité n'est pas toujours payée en retour, et il doit apprendre à penser à lui plutôt que de trop gâter les autres. Notre Poissons au grand cœur devrait durcir un peu ses positions, mais est-ce bien envisageable dans son cas ?

## Quel cadeau lui offrir ?

De tout le zodiaque, notre Poissons est sans doute la personne la plus facile à satisfaire : un rien le comble. Si votre présent fait vibrer ses émotions, il le chérira longtemps. Laissez tomber les cadeaux pratiques et terre à terre, ce n'est pas la peine d'arriver avec un ouvre-boîte électrique, même s'il en a besoin. Même l'inutile le ravit. Offrez-lui des fleurs, une vieille photo agrandie, une carte, peu importe. Ce qui compte d'abord pour lui, c'est l'attention. Que vous ayez pensé à lui le mettra dans un état d'extase.

Évidemment, une boîte de bonbons, de chocolats fins, une belle bouteille de chartreuse ou de génépi l'emballeront... Mais allez-y avec modération, car notre beau Poissons succombe facilement à la tentation. Tenez, essayez de lui proposer des confiseries santé, par exemple des pâtes de fruits ; il appréciera cette attention particulière.

Puisqu'il aime la musique douce, vous pouvez aussi lui offrir des disques compacts de chansons romantiques, de musique nouvel âge, des pièces instrumentales, des musiques de films. S'il aime la lecture, les grandes histoires d'amour ou les romans policiers lui plairont. Mais n'ayez crainte, vous n'aurez pas besoin de vider votre compte en banque pour lui faire plaisir, il appréciera le moindre geste, le plus petit cadeau, car, pour lui, c'est l'intention qui compte.

## Les enfants Poissons

Dodus, douillets mais tellement adorables, les bébés Poissons ont la larme à l'œil facilement. En grandissant, ils sont des enfants très gentils, qui veulent constamment plaire et faire plaisir. Ils vous feront de jolis dessins, des collages adorables, des poteries attendrissantes. Sur le chemin de l'école, ils cueilleront des fleurs des champs pour l'institutrice ou pour maman, quand ce ne sera pas pour la petite copine de classe. Et si vous leur faites un beau sourire, ils seront mille fois récompensés, car ils n'en demandent pas plus. Imaginatifs et intelligents, ils sont aussi de doux rêveurs, souvent perdus dans leurs pensées. Timides et très sensibles, ils ont besoin de beaucoup d'affection, ce qui amènera leurs parents à trop les couver, alors qu'au contraire ils ont besoin d'être poussés doucement hors du nid et d'être stimulés. Il faut leur donner confiance en eux, leur apprendre à se fixer des objectifs réalistes et à s'y tenir, car ils auront un peu tendance à remettre les choses au lendemain, voire à traîner les pieds. Si vous parvenez à leur faire admettre que leurs belles qualités, rehaussées d'un brin de fermeté, peuvent faire d'eux des êtres exceptionnels, ils vous en seront éternellement reconnaissants.

## L'ado Poissons

Tu as une personnalité si douce et si sensible qu'il t'arrive de passer de la joie à la tristesse la plus profonde en quelques minutes. Et tes proches ne comprennent pas pourquoi. Tu t'adaptes très facilement à toutes les situations, ce qui est ta principale force mais aussi ta grande faiblesse, car tu peux être aisément manipulé par les autres, surtout s'ils jouent avec toi la carte des sentiments. Tu aimes les gens et tu es très généreux ; quand il s'agit de donner, tu ne calcules pas, et il arrive qu'on en profite plus que nécessaire.

Tu as énormément de talents : tu as de bonnes idées et une inspiration féconde, tu peux donc exceller dans les arts. La logique, par contre, n'est pas ton point fort, mais elle est compensée par ton intuition. Tu sais quand cela va ou ne va pas, et ce, avant même d'avoir eu à faire marcher ton raisonnement.

Tu es si doux que tu crains de revendiquer, de parler, de poser des questions, et souvent tu laisses s'installer des situations ou des quiproquos qui te déplaisent, sans oser dire non. Il vaut mieux exprimer ce qui ne va pas, car souffrir en silence ne donne jamais grand-chose. Affirme-toi un peu plus, c'est ton droit.

Dans tes relations, tu places souvent les sentiments au premier plan, et pour toi, ton bonheur ou ta tristesse en dépendent. Quand ça ne va pas, tu as un peu tendance à broyer du noir, à pleurnicher. Tu aimerais qu'on vienne te consoler, mais parfois cela fait l'effet contraire, et les gens te fuient. Comme tu es généreux et que tu donnes beaucoup de toi-même, tu as horreur de l'injustice et de la misère humaine. Tu te consacres alors beaucoup à aider les autres. Tu donnes de tout ton cœur, mais n'oublie pas que tu dois aussi accepter de recevoir, car tu le mérites.

### Tes études

Ton imagination est si féconde que tu as souvent de la difficulté à bien cerner tes préférences ; tu ne sais pas toujours ce que tu veux. Tu as une intelligence vive qui te permet de bien comprendre, mais comme tu rêvasses souvent, certaines choses peuvent t'échapper, et tes cours et tes travaux s'en ressentent. Secoue-toi un peu, fixe mieux ton attention et tu seras étonné de tout ce que tu peux réaliser. Tu te remets souvent en question, car le moindre échec parvient à te faire douter de tes capacités, mais c'est le contraire que tu dois faire. Tu dois vivre des échecs pour savoir comment les surmonter et finalement triompher. Fais face à la réalité, ne la fuis pas en te réfugiant dans les rêves, car elle sera toujours là à ton retour.

### Ton orientation

Nos goûts changent avec le temps, et c'est parfaitement normal. Mais toi, tu t'éparpilles un peu trop. Cela te fait perdre du temps et te conduit dans des impasses. Plusieurs domaines peuvent t'attirer, entre autres tout ce qui a trait aux soins à autrui ou au monde des arts. Dans le premier cas, cela te permet de mettre en pratique ton sens inestimable du don de soi. Tu peux aider les autres, et cela te plaît. Dans la seconde sphère, cela te permet de t'exprimer. Toi qui n'oses pas toujours revendiquer, tu pourrais le faire en laissant parler ton talent. Parmi les activités qui t'attirent, citons les professions médicales et paramédicales, les médecines douces, le travail social, la psychologie, l'ésotérisme, la religion, le travail dans les prisons, les maisons d'hébergement ou les centres pour toxicomanes, la décoration, la musique, la danse, l'alimentation, la littérature et la peinture. Tu vois, le choix est vaste et il te permet d'exprimer les différentes facettes de ta personnalité.

### Tes rapports avec les autres

Tu as tellement bon cœur qu'il est facile de te blesser ou de te faire du mal. Tu dois donc choisir tes amis avec soin. Tu attires beaucoup de gens, car tu es généreux et sympathique, et ces personnes pourraient facilement abuser de ces belles qualités. Il faut que tu apprennes à dire non et que tu t'imposes un peu plus. Tes amis sont très importants à tes yeux; si tu les choisis bien, ils t'aideront à t'extérioriser, à parler de tes problèmes, et ils te soutiendront dans tes projets. Ils apprécieront le petit coup de pouce que tu peux leur donner à l'occasion.

Comme tu as une âme de missionnaire, les gens à problèmes essaieront aussi de s'insérer dans ton entourage; évite-les le plus possible, car tu es trop sensible et tu te laisserais facilement manipuler. Tu as ton mot à dire, et il est important que tu le fasses.

# LE POISSONS DANS LA CUISINE

## Votre façon de cuisiner

Vous êtes généreux et sensible, et votre façon de cuisiner est liée à vos états d'âme. Lorsque vous êtes triste ou épuisé, vous vous contentez de n'importe quoi. Tant pis pour l'équilibre alimentaire.

En fait, vous préférez cuisiner pour les autres que pour vous seul. Ainsi, quand vous êtes en forme et que vous recevez des gens que vous aimez, vous pouvez réaliser des prouesses de créativité.

## Vous adorez :

- cuisiner en grande quantité, car vous pensez toujours aux autres ;
- les sauces à base de vin ou d'autres alcools ;
- élaborer votre menu en fonction des goûts de vos convives : vous n'hésitez pas à préparer un plat spécial pour celui qui suit un régime ou qui ne mange pas la même chose que les autres ;
- les crustacés, les fruits de mer et le poisson ;
- les saveurs plutôt douces.

### CE QUE LA NATUROPATHE VOUS SUGGÈRE

- Augmentez les quantités de légumes et de protéines dans vos portions.
- Réduisez un peu votre consommation de sucre.
- Efforcez-vous de bien manger, même lorsque vous êtes seul.
- Essayez de vous ouvrir à de nouvelles textures et saveurs.

# ILS SONT POISSONS EUX AUSSI

Drew Barrymore, Christian Bégin, Réal Béland, Jessica Biel,
Juliette Binoche, Raymond Bouchard, Gino Chouinard, Daniel Craig,
Julie Deslauriers, Alain Dumas, Michel Forget, Cathy Gauthier,
Sandrine Kiberlain, Ricardo Larrivée, Daniel Lavoie, Patrice L'Écuyer,
Guillaume Lemay-Thivierge, Jerry Lewis, Eric Lindros, Jean L'Italien,
Eva Longoria, Yannick Nézet-Séguin, Jean-Marc Parent,
Thérèse Parisien, Luc Plamondon, Colette Provencher, Isabelle Racicot,
Rihanna, Maxim Roy, Stefie Shock, René Simard, Sharon Stone,
Dany Turcotte, Sonia Vachon, Bruce Willis.

### Pensée positive pour le Poissons

Mon intuition me guide vers le bonheur et l'épanouissement.
Plus je l'écoute, plus j'avance en sécurité.

### Pensée positive spéciale pour 2015

Je gère ma destinée à merveille. Je suis en contrôle de moi-même,
de mes émotions et de toute situation.

*Le subconscient nous dirige toujours selon nos pensées. En répétant le plus souvent possible
ces pensées conçues tout spécialement pour vous, vous vous attirerez plein de belles choses.*

### Outils pour transformer votre destinée

- Ne placez pas les autres avant vous. Vous avez un cœur immense, mais on en profite souvent. Pensez à vous en premier... N'est-ce pas ce que font les autres ?
- Cultivez la véritable indépendance, sur le plan affectif notamment. Vous vous sentirez libre et vous pourrez alors faire de meilleurs choix.
- Cessez de voir des menaces là où il n'y en a pas. Vous êtes beaucoup plus fort que vous ne le croyez, faites-vous confiance.

---

**Signe :** Poissons

**Élément :** Eau

**Catégorie :** Double

**Symbole :** ♓

**Points sensibles :** Pieds (problèmes ou déformation), mélancolie, état dépressif, intestins, circulation, boulimie, parfois un penchant pour l'alcool, les pilules ou les drogues.

**Planète maîtresse :** Neptune, planète du mental.

**Pierres précieuses :** Pierre de lune, saphir, aigue-marine.

**Couleurs :** Blanc cassé et toutes les nuances de bleu.

**Fleurs :** Lys, lotus, iris.

**Chiffres chanceux :** 5-7-17-19-23-25-32-34-41-49.

**Qualités :** Compatissant, émotif, tendre, généreux, intuitif, imaginatif, sentimental, esprit de groupe, doux.

**Défauts :** Nonchalant, manque de volonté, bonasse, crédule, désorganisé, passif, influençable.

**Ce qu'il pense en lui-même :** C'est drôle, les gens viennent toujours me voir quand ils ont des problèmes...

**Ce que les autres disent de lui :** Ça ne va pas bien... je vais aller le voir pour qu'il me remonte un peu.

# PRÉDICTIONS ANNUELLES

L'année 2015 apparaît comme une année charnière, et son issue dépendra largement de la manière dont vous choisirez d'agir. Si vous mettez la main à la pâte, vous obtiendrez des résultats positifs, tandis que si vous êtes passif ou défaitiste, vous risquez de perdre le contrôle. Effectivement, vous n'aboutirez pas à grand-chose en restant dans votre coin à espérer que les problèmes se règlent d'eux-mêmes ou que le bonheur tombe du ciel. Le moment est plutôt venu de prendre les commandes de votre destin et de façonner votre avenir. Vous avez tout ce qu'il faut pour réussir haut la main. N'attendez pas, car vos actions pour améliorer votre sort donneront de meilleurs résultats si vous intervenez avant l'automne.

SANTÉ. Saturne vous a à l'œil pendant la majeure partie de l'année et risque de vous rappeler à l'ordre si vous vous éloignez des règles d'une saine hygiène de vie, si vous abusez de vos forces ou si vous jouez au casse-cou. C'est le temps de prendre de bonnes résolutions et, surtout, de les tenir. En agissant de la sorte, vous déjouerez la conjoncture. Rappelez-vous qu'une once de prévention vaut mieux qu'une tonne de remèdes. À partir de septembre, vous devrez proscrire les excès de toutes sortes, sans quoi vous risquez d'amoindrir votre résistance et de prendre du poids.

SENTIMENTS. Vous en avez assez de passer en deuxième, de ravaler sans pouvoir vous exprimer et de vous sentir pris entre deux feux. Le besoin de prendre votre place devient de plus en plus impérieux, ce qui en dérange quelques-uns, mais cette année vous décidez enfin de miser sur vous. Bravo ! Autre point : vous n'avez plus envie de voir des gens juste pour passer le temps, surtout si ceux-ci ne font que vous parler de leurs problèmes. Vous souhaitez également du changement à l'intérieur de votre couple. Certains feront des gestes importants en ce sens ; pour d'autres, il sera question de renouveau, d'une nouvelle idylle. La santé d'un être cher pourrait vous inquiéter.

AFFAIRES. Les frustrations s'accumulent. Au lieu de fulminer ou de vous apitoyer sur votre sort, profitez-en donc pour effectuer un bon ménage dans votre vie. Comme des ralentissements ou des changements inattendus risquent de se produire, vous devrez vous diriger ailleurs. Sur le coup, cela ne fera pas nécessairement votre affaire, mais, avec le temps, il en ressortira quelque chose de bénéfique. Bonne année, donc, pour les études, les nouveaux défis et les changements d'orientation. Faites-vous confiance, vous avez plus de ressources et de talent que vous ne le croyez ! Méfiez-vous cependant des beaux parleurs et des marchands d'illusions. Attention aussi à un coup de tête, qui pourrait vous faire lâcher la proie pour l'ombre.

# Janvier

| DIM | LUN | MAR | MER | JEU | VEN | SAM |
|-----|-----|-----|-----|-----|-----|-----|
|  |  |  |  | 1 | 2 D | 3 D |
| 4 ○ D | 5 F | 6 F | 7 | 8 | 9 | 10 |
| 11 | 12 | 13 | 14 F | 15 F | 16 D | 17 D |
| 18 | 19 | 20 ● | 21 | 22 | 23 | 24 |
| 25 | 26 | 27 | 28 | 29 D | 30 D | 31 F |

| F Jour favorable | | D Jour difficile | |
|-----|-----|-----|-----|
| ○ Pleine lune | | ● Nouvelle lune | |

SANTÉ. L'année commence bien tranquillement, mais, avec l'arrivée de Mars dans votre signe le 12, le climat devrait changer complètement. Vous vous sentirez nettement plus dynamique et motivé. Toutefois, afin de ne pas miner cette vitalité, prémunissez-vous contre les accidents et les infections.

SENTIMENTS. C'est pareil ici, la première quinzaine est un peu monotone, mais ça bougera davantage par la suite. Plusieurs invitations et activités sociales stimulantes vous attendent. Dans l'intimité, par contre, le dialogue risque d'être ardu ; on pourrait même aller jusqu'à vous prêter des intentions que vous n'aviez pas. Hélas, plus vous tentez de vous justifier, plus ça menace de s'envenimer. Laissez passer un peu de temps, tout finira par rentrer dans l'ordre.

AFFAIRES. Les choses ne vont pas à la cadence que vous souhaiteriez. Les situations piétinent, les réponses tardent à arriver, et vous avez parfois l'impression d'être entouré d'une bande d'imbéciles. Le moment n'est cependant pas opportun pour imposer votre point de vue ou vous emporter ; enfilez plutôt des gants blancs ! Attention aux vols et aux escroqueries entre le 12 et le 31.

# Février

| DIM | LUN | MAR | MER | JEU | VEN | SAM |
|-----|-----|-----|-----|-----|-----|-----|
| 1 F | 2 | 3 ○ | 4 | 5 | 6 | 7 |
| 8 | 9 | 10 F | 11 F | 12 | 13 D | 14 D |
| 15 | 16 | 17 | 18 ● | 19 | 20 | 21 |
| 22 | 23 | 24 | 25 D | 26 D | 27 | 28 F |

| F Jour favorable | | D Jour difficile |
|---|---|---|
| ○ Pleine lune | | ● Nouvelle lune |

SANTÉ. Le carré de Saturne à planète Mars dans votre signe continue de s'exercer jusqu'au 19. Par conséquent, vous devez demeurer sur le qui-vive pour éviter les accidents, les blessures ainsi que les défaillances. Sur le plan psychologique, la tension est grande, mais les effets se dissiperont par la suite. D'ailleurs, la dernière semaine s'annonce nettement plus clémente, et ce, à tous les points de vue.

SENTIMENTS. Jusqu'au 20, Vénus évoluera elle aussi dans votre signe, ce qui mettra en relief votre vie amoureuse. Certains auront à prendre des décisions, alors que d'autres feront une rencontre déterminante. Vous recevrez d'innombrables invitations que vous feriez bien d'accepter, ça vous permettra entre autres d'oublier les facteurs de stress familiaux.

AFFAIRES. Vous auriez tort d'abdiquer parce que les choses ne fonctionnent pas du premier coup. Au lieu de tout laisser tomber, osez une deuxième tentative, vous finirez bien par avoir le dernier mot vers la fin du mois. Une réparation vous oblige à débourser une somme que vous n'aviez pas prévue. Rassurez-vous, vous finirez par trouver les sous pour payer cette dépense.

# Mars

| DIM | LUN | MAR | MER | JEU | VEN | SAM |
|-----|-----|-----|-----|-----|-----|-----|
| 1 F | 2 | 3 | 4 | 5 ○ | 6 | 7 |
| 8 | 9 | 10 F | 11 F | 12 D | 13 D | 14 |
| 15 | 16 | 17 | 18 | 19 | 20 ● | 21 |
| 22 | 23 | 24 D | 25 D | 26 | 27 F | 28 F |
| 29 | 30 | 31 | | | | |

| F Jour favorable | | D Jour difficile | |
|---|---|---|---|
| ○ Pleine lune | | ● Nouvelle lune et éclipse solaire totale | |

SANTÉ. La planète Mars est sortie du portrait, voilà qui est positif. Il ne vous reste plus qu'à vous prémunir contre les effets de l'éclipse, qui se produira dans votre signe. La tension nerveuse, un coup de froid ou quelques malaises risquent de perturber votre bien-être. Prenez les précautions d'usage et efforcez-vous de relaxer.

SENTIMENTS. La conjoncture rend la communication avec votre entourage plus laborieuse jusqu'au 17. Pourtant, si vous fournissez quelques efforts, vous éviterez qu'un malentendu ne dégénère. Par la suite, tout rentrera dans l'ordre et vous trouverez un terrain d'entente. Vous aurez également envie de voir du monde ; ça tombe bien, on ne demande pas mieux. Si vous êtes seul, gardez l'œil ouvert !

AFFAIRES. Dans ce domaine également, les influences s'améliorent. Le moment est venu de tourner certaines pages, de prendre des décisions, de faire des choix et de vous orienter dans une nouvelle direction. Le mois est propice aux démarches, aux déplacements et aux recherches. Pas de folies avec vos sous, cependant : éclipse oblige.

# Avril

| DIM | LUN | MAR | MER | JEU | VEN | SAM |
|-----|-----|-----|-----|-----|-----|-----|
|     |     |     | 1   | 2   | 3   | 4 ○ |
| 5   | 6 F | 7 F | 8 D | 9 D | 10  | 11  |
| 12  | 13  | 14  | 15  | 16  | 17  | 18 ● |
| 19  | 20  | 21 D | 22 D | 23 F | 24 F | 25  |
| 26  | 27  | 28  | 29  | 30  |     |     |

| F  Jour favorable | D  Jour difficile |
|-------------------|-------------------|
| ○  Pleine lune et éclipse lunaire partielle | ●  Nouvelle lune |

SANTÉ. Vous n'avez rien à redouter de cette éclipse-ci, même que vous semblez nettement plus en forme qu'au cours des mois précédents. C'est le mois rêvé pour mettre de l'ordre dans vos habitudes de vie, régler ce qui accrochait et ainsi repartir du bon pied. Récompensez-vous par une visite chez le coiffeur ou par une petite métamorphose.

SENTIMENTS. À la maison, les choses iront beaucoup mieux à compter du 14, et le dialogue sera plus aisé. Sur les plans amoureux et social, vous bénéficiez d'un sympathique transit de Vénus jusqu'au 11. Le téléphone recommence à sonner, des gens dont vous n'avez pas eu de nouvelles depuis quelque temps refont surface, on vous lance des invitations et on vous propose des activités divertissantes. Si vous êtes seul, une sortie pourrait vous permettre de trouver l'amour.

AFFAIRES. Le rythme devient plus encourageant. Une réponse que vous attendiez pourrait enfin vous parvenir, tandis qu'une situation embrouillée dans le cadre de vos activités se règle. Ça valait la peine de patienter ! Autre bon mois pour les voyages, les négociations et les démarches. Une rentrée d'argent imprévue pourrait vous faire sourire.

# Mai

| DIM | LUN | MAR | MER | JEU | VEN | SAM |
|-----|-----|-----|-----|-----|-----|-----|
|  |  |  |  |  | 1 | 2 |
| 3 ○ F | 4 F | 5 D | 6 D | 7 | 8 | 9 |
| 10 | 11 | 12 | 13 | 14 | 15 | 16 |
| 17 ● | 18 D | 19 D | 20 | 21 F | 22 F | 23 |
| 24/31 F | 25 | 26 | 27 | 28 | 29 | 30 F |

| F  Jour favorable | D  Jour difficile |
|-------------------|-------------------|
| ○  Pleine lune | ●  Nouvelle lune |

SANTÉ. Le 11, Mars reviendra s'installer dans une zone délicate de votre ciel pour quelques semaines. Ne négligez pas votre santé et prenez les précautions d'usage pour ne pas vous faire mal. Le meilleur moyen de déjouer ce transit demeure effectivement la prévention. Le moral, quant à lui, semble plus fragile que le mois dernier ; mieux vaut trouver une façon d'évacuer le stress.

SENTIMENTS. La belle Vénus évoluera dans votre cinquième secteur du 7 mai au 5 juin, vous offrant de multiples occasions de bonheur. Les solitaires auront le coup de foudre pour un être compatible, tandis que les couples travailleront sur leur relation. La vie sociale sera effervescente, votre charme opérera partout où vous passerez. Seule ombre au tableau : une inquiétude concernant un proche.

AFFAIRES. Si vous prévoyez mettre un projet en branle, présenter une demande ou votre candidature, vous avez tout intérêt à agir avant le 11, car c'est à ce moment que la conjoncture est la meilleure. Le reste du mois s'annonce plus compliqué, voire décevant. Ne prenez aucun risque avec votre argent, verrouillez bien vos portes et fuyez les occasions trop belles pour être vraies.

# Juin

| DIM | LUN | MAR | MER | JEU | VEN | SAM |
|-----|-----|-----|-----|-----|-----|-----|
|  | 1 | 2 ○ D | 3 D | 4 | 5 | 6 |
| 7 | 8 | 9 | 10 | 11 | 12 | 13 |
| 14 | 15 D | 16 ● D | 17 F | 18 F | 19 | 20 |
| 21 | 22 | 23 | 24 | 25 | 26 | 27 F |
| 28 F | 29 D | 30 D |  |  |  |  |

| F  Jour favorable | D  Jour difficile |
|:---:|:---:|
| ○  Pleine lune | ●  Nouvelle lune |

SANTÉ. Avec Mars qui sévit jusqu'au 24, mieux vaut être sur vos gardes. Ne prenez aucun risque lorsque vous vous déplacez ou quand vous utilisez des objets avec lesquels vous pourriez vous blesser. Une saine alimentation vous évitera quelques indispositions. La tension nerveuse demeure élevée et engendre elle aussi différents malaises. Tenez le coup, le ciel se dégagera par la suite.

SENTIMENTS. Les premiers jours sont agréables, mais vous risquez de provoquer une altercation si vous êtes trop prompt entre le 5 et le 24. En effet, vous pourriez heurter un être cher, qui réagirait par une bouderie interminable ou une grosse colère. La situation ou le comportement d'un proche continuent de vous tracasser.

AFFAIRES. Le mois commence de travers, rien ne fonctionne à votre goût. De plus, vous devez continuer à vous prémunir contre les voleurs et les beaux parleurs. Durant la dernière semaine, vos efforts commenceront à porter leurs fruits, et même si ça ne marche pas du premier coup, vous finirez par avoir gain de cause. Une bonne proposition pourrait changer bien des choses.

# Juillet

| DIM | LUN | MAR | MER | JEU | VEN | SAM |
|-----|-----|-----|-----|-----|-----|-----|
|     |     |     | 1 ○ | 2 | 3 | 4 |
| 5 | 6 | 7 | 8 | 9 | 10 | 11 |
| 12 D | 13 D | 14 F | 15 ● F | 16 | 17 | 18 |
| 19 | 20 | 21 | 22 | 23 | 24 F | 25 F |
| 26 | 27 D | 28 D | 29 | 30 | 31 ○ |  |

| F  Jour favorable | | D  Jour difficile | |
|-------------------|--|-------------------|--|
| ○  Pleine lune | | ●  Nouvelle lune | |

SANTÉ. Mars et Saturne, qui vous ont compliqué la vie dernièrement, deviennent vos meilleures alliées en ce mois. Vous avez donc tout ce qu'il faut pour vous libérer de vos bobos et refaire vos forces tant moralement que physiquement. Agissez sans tarder et profitez-en pour faire le plein d'énergie. Bon temps également pour commencer à vous alimenter plus sainement.

SENTIMENTS. Vous jouissez présentement d'une conjoncture avantageuse pour toutes vos relations interpersonnelles. À la maison, c'est le retour de l'harmonie. Vous réglez vos différends et cessez de vous tourmenter pour un proche. En plus de vous entendre à la perfection avec tout le monde, vous ferez également de nouvelles connaissances et volerez la vedette lors des mondanités. Avis aux célibataires !

AFFAIRES. Mois très constructif en perspective. Vos efforts en vue d'améliorer votre situation financière ou professionnelle donneront des résultats encourageants. Vos démarches pour un nouvel emploi, un transfert ou l'obtention d'un contrat pourraient coïncider avec une étape décisive. Vous réorganisez votre budget et pouvez même liquider certaines dettes.

# Août

| DIM | LUN | MAR | MER | JEU | VEN | SAM |
|-----|-----|-----|-----|-----|-----|-----|
|  |  |  |  |  |  | 1 |
| 2 | 3 | 4 | 5 | 6 | 7 | 8 D |
| 9 D | 10 F | 11 F | 12 | 13 | 14 ● | 15 |
| 16 | 17 | 18 | 19 | 20 F | 21 F | 22 F |
| 23 D / 30 | 24 D / 31 | 25 | 26 | 27 | 28 | 29 ○ |

| F  Jour favorable | D  Jour difficile |
|-------------------|-------------------|
| ○  Pleine lune | ●  Nouvelle lune |

SANTÉ. Vous avez le vent dans les voiles, et ce n'est certainement pas le bref épisode de tension nerveuse que vous vivrez entre le 7 et le 27 qui viendra à bout de votre vitalité. Une personne que vous rencontrerez vous donnera un précieux conseil, ce qui fait que vous vous sentirez encore mieux. Au fait, vous avez davantage d'appétit, mais cela risque de vous jouer des tours...

SENTIMENTS. Durant la première semaine, vous pourriez régler un sérieux problème que vous aviez depuis quelque temps. Quant au reste du mois, il se déroule dans la joie et le calme. Même s'il ne se passe rien d'excitant, vous pourrez au moins apprécier la quiétude de votre vie, surtout après les périodes mouvementées que vous avez connues.

AFFAIRES. Vous êtes emballé par les nouvelles perspectives qui s'offrent à vous, mais ce n'est pas une raison valable pour aller trop vite en affaires. Loin de servir vos intérêts, l'impulsivité et les actions irréfléchies pourraient se retourner contre vous. Ne signez rien sans garanties sérieuses et méfiez-vous des achats injustifiés.

# Septembre

| DIM | LUN | MAR | MER | JEU | VEN | SAM |
|-----|-----|-----|-----|-----|-----|-----|
|     |     | 1   | 2   | 3   | 4 D | 5 D |
| 6   | 7 F | 8 F | 9   | 10  | 11  | 12  |
| 13 ● | 14  | 15  | 16 F | 17 F | 18 F | 19 D |
| 20 D | 21  | 22  | 23  | 24  | 25  | 26  |
| 27 ○ | 28  | 29  | 30  |     |     |     |

| F Jour favorable | | D Jour difficile | |
|---|---|---|---|
| ○ Pleine lune et éclipse lunaire totale | | ● Nouvelle lune et éclipse solaire partielle | |

SANTÉ. Jusqu'au 17, tout va plutôt bien, et un minimum de sagesse vous garde à l'abri des contretemps. Par la suite, vous serez soumis à une conjoncture plus délicate et devrez prendre davantage de précautions pour ne pas vous infliger une blessure ni subir une défaillance.

SENTIMENTS. La première quinzaine est trépidante, vous recevez tellement de propositions que vous ne savez plus laquelle choisir. Puis, on dirait qu'il ne se passe plus rien. Où sont donc passés vos amis et vos proches ? Sans doute sont-ils absorbés par leurs propres préoccupations, ce qui les rend moins disponibles. Inutile de paniquer, on vous aime toujours même si on ne vous le dit pas aux cinq minutes.

AFFAIRES. Ici aussi, c'est la première moitié de septembre qui offre les meilleures possibilités. Choisissez-la pour initier vos projets ou présenter vos demandes. Le reste du mois comporte quelques frustrations et obstacles, de même qu'une menace de vous faire avoir par une personne mal intentionnée.

# Octobre

| DIM | LUN | MAR | MER | JEU | VEN | SAM |
|-----|-----|-----|-----|-----|-----|-----|
| | | | | 1 | 2 D | 3 D |
| 4 F | 5 F | 6 | 7 | 8 | 9 | 10 |
| 11 | 12 ● | 13 | 14 F | 15 F | 16 D | 17 D |
| 18 | 19 | 20 | 21 | 22 | 23 | 24 |
| 25 | 26 | 27 ○ | 28 | 29 D | 30 D | 31 F |

| F Jour favorable | D Jour difficile |
|------------------|------------------|
| ○ Pleine lune | ● Nouvelle lune |

SANTÉ. Les transits planétaires de ce mois comportent certains dangers. Vous pouvez toutefois passer outre si vous conduisez prudemment et si vous demeurez alerte lorsque vous manipulez des objets acérés ou des sources de chaleur. La résistance nerveuse et physique semble aussi à la baisse, voyez-y avant de vous retrouver sur le carreau.

SENTIMENTS. Quelques désagréments sont possibles. Un proche ne va pas très bien, et cela vous inquiète. De plus, vous avez de la difficulté à communiquer avec les autres. Essayez de ne pas les brusquer, sans quoi la situation risque de dégénérer. Tenez le coup, les choses commenceront à s'arranger en novembre.

AFFAIRES. Le climat dans lequel vous évoluez manque de stabilité : c'est tout ou rien. Parfois, vous avez plus de travail que vous ne pouvez en prendre, puis tout à coup, vous vous retrouvez à ne rien faire. Afin de ne pas mettre en danger votre situation financière, il serait sage encore en ce mois de vous méfier des beaux parleurs, des affaires trop belles pour être vraies et des voleurs.

# Novembre

| DIM | LUN | MAR | MER | JEU | VEN | SAM |
|---|---|---|---|---|---|---|
| 1 F | 2 | 3 | 4 | 5 | 6 | 7 |
| 8 | 9 | 10 F | 11 ● F | 12 | 13 D | 14 D |
| 15 | 16 | 17 | 18 | 19 | 20 | 21 |
| 22 | 23 | 24 | 25 ○ | 26 D | 27 D | 28 F |
| 29 F | 30 | | | | | |

| F  Jour favorable | D  Jour difficile |
|---|---|
| ○  Pleine lune | ●  Nouvelle lune |

**SANTÉ.** Comme la conjoncture demeure périlleuse jusqu'au 12, il est essentiel que vous demeuriez prudent. Le ciel commencera à se dégager par la suite, et vous deviendrez beaucoup plus résistant. En fait, vous vous sentirez mieux dans votre peau et plusieurs vous complimenteront sur votre allure détendue. Excellente période pour prendre de bonnes résolutions et vous occuper de votre santé.

**SENTIMENTS.** La famille fait encore des siennes durant la première quinzaine et abuse de votre bonté. Cela prendrait une petite crise de votre part pour que l'on comprenne que vous avez vos limites ! Le reste du mois s'annonce plus calme, mais les tourmentes passées vous ont fait évoluer, et vous songez à vous éloigner de certaines personnes. Bonne idée : des gens bien plus compatibles arriveront dans votre vie sous peu.

**AFFAIRES.** Même chose dans ce secteur, ne misez pas trop sur les douze premiers jours. Tout est compliqué, les choses prennent une éternité à aboutir, et vous êtes souvent obligé de recommencer ce que vous venez juste de faire. Le reste du mois se déroulera tout autrement, les obstacles commenceront à tomber et vos buts deviendront de plus en plus accessibles.

# Décembre

| DIM | LUN | MAR | MER | JEU | VEN | SAM |
|-----|-----|-----|-----|-----|-----|-----|
|     |     | 1 | 2 | 3 | 4 | 5 |
| 6 | 7 F | 8 F | 9 F | 10 D | 11 ● D | 12 |
| 13 | 14 | 15 | 16 | 17 | 18 | 19 |
| 20 | 21 | 22 | 23 D | 24 D | 25 ○ F | 26 F |
| 27 | 28 | 29 | 30 | 31 |     |     |

| F Jour favorable | | D Jour difficile | |
|:---:|:---:|:---:|:---:|
| ○ Pleine lune | | ● Nouvelle lune | |

SANTÉ. Sur le plan physique, tout le mois est bon. La récupération s'accentue et votre allure continue de susciter l'admiration de plusieurs. D'ailleurs, si vous vouliez changer de tête ou adopter un look plus tendance, cela ferait sensation. Du côté du moral, vous vivrez un brin d'insécurité avant le 9, puis ça disparaîtra sans laisser de traces.

SENTIMENTS. Du 4 au 30, vous jouissez d'un transit fort avantageux de Vénus. Voilà plus qu'il n'en faut pour insuffler un nouvel élan à votre destinée amoureuse. Un coup de foudre pour les solitaires, une déclaration enflammée ou un tendre rapprochement pour les autres sont au programme. En plus, lors des mondanités, vous êtes la vedette.

AFFAIRES. Le moment est venu de prendre du recul et de réfléchir à votre avenir. Même si tout est encore un peu vague, vous commencez à mijoter vos interventions des prochains mois. En attendant, tout se passe comme prévu. Pas de coups durs à l'horizon ni d'énormes surprises. Ceux qui désirent prendre le large le feront dans des conditions fort plaisantes, mais dispendieuses...

# NOS ANIMAUX ET L'ASTROLOGIE

L'astrologie nous renseigne sur notre caractère, notre personnalité et notre comportement, et elle peut également s'appliquer à nos petits compagnons à quatre pattes ou à plumes. Leur signe du zodiaque exerce une certaine influence sur eux. Qu'il s'agisse d'un vieux gros toutou ou d'un chaton, d'un canari ou d'un bel iguane, n'hésitez pas à recourir à l'astrologie pour mieux le comprendre et deviner ce qu'il ne peut vous dire. En sachant interpréter son comportement, vous serez plus apte à répondre à ses besoins.

L'astrologie peut aussi vous aider à choisir le compagnon idéal qui correspondra à votre personnalité. Que vous ayez déjà un animal domestique à la maison ou que vous pensiez en adopter un, les lignes qui suivent vous éclaireront sur son caractère.

## Mon bestiaire astrologique

**LE BÉLIER.** Plutôt petit, qu'il soit chien, chat ou reptile, il possède tout un caractère. Il sait ce qu'il veut et n'en fait qu'à sa tête. Impulsif, vif et rapide, il n'arrête pas une seconde, et il court vite. Tant mieux, me direz-vous, mon Patou est un cheval de course. Mais si votre Médor est un bon chien de ville, il pourrait bien profiter d'une porte ouverte pour prendre la poudre d'escampette. En fait, cet animal prend beaucoup de place, mange comme un glouton et trop vite. C'est un animal qui déborde d'énergie; il faudra donc vous attendre à ce qu'il vous demande souvent de jouer... et à nettoyer quelques dégâts si vous le laissez seul à la maison. Mais il est si adorable, ce minet... qui vient de déchirer la moquette, que finalement vous lui pardonnez, comme toujours!

**LE TAUREAU.** Cet animal est de compagnie très agréable. Il apprécie son domicile, son petit coin bien à lui où la vie s'écoule, calme et tranquille. Félix aimera bien faire un petit tour dehors, mais pas trop loin... Quant à Fido, il ne rechignera pas à rester toute la journée à vous attendre à la maison. Il la connaît bien et ne s'y ennuie pas. Certains jours pourtant, il sera un peu plus entêté qu'à l'habitude, mais une belle caresse et quelques mots gentils, et il se montrera à nouveau obéissant et docile. Par contre, il apprend lentement. Si vous tenez absolument à ce qu'il donne la «papatte», armez-vous de patience. Dès qu'il aura compris, toutefois, vous réussirez à la lui faire donner rapidement. Ce sera un compagnon fidèle. Il reste tellement attaché à vous et à ses habitudes que les changements l'incommodent; mais si vous vous en occupez, s'il sent que vous l'aimez, il sera rassuré et heureux. Si votre oiseau est Taureau, écoutez son chant, il est très joli.

**LE GÉMEAUX.** Cet animal a besoin de voir du monde et d'avoir beaucoup de vie autour de lui. Il sera très heureux dans une famille nombreuse, avec plusieurs enfants et même d'autres animaux. Il adore faire son petit tour dehors, explorer, découvrir, croiser des connaissances à quatre pattes. À la maison, il trouve toujours quelque chose à faire, mais il n'aime pas être seul trop longtemps. Si vous pensez le laisser seul pendant que vous êtes au travail, il serait bon de lui procurer un compagnon de jeu. Cet animal a besoin d'énormément d'attention; il faudra donc souvent jouer avec lui. Par contre, il se montre assez indépendant lorsqu'il le décide. C'est un grand parleur qui a besoin d'un public, alors il chante, jappe ou miaule beaucoup. C'est aussi un petit coquin très intelligent et un tantinet manipulateur. Il vous fera savoir rapidement ce qu'il veut... et il finira par l'obtenir.

**LE CANCER.** C'est le signe le plus attachant qui soit pour un animal. Ce petit compagnon adore son maître et tous les membres de la famille. Les marques d'affection et les caresses sont ses deux moteurs, car il aime tellement faire plaisir. Son bonheur est immense lorsqu'il se sent entouré de tout son petit monde à la maison. Il fait de gros efforts pour satisfaire son entourage, même les enfants qui lui tirent les oreilles ou la queue. Comme c'est plutôt un animal gourmand et dormeur, il faut veiller à lui faire faire suffisamment d'exercice, sinon l'obésité le guette. Docile et affectueux, il est digne de confiance; il fera de son mieux pour protéger la maison, même si c'est un minuscule chihuahua. Les femelles Cancer sont d'excellentes mères.

**LE LION.** Voilà un animal qui a du panache. De race pure ou non, on le remarque. Si votre petit Lion est un chat, il se comportera comme s'il était le roi des animaux au milieu de ses sujets ; en tant que chien, museau au vent et queue relevée, il montrera qui est le maître dans la maison, tandis que l'oiseau Lion exhibera fièrement son plumage. Bref, il fera l'envie de tout le voisinage. Comme c'est une vraie star, il faudra lui donner beaucoup d'attention, lui montrer que vous l'aimez. Si vous oubliez la caresse habituelle en rentrant, il boudera. Avec les autres animaux, ça risque d'être la guerre. Il veut occuper l'avant-scène et n'appréciera pas qu'on le néglige ou qu'on le tienne à l'écart pour s'occuper d'un autre, animal ou humain d'ailleurs. De toute façon, il ne supportera pas d'être traité comme un bibelot ; alors, même s'il se comporte bien et se montre sage, il cherchera sûrement à faire un petit tour pour épater la galerie. Enseignez-lui quelques trucs simples et applaudissez à tout rompre ; cela fera son plus grand bonheur.

**LA VIERGE.** Il est tout timide, tout gentil. En fait, c'est pour cela que vous l'avez pris, même si ce n'est pas lui qui était le plus fringant de la portée. Il se montre un peu craintif avec les étrangers, mais avec vous, n'ayez pas peur, ce sera un compagnon fidèle, attentif et tranquille. Il ne vous causera pas d'ennuis, car il comprend très bien les règles et les interdits et ne les transgresse pas. Par contre, il a ses petites habitudes. N'allez pas bouleverser son horaire du jour au lendemain. Si vous le sortez chaque jour vers 8 heures, il ne faudra pas être en retard, car il vous le fera savoir. Son point faible, c'est la digestion ; il faut donc veiller à lui procurer une bonne nourriture et ne pas la lui changer continuellement. Qu'il soit chien, chat, cheval ou canari, il sera très attaché à son maître et doux avec les enfants. C'est le compagnon idéal des gens calmes et plutôt sédentaires.

**LA BALANCE.** Cet animal est une vraie soie. Il a tout pour se faire aimer et aussi pour vous amuser ; il a mille et un tours dans son sac. Comme c'est un petit être sensible, vous ne l'aimerez jamais trop et il réclamera toujours plus de caresses. Pour qu'il soit heureux, offrez-lui un foyer calme et harmonieux. Il préférera fuir les enfants criards et chamailleurs, car il ne supporte ni les bruits ni les cris. S'il fait une bêtise et que vous le grondez, il sera très honteux et affecté. En parlant assez fort, vous obtiendrez de bons résultats, sans avoir à le punir plus. Ce petit animal appréciera son douillet coussin ou votre plus beau fauteuil pour dormir en paix... Et en plus, comme il déteste être seul, il pourrait même choisir vos moelleux genoux pour sa sieste. C'est un charmeur, et son regard fait fondre le plus récalcitrant des humains. Il est irrésistible.

**LE SCORPION.** Celui-là possède son petit caractère. Monsieur ou madame est bien affectueux, mais attention, il se montre souvent possessif. Il choisit son maître et ne le lâche plus. Il pourrait venir s'installer entre vous et votre conjoint, car il vous appartient en propre et non aux deux. Pire, il pourrait même carrément prendre la place du conjoint qui le dérange pour l'obliger à s'asseoir plus loin. Il affiche un petit air mystérieux, ce qui fait en sorte qu'on ne comprend pas toujours ce qu'il veut. Il peut être très enjoué, mais il lui arrive aussi parfois d'être assez grognon et, dans ces cas-là, il vaut mieux le laisser tranquille. Par contre, il n'a pas son pareil pour deviner ce que vous ressentez et il a une mémoire du tonnerre. Si quelqu'un lui a fait mal, il s'en souviendra, même des mois ou des années plus tard... Ce n'est pas un animal facile, mais il vous adore.

**LE SAGITTAIRE.** Ce cher Sagittaire est un tantinet agité... Pour lui, voir la vie à l'extérieur est bien plus passionnant que dormir sur un coussin moelleux. Si vous l'empêchez de sortir, il reste à la fenêtre pour observer la rue. Il adore courir, se promener, et si vous n'y faites pas attention, il peut faire des fugues de plusieurs jours. Fermez bien les portes. Laissé seul à la maison, il s'ennuie. Vous devez lui faire dépenser son trop-plein d'énergie. L'idéal est de lui offrir un grand jardin, un terrain à la campagne où il pourra se dégourdir les pattes à loisir. C'est un petit être indépendant, donc l'obéissance parfaite, ce n'est pas tellement sa tasse de thé. Il se comporte généralement bien avec les autres animaux, mais ceux de la même espèce que lui le dérangent un peu. Avec les enfants, il est très à l'aise, car ils courent et jouent avec lui, et c'est ce qu'il aime. Par contre, ceux-ci doivent le respecter, sinon il fera la loi lui-même à coups de dents ou de griffes. Il peut aussi se montrer glouton et prendre rapidement du poids; il faut donc bien doser sa nourriture et lui faire faire beaucoup d'exercice.

**LE CAPRICORNE.** On dit que le chien est le meilleur ami de l'homme; s'il est Capricorne en plus, vous avez déniché la perle rare, le plus fidèle des fidèles. Dévoué, cherchant toujours à faire plaisir, ce petit timide restera néanmoins à l'écart des inconnus. Ce n'est pas un animal très démonstratif, mais votre famille et surtout vous, son maître, comptez plus que tout dans sa vie. Plutôt menu et souvent maigre, il est également frileux ; donc, durant l'hiver, faites attention lorsque vous le sortez, un manteau serait peut-être approprié. C'est un bon compagnon, tranquille et doux. Il est très patient, et quelques heures de solitude ne lui font pas peur. Il apprend lentement, donc n'hésitez pas à répéter plusieurs fois vos consignes lorsqu'il est encore bébé, de façon qu'il assimile bien les règles. Une fois qu'il les aura apprises, il les retiendra pour toujours. Comme il est fort discret, on pourrait l'oublier facilement ; mais surtout ne le négligez pas, car c'est vraiment votre meilleur ami, et il vous aime.

**LE VERSEAU.** Ce chaton, ce vieux chien, cette perruche ou ce furet sont des animaux qui vous procureront des heures de plaisir. Avec lui, pas d'ennui possible. Il bouge, va vers les gens, s'intéresse à tout ce que vous faites. Lorsque vous arrivez avec des sacs d'épicerie, il n'hésitera pas à plonger le nez dedans pour découvrir ce qu'ils contiennent. Les nouvelles odeurs, les nouveaux objets l'intriguent. Dehors, vous le verrez souvent en train de « discuter » avec ses congénères, de surveiller son territoire ou d'explorer les environs. Vif, spirituel, remuant, il a une petite personnalité indépendante qui n'est pas tellement adaptée aux règles et à l'obéissance ; vous devrez répéter souvent, et peut-être même le gronder plus que d'autres. Mais comme il aime tout le monde et que tout le monde l'aime, vous lui pardonnez facilement ces incartades.

**LE POISSONS.** Affectueux, doux et tendre, votre compagnon à plumes ou à fourrure vous rendra toujours heureux. Vos caresses et vos mots doux sont sa raison de vivre. Lorsque vous revenez du travail, c'est la fête. D'ailleurs, vous n'avez qu'à sortir cinq minutes puis à revenir, et ce sera encore la fête. Pour le faire fâcher et le rendre bougon, il faut vraiment en mettre beaucoup, car il oublie très vite. C'est un animal sensible, il ne supporte pas qu'on parle fort autour de lui ; il croit alors qu'il a fait quelque chose de mal et se sauve. Par contre, il devine toujours comment vous allez. Si vous vous sentez un peu triste, il se montrera encore plus câlin pour vous consoler. Si vous êtes de bonne humeur, il sera heureux pour vous. Comme il est un peu paresseux, c'est à vous de veiller à ce qu'il fasse ses exercices quotidiens. Comme les animaux Poissons adorent l'eau (même les chats), pourquoi ne pas placer un bain dans la cage de l'oiseau et une grosse piscine de plastique pour Médor dans la cour ?

# L'ASTROLOGIE CHINOISE

L'étude du zodiaque remonte à la nuit des temps. On le sait aujourd'hui, même l'homme de Néandertal scrutait les astres pour y déchiffrer le sens de l'Univers.

Plus que millénaire, l'astrologie n'est pas une science propre à la civilisation occidentale ; en Orient aussi, les planètes, les astres et les étoiles fascinent. Cependant, l'astrologie chinoise diffère de la nôtre en ce sens que, contrairement à elle, qui se base sur le cycle du Soleil dans les 12 signes, elle est établie sur une période de 12 ans.

L'astrologie zodiacale comporte 12 signes qui se succèdent, et chacun dure un mois. En astrologie chinoise, chaque année correspond à un signe représenté par un animal totem.

En astrologie chinoise, les cycles lunaires permettent de déterminer le début de l'année. Cela fait donc en sorte que les signes chinois commencent à une date différente chaque année.

L'astrologie chinoise constitue un excellent moyen de se connaître et de découvrir les autres. Nous vous invitons à en prendre connaissance plus amplement dans les pages suivantes.

## Les 12 signes chinois

Repérez votre date de naissance dans ce tableau pour connaître votre signe chinois.

| 1900 | Rat | Du 31 janvier 1900 au 18 février 1901 |
|------|-----|----------------------------------------|
| 1901 | Buffle | Du 19 février 1901 au 7 février 1902 |
| 1902 | Tigre | Du 8 février 1902 au 28 janvier 1903 |
| 1903 | Chat | Du 29 janvier 1903 au 15 février 1904 |
| 1904 | Dragon | Du 16 février 1904 au 3 février 1905 |
| 1905 | Serpent | Du 4 février 1905 au 24 janvier 1906 |
| 1906 | Cheval | Du 25 janvier 1906 au 12 février 1907 |
| 1907 | Chèvre | Du 13 février 1907 au 1er février 1908 |

| | | |
|---|---|---|
| 1908 | Singe | Du 2 février 1908 au 21 janvier 1909 |
| 1909 | Coq | Du 22 janvier 1909 au 9 février 1910 |
| 1910 | Chien | Du 10 février 1910 au 29 janvier 1911 |
| 1911 | Cochon | Du 30 janvier 1911 au 17 février 1912 |
| 1912 | Rat | Du 18 février 1912 au 5 février 1913 |
| 1913 | Buffle | Du 6 février 1913 au 25 janvier 1914 |
| 1914 | Tigre | Du 26 janvier 1914 au 13 février 1915 |
| 1915 | Chat | Du 14 février 1915 au 2 février 1916 |
| 1916 | Dragon | Du 3 février 1916 au 22 janvier 1917 |
| 1917 | Serpent | Du 23 janvier 1917 au 10 février 1918 |
| 1918 | Cheval | Du 11 février 1918 au 31 janvier 1919 |
| 1919 | Chèvre | Du 1er février 1919 au 19 février 1920 |
| 1920 | Singe | Du 20 février 1920 au 7 février 1921 |
| 1921 | Coq | Du 8 février 1921 au 27 janvier 1922 |
| 1922 | Chien | Du 28 janvier 1922 au 15 février 1923 |
| 1923 | Cochon | Du 16 février 1923 au 4 février 1924 |
| 1924 | Rat | Du 5 février 1924 au 23 janvier 1925 |
| 1925 | Buffle | Du 24 janvier 1925 au 12 février 1926 |
| 1926 | Tigre | Du 13 février 1926 au 1er février 1927 |
| 1927 | Chat | Du 2 février 1927 au 22 janvier 1928 |
| 1928 | Dragon | Du 23 janvier 1928 au 9 février 1929 |
| 1929 | Serpent | Du 10 février 1929 au 29 janvier 1930 |
| 1930 | Cheval | Du 30 janvier 1930 au 16 février 1931 |
| 1931 | Chèvre | Du 17 février 1931 au 5 février 1932 |
| 1932 | Singe | Du 6 février 1932 au 25 janvier 1933 |
| 1933 | Coq | Du 26 janvier 1933 au 13 février 1934 |
| 1934 | Chien | Du 14 février 1934 au 3 février 1935 |
| 1935 | Cochon | Du 4 février 1935 au 23 janvier 1936 |
| 1936 | Rat | Du 24 janvier 1936 au 10 février 1937 |
| 1937 | Buffle | Du 11 février 1937 au 30 janvier 1938 |
| 1938 | Tigre | Du 31 janvier 1938 au 18 février 1939 |
| 1939 | Chat | Du 19 février 1939 au 7 février 1940 |
| 1940 | Dragon | Du 8 février 1940 au 26 janvier 1941 |
| 1941 | Serpent | Du 27 janvier 1941 au 14 février 1942 |
| 1942 | Cheval | Du 15 février 1942 au 4 février 1943 |
| 1943 | Chèvre | Du 5 février 1943 au 24 janvier 1944 |

| 1944 | Singe | Du 25 janvier 1944 au 12 février 1945 |
|------|-------|----------------------------------------|
| 1945 | Coq | Du 13 février 1945 au 1er février 1946 |
| 1946 | Chien | Du 2 février 1946 au 21 janvier 1947 |
| 1947 | Cochon | Du 22 janvier 1947 au 9 février 1948 |
| 1948 | Rat | Du 10 février 1948 au 28 janvier 1949 |
| 1949 | Buffle | Du 29 janvier 1949 au 16 février 1950 |
| 1950 | Tigre | Du 17 février 1950 au 5 février 1951 |
| 1951 | Chat | Du 6 février 1951 au 26 janvier 1952 |
| 1952 | Dragon | Du 27 janvier 1952 au 13 février 1953 |
| 1953 | Serpent | Du 14 février 1953 au 2 février 1954 |
| 1954 | Cheval | Du 3 février 1954 au 23 janvier 1955 |
| 1955 | Chèvre | Du 24 janvier 1955 au 11 février 1956 |
| 1956 | Singe | Du 12 février 1956 au 30 janvier 1957 |
| 1957 | Coq | Du 31 janvier 1957 au 17 février 1958 |
| 1958 | Chien | Du 18 février 1958 au 7 février 1959 |
| 1959 | Cochon | Du 8 février 1959 au 27 janvier 1960 |
| 1960 | Rat | Du 28 janvier 1960 au 14 février 1961 |
| 1961 | Buffle | Du 15 février 1961 au 4 février 1962 |
| 1962 | Tigre | Du 5 février 1962 au 24 janvier 1963 |
| 1963 | Chat | Du 25 janvier 1963 au 12 février 1964 |
| 1964 | Dragon | Du 13 février 1964 au 1er février 1965 |
| 1965 | Serpent | Du 2 février 1965 au 20 janvier 1966 |
| 1966 | Cheval | Du 21 janvier 1966 au 8 février 1967 |
| 1967 | Chèvre | Du 9 février 1967 au 29 janvier 1968 |
| 1968 | Singe | Du 30 janvier 1968 au 16 février 1969 |
| 1969 | Coq | Du 17 février 1969 au 5 février 1970 |
| 1970 | Chien | Du 6 février 1970 au 26 janvier 1971 |
| 1971 | Cochon | Du 27 janvier 1971 au 14 février 1972 |
| 1972 | Rat | Du 15 février 1972 au 2 février 1973 |
| 1973 | Buffle | Du 3 février 1973 au 22 janvier 1974 |
| 1974 | Tigre | Du 23 janvier 1974 au 10 février 1975 |
| 1975 | Chat | Du 11 février 1975 au 30 janvier 1976 |
| 1976 | Dragon | Du 31 janvier 1976 au 17 février 1977 |
| 1977 | Serpent | Du 18 février 1977 au 6 février 1978 |
| 1978 | Cheval | Du 7 février 1978 au 27 janvier 1979 |
| 1979 | Chèvre | Du 28 janvier 1979 au 15 février 1980 |

| | | |
|---|---|---|
| 1980 | Singe | Du 16 février 1980 au 4 février 1981 |
| 1981 | Coq | Du 5 février 1981 au 24 janvier 1982 |
| 1982 | Chien | Du 25 janvier 1982 au 12 février 1983 |
| 1983 | Cochon | Du 13 février 1983 au 1er février 1984 |
| 1984 | Rat | Du 2 février 1984 au 19 février 1985 |
| 1985 | Buffle | Du 20 février 1985 au 8 février 1986 |
| 1986 | Tigre | Du 9 février 1986 au 28 janvier 1987 |
| 1987 | Chat | Du 29 janvier 1987 au 16 février 1988 |
| 1988 | Dragon | Du 17 février 1988 au 5 février 1989 |
| 1989 | Serpent | Du 6 février 1989 au 26 janvier 1990 |
| 1990 | Cheval | Du 27 janvier 1990 au 14 février 1991 |
| 1991 | Chèvre | Du 15 février 1991 au 3 février 1992 |
| 1992 | Singe | Du 4 février 1992 au 22 janvier 1993 |
| 1993 | Coq | Du 23 janvier 1993 au 9 février 1994 |
| 1994 | Chien | Du 10 février 1994 au 30 janvier 1995 |
| 1995 | Cochon | Du 31 janvier 1995 au 18 février 1996 |
| 1996 | Rat | Du 19 février 1996 au 6 février 1997 |
| 1997 | Buffle | Du 7 février 1997 au 27 janvier 1998 |
| 1998 | Tigre | Du 28 janvier 1998 au 15 février 1999 |
| 1999 | Chat | Du 16 février 1999 au 4 février 2000 |
| 2000 | Dragon | Du 5 février 2000 au 24 janvier 2001 |
| 2001 | Serpent | Du 25 janvier 2001 au 12 février 2002 |
| 2002 | Cheval | Du 13 février 2002 au 1er février 2003 |
| 2003 | Chèvre | Du 2 février 2003 au 21 janvier 2004 |
| 2004 | Singe | Du 22 janvier 2004 au 7 février 2005 |
| 2005 | Coq | Du 8 février 2005 au 28 janvier 2006 |
| 2006 | Chien | Du 29 janvier 2006 au 16 février 2007 |
| 2007 | Cochon | Du 17 février 2007 au 6 février 2008 |
| 2008 | Rat | Du 7 février 2008 au 25 janvier 2009 |
| 2009 | Buffle | Du 26 janvier 2009 au 13 février 2010 |
| 2010 | Tigre | Du 14 février 2010 au 2 février 2011 |
| 2011 | Chat | Du 3 février 2011 au 22 janvier 2012 |
| 2012 | Dragon | Du 23 janvier 2012 au 9 février 2013 |
| 2013 | Serpent | Du 10 février 2013 au 30 janvier 2014 |
| 2014 | Cheval | Du 31 janvier 2014 au 18 février 2015 |
| 2015 | Chèvre | Du 19 février 2015 au 7 février 2016 |

# LE RAT

**S** **'il est un animal qui provoque des réactions mitigées, c'est bien le rat. Il entraîne parfois des mouvements de répulsion, mais le plus souvent il suscite la crainte. Et faire peur, c'est justement votre cas. Les gens ne vous connaissent pas beaucoup et, pour cette raison, se méfient un peu. Vous-même, vous vous montrez plutôt craintif, soupçonneux et, pour gagner votre confiance, il faut savoir montrer patte blanche.**

En société, vous évitez les bains de foule et préférez de beaucoup rester à l'écart. Pourtant, lorsqu'on vous connaît, on vous trouve sociable, rempli d'humour et enjoué. Néanmoins, vous vous confiez peu et préférez regagner votre petit nid douillet lorsque quelque chose ne tourne pas rond. Vous avez une acuité toute particulière qui vous permet de déceler ce qu'on tente de vous cacher. Votre sens de l'observation est aiguisé ; rien ne vous échappe.

Vous vous défendez avec vos dents et vos griffes lorsqu'on vous blesse ou si l'un de vos proches est attaqué. Sur le plan psychologique, vous paraissez nerveux, parfois tourmenté.

Côté personnalité, votre émotivité vous permet d'exceller dans les domaines artistiques, notamment la musique, la littérature et les arts, qui vous fournissent la possibilité de vous exprimer et de vous libérer de votre trop-plein d'émotion.

Votre intelligence est vive et plutôt raisonnée. Vous trouvez des solutions ingénieuses aux problèmes, et votre flair en affaires est très aiguisé. Vous avez un don particulier et le doigté nécessaire pour retourner les pires situations en votre faveur. Beau parleur comme vous l'êtes, vous pouvez devenir un excellent négociateur. Votre sixième sens vous permet de trouver les mots qu'il faut pour convaincre ; il vous indique quand et comment agir. Sur le plan professionnel, ces multiples talents vous poussent souvent à diriger les gens, à commander, et parfois même à manipuler vos collègues ou vos subalternes.

Puisque vous avez un bon sens pratique, que vous possédez un esprit terre à terre, vous appréciez l'argent, mais aussi les valeurs sûres, les beaux objets. Pourtant, il semble que l'argent file à une rapidité excessive entre vos doigts. Heureusement, vous parvenez à équilibrer votre budget sans avoir à trop jongler avec les rentrées et les sorties.

Votre petit côté séducteur vous ouvre de nombreuses portes. Vous savez plaire ; avouez que vous jouez de votre charme. Vous êtes un être passionné qui est attiré par le romantisme. Cela peut vous inciter à fuir votre quotidien et votre routine, que vous considérez comme de vrais éteignoirs. Une telle façon d'être complique votre vie sentimentale, mais vous n'en avez cure. Vous recherchez les gens originaux, amusants, que vous pouvez admirer, et, malgré votre froideur initiale, on finit par découvrir en vous un être affectueux, ardent, possessif même. Les demi-mesures ne sont pas pour vous, et vous ne supportez pas d'être brimé dans votre liberté.

**Vos plus belles qualités :**
Convaincant, instinctif, doté d'un sens pratique, intelligent, terre à terre, drôle, vif, habile, rusé.

**Vos péchés mignons :**
Angoissé, méfiant, profiteur, manipulateur.

### Selon les sages orientaux
**Votre domaine symbolique :** Ce qu'on ne sait pas et qui est près de nous, le mystère, le monde souterrain.

**Vos armes :** Les dents acérées du rat, son instinct et ses paroles mordantes.

# LE BUFFLE

**S**érieux et travailleur, vous vous adaptez très bien au système et vous défendez les traditions auxquelles vous tenez. L'originalité et l'initiative ne font pas partie de votre vocabulaire. Par contre, votre discipline et votre sens des responsabilités sont irréprochables. Vous êtes solide comme un roc, et l'on peut compter sur vous sans crainte.

Au travail, vous ne calculez pas vos heures, et les tâches qu'on vous confie sont menées à terme avec opiniâtreté. Comme on dit, vous avez beaucoup de cœur à l'ouvrage. Vous êtes organisé et déterminé, mais les autres vous reprochent votre lenteur et vous trouvent plutôt tatillon. Qu'importe, vous poursuivez votre petit bonhomme de chemin et vous savez ce que vous faites. Si vous œuvrez dans un secteur d'activité qui vous permet d'exploiter votre potentiel, votre réussite est assurée. Par exemple, vous ferez des miracles en architecture, en chirurgie, en gestion d'entreprises, en agriculture, et même si l'on vous trouve souvent lourd et dépourvu d'émotivité, vous saurez tromper tout le monde dans le domaine des arts, en peinture et en cinéma, car vous avez une inspiration hors normes. Par ailleurs, vous seriez un très bon chef d'entreprise, car vous avez les qualités nécessaires pour stimuler vos troupes.

Sur le plan financier, vous vous montrez sage et solide. Vous trimez dur et ne comptez que sur votre labeur pour vivre. Si des échecs passagers ou des revers de fortune vous tombent dessus, vous les vivez difficilement, et si en plus vous êtes victime d'une injustice, vous aurez du mal à accepter la situation et à poursuivre votre route comme si de rien n'était. Vous n'êtes pas du genre à jeter votre argent par les fenêtres, car vous connaissez sa valeur et le travail nécessaire pour le gagner. Donc, « épargne » et « budget » ne sont pas des mots vains pour vous. Avec de telles valeurs, il y a de fortes chances que vous finissiez vos jours à l'aise financièrement.

Honnête et loyal, vous appréciez une bonne poignée de main; pour vous, c'est presque de l'argent comptant. Vous êtes très déçu par les promesses non tenues, les engagements non respectés, car jamais vous ne manquez à votre parole. Que les autres puissent y déroger vous laisse complètement abasourdi.

Vous n'appréciez guère le changement, que ce soit au travail ou dans votre vie personnelle. Vous préférez la stabilité, le confort, la tranquillité. Vous vous montrez accueillant, et votre table est toujours bien garnie. Vous êtes même un tantinet gourmand.

En société, on apprécie votre bon cœur et votre simplicité. Vous êtes un excellent confident, car votre bienveillance est légendaire. Quant à votre petite famille, elle compte beaucoup à vos yeux, et vous êtes toujours là pour vos proches en cas de besoin ; on l'a dit, vous êtes solide comme un roc.

Dans l'intimité, vous ne brûlez pas les étapes, vous recherchez un partenaire fiable et sérieux, vous ne vous précipitez donc pas sur la première amourette venue. La stabilité affective est si importante pour vous que vous attendez avant d'exprimer vos sentiments et de vous engager... Ensuite, c'est pour la vie. La passion, le romantisme, vous êtes d'avis que tout cela s'éteint bien vite ; vous comptez plutôt sur la solidité des sentiments dans vos relations amoureuses. Vous avez tant à offrir, et le bonheur de votre conjoint devient alors l'une de vos priorités.

**Vos plus belles qualités :**
Sérieux, travailleur, économe, prudent, sens des responsabilités, esprit de famille.

**Vos péchés mignons :**
Tatillon, peureux, lent, manque d'audace, inflexible.

## Selon les sages orientaux

**Votre domaine symbolique :** Les sillons des champs, la terre, la glaise et les chemins sinueux.

**Vos armes :** Les cornes du Minotaure, grâce auxquelles il est capable de défendre son labyrinthe.

# LE TIGRE

**À** l'instar de ce félin sauvage, vous régnez en maître sur votre entourage. Vous avez beaucoup d'emprise sur les autres, aussi bien dans votre vie privée que professionnelle. Vous êtes un chef-né, volontaire et rempli d'ambition, mais honnête, ce qui ne gâche rien.

Vous pouvez être fier de vous lorsque le succès vient couronner vos nombreux efforts, car vous ne vous ménagez pas ; vif et courageux comme vous l'êtes, rien ne vous rebute. Cela peut même vous rendre plutôt téméraire et vous exposer à des dangers. Heureusement, en bon félin, vous retombez toujours sur vos pattes. Avec un peu plus de prudence et de planification, vous pourriez éviter certains déboires et aller encore plus loin sur le chemin de la réussite.

Votre sang-froid et votre instinct sont remarquables, et vous savez jauger les situations avec un sens peu commun de l'analyse. Rarement impressionné par la hiérarchie et les conventions, vous vous fiez à votre intuition et vous n'hésitez pas à faire ce que bon vous semble. Stimulé par de nouveaux défis, vous ne craignez ni les changements ni les obstacles ; d'ailleurs, vous les utilisez souvent comme moteur pour foncer vers de nouveaux buts.

Vous usez de franchise, une de vos plus belles qualités, mais pas toujours à bon escient, car elle peut vous conduire à la brusquerie, et vous devenez alors blessant. Mais vous défendez pied à pied vos idées et vos opinions, et vous ne vous en laissez pas imposer, surtout qu'en plus vous avez souvent raison.

Si vous parvenez à dominer votre émotivité, votre promptitude, vous pourrez devenir un meilleur chef de file. D'ailleurs, vous vous exprimerez pleinement dans les secteurs d'activité qui vous permettent de diriger et d'utiliser votre potentiel et votre flair. En affaires, vous avez beaucoup de chance ; vous semblez attirer l'argent et le succès. Peut-être parce que vous êtes certain de ne jamais manquer de rien, vous vous souciez peu de votre budget. Votre compte en banque reflète ce léger laisser-aller ; il joue aux montagnes russes.

Comme vous êtes fier, vous soignez votre apparence, et lorsqu'on vous remarque, vous ronronnez de plaisir. Un peu soupe au lait avec les étrangers, vous savez vous montrer généreux avec vos amis.

En amour non plus, pas de demi-mesures ; vous laissez parler votre nature ardente, passionnée et entreprenante. Vous idéalisez votre partenaire, vous le mettez sur un piédestal et puis, un beau jour, vous découvrez sa personnalité et vous déchantez. Vous avez donc besoin d'un conjoint qui saura vous faire vibrer, vous amuser, vous surprendre, et surtout qui saura conserver tout son mystère après plusieurs années de vie commune.

**Vos plus belles qualités :**
Courageux, fonceur, déterminé, ambitieux, leader, ardent, franc, adaptable.

**Vos péchés mignons :**
Impulsif, téméraire, peu soucieux des détails, soupe au lait, émotif.

### Selon les sages orientaux

**Votre domaine symbolique :** Les cimes et la puissance terrestre où conduit la chance.

**Votre arme :** La fourrure protectrice du tigre.

# LE CHAT

**Q**uel charmant animal que ce gros minet, et séducteur en plus ! Votre lucidité exceptionnelle vous permet de ne pas vous laisser prendre au dépourvu.

En plus, vous êtes un enjôleur et un habile diplomate, ce qui vous permet de ne pas vous faire surprendre. Votre goût est sûr et délicat : vous aimez les belles choses, les objets d'art. Votre élégance se reflète sur vous, de la tête aux pieds, dans vos vêtements et dans votre allure générale. Vous affectionnez les endroits à la mode, et vous êtes très sociable. Querelles et disputes vous agacent : vous avez besoin de tranquillité. La recherche de l'harmonie en toutes choses est le trait marquant de votre caractère.

Vous avez le don de plaire, que ce soit à vos amis ou même à de purs étrangers, car votre gentillesse, vos bons mots, votre comportement charmeur sont grandement appréciés. Vous brillez en société et vous n'hésitez pas à courir les fêtes et les réceptions ; ces réunions mondaines sont d'ailleurs vos endroits de prédilection pour élargir votre cercle de relations, provoquer de nouvelles rencontres et vous cultiver. Votre conversation est brillante, enjouée, et vous vous retrouvez rapidement entouré.

Plutôt respectueux des traditions, vous vous refusez à sortir des sentiers battus ; peut-être est-ce attribuable au sentiment d'insécurité qui vous habite. Vous êtes craintif, et les nouveaux projets ne vous emballent guère ; vous êtes plutôt réfractaire à ce que vous ne connaissez pas. Votre discrétion au travail est légendaire et vous êtes d'une féroce efficacité. On ne peut rien vous reprocher. Vous travaillez avec soin, sans oublier un seul détail et sans faire de faux pas. On peut vous confier un travail les yeux fermés, car en plus d'un sens particulier de la minutie vous possédez une mémoire sans faille, des atouts majeurs pour mener vos tâches à bien.

Comme vous détestez être pris de court ou avoir à vous décider à la dernière minute, il vous faut peser le pour et le contre, ce qui peut se révéler un solide avantage sur le plan des affaires. Vous appréciez le luxe et le confort, et vous êtes conscient des efforts que vous devez faire pour vous les offrir. Donc vous gérez votre portefeuille avec beaucoup de circonspection et de discernement : les placements hasardeux, très peu pour vous. Cette façon d'agir vous garantit une certaine sécurité matérielle durant vos vieux jours.

Vous êtes quelqu'un d'habituellement optimiste. Même dans les pires situations, vous essayez de toujours trouver le bon côté des choses et vous vous entourez bien. D'ailleurs, cette qualité est appréciée de vos amis, car en plus vous savez vous montrer compréhensif envers eux. Vous êtes disposé à les écouter et à leur donner un coup de pouce, quoi qu'il arrive. Vous n'appréciez pas du tout les affrontements, les chicanes et les critiques, ce qui fait de vous un expert dans l'art du compromis. Vous savez mettre de l'eau dans votre vin lorsque cela se révèle nécessaire. Une telle façon d'être vous permet de mener des négociations et des transactions avec une redoutable efficacité. Vous ferez donc une brillante carrière dans les relations publiques, la politique, la justice, l'enseignement, ainsi que dans le domaine artistique, notamment la musique et la danse qui conviennent très bien à votre grâce féline.

Dans votre vie personnelle, vous accordez beaucoup d'importance à l'amour. Les dîners en tête à tête, le jeu de la séduction et le flirt vous enchantent. Vous aimez faire les yeux doux. Bref, vous êtes un incorrigible romantique. Vous aimez aussi qu'on s'occupe de vous. Vous voyez la vie de couple comme une relation douce et tendre. Pourtant, vous ne vous laissez pas facilement apprivoiser, car vous avez peur d'être déçu. Vous affichez souvent un air indépendant qui peut refroidir les mieux intentionnés. Pour trouver le partenaire de vos rêves, vous faites du temps votre meilleur allié. Une fois que vous l'avez déniché, vous le traitez avec respect, amour et sincérité, et vous déployez des efforts considérables pour que votre vie de couple soit agréable et harmonieuse.

**Vos plus belles qualités :**
Sociable, charmant, souple, diplomate, romanesque, élégant, doux, positif, prévoyant, enthousiaste.

**Vos péchés mignons :**
Timoré, peur de déplaire, matérialiste, indécis, changeant, frivole, crainte des affrontements.

## Selon les sages orientaux

**Votre domaine symbolique :** La pleine lune et le monde mystérieux de la nuit, où seuls les chats peuvent voir.

**Vos armes :** Les griffes du chat, qu'on ne voit pas... mais qui peuvent déchirer.

# LE DRAGON

**V**oilà un signe peu banal, qui frappe l'imagination. Les empereurs chinois l'ont choisi comme emblème pour sa fougue et sa vitalité. Votre personnalité est fortement teintée de ces deux qualités, qui vous permettent d'atteindre des sommets sur tous les plans.

Votre talent, votre intelligence, votre fierté, votre intrépidité, votre ténacité, tout en vous est décuplé. Par contre, la patience n'est pas votre fort, et vous ne supportez ni la critique, ni la contrariété, ni l'indifférence à votre égard. Vous devez laisser votre empreinte dans les esprits partout où vous passez. Vous savez ce que vous voulez et vous ne démordez pas aisément de vos idées ; vous êtes terriblement obstiné, mais heureusement, comme vous avez un solide esprit d'analyse et une bonne perspicacité, vous pouvez maîtriser toute situation qui autrement pourrait vous nuire.

Les efforts et l'énergie que vous déployez sont aussi remarquables, et les pires obstacles ne vous résistent jamais bien longtemps. Tout tremble sur votre passage.

Vous avez une telle confiance en vous, vous croyez tellement en votre potentiel, votre personnalité est si affirmée et votre nature, si indépendante, que vous faites l'envie de bien du monde. Par contre, toutes ces belles qualités deviennent rapidement de beaux défauts, car vous n'écoutez pas les autres, vous fiant à votre seul jugement. Évidemment, cela vous entraîne à commettre des erreurs qu'il sera difficile de vous faire admettre, entêté comme vous l'êtes. Et comme vous ne supportez pas la contradiction, vous aurez aussi tendance à vous emporter rapidement, à manquer de tact dans vos relations avec les autres.

Vous êtes flamboyant ; il est pratiquement impossible de ne pas vous remarquer. Comme vous montrez en plus beaucoup de charisme, y compris avec les foules, on parle de vous, et cela vous plaît énormément. Rien ne vous fait autant plaisir que d'être le centre d'attention.

De telles prédispositions vous permettent d'envisager une carrière fructueuse dans le monde du spectacle, bien sûr, mais aussi dans les arts graphiques, la peinture, la littérature, les médias, la politique ou les affaires... y compris les affaires louches !

L'argent vous file entre les doigts, heureusement vous apportez toujours de l'eau au moulin. Votre signe est celui de la richesse, mais aussi de l'illusion. Pour vous, l'argent n'est qu'un moyen comme un autre de vous mettre en valeur, et non une fin en soi. Vous en avez beaucoup et tout semble vous réussir. On remarque moins les efforts que vous déployez pour atteindre vos objectifs. On pourrait croire que la chance vous sourit tout simplement, alors que vous créez vous-même cette réussite insolente.

En amour, c'est tout ou rien. Votre idéalisme vous pousse à rechercher un conjoint parfait... et, bien entendu, vous ne le trouvez pas, vous courez d'un amour à l'autre, sans vous fixer définitivement. Vous aimez briller et si vous trouvez un partenaire qui n'a d'yeux que pour vous, qui vous admire, qui vous idolâtre, peut-être finirez-vous par craquer. Cependant, beaucoup de natifs du Dragon vivent très bien leur célibat, en papillonnant à droite et à gauche.

**Vos plus belles qualités :**
Flamboyant, fort, confiant, brillant, intelligent, intrépide, fier, acharné, franc, magnétique.

**Vos péchés mignons :**
Obstiné, égocentrique, orgueilleux, colérique, insatisfait, irritable, folie des grandeurs.

## Selon les sages orientaux

**Votre domaine symbolique :** Les fonctions royales, la hiérarchie, la prospérité et les cycles de la vie.

**Votre arme :** Le feu que crache le dragon, qui brûle mais purifie.

# LE SERPENT

Le serpent provoque plutôt la répulsion et la crainte dans notre monde occidental. Pourtant, dans le symbolisme oriental, on lui associe la prudence, la sagesse, la science, les connaissances secrètes et le souffle vital. En Chine, avoir un enfant Serpent est un grand honneur.

Votre sagesse, votre modération, votre équilibre, votre habileté à faire la part des choses, votre capacité de peser le pour et le contre font de vous un philosophe extrêmement respecté par votre entourage et vos proches.

Vous avez le rare pouvoir de prendre du recul, d'évaluer la situation, de jauger les événements, sans vous laisser emporter par le courant. Une telle façon de concevoir la vie fait en sorte que vous vous trompez rarement, ce qui étonne tout le monde.

Vous êtes secret, renfermé même, et il est bien difficile de deviner ce qui vous anime. Votre sens de la réflexion est si puissant, votre vie psychique, si riche, que vous pouvez vous permettre de vivre comme un contemplatif. Votre intuition est phénoménale et votre raisonnement, profond. Pourtant, vous vous fiez plus à votre instinct qu'à la logique; mais peut-être que chez vous l'un ne va pas sans l'autre et que ces deux qualités se complètent à merveille.

En affaires, votre flair est presque infaillible, et vous pouvez devenir un excellent conseiller financier. Comme nous tous, vous craignez un peu l'échec, mais chez vous cette crainte devient une motivation supplémentaire pour faire mieux. En plus, vous savez éviter les risques inutiles, ce qui vous permettra de vivre relativement à l'aise jusqu'à la fin de vos jours. D'ailleurs, vous êtes trop économe pour jeter l'argent par les fenêtres et vous n'êtes pas non plus prêteur. Par contre, vous êtes généreux de votre temps comme de vos conseils.

L'inconnu et le mystère vous attirent. Les connaissances millénaires, les savoirs secrets vous intriguent, et vous vous y intéressez avec délectation.

Pacifique, conciliant, mais doté d'une volonté inébranlable, vous êtes aussi un habile diplomate. Vous n'attaquez pas vos adversaires de front ; vous choisissez plutôt la subtilité pour les vaincre. Comme rien ne vous échappe, vous savez profiter de la moindre erreur de vos ennemis pour retourner la situation en votre faveur.

Vous pourriez faire votre marque dans des domaines tels que la politique, la psychologie, la philosophie, l'enseignement, la loi, la recherche, l'investigation et, grâce à votre sixième sens si remarquable, la voyance ou l'astrologie... Comme vous recherchez toujours la perfection, vous excellerez !

Sur le plan sentimental, votre charme est fascinant, presque hypnotique. Ce n'est pas pour rien que votre signe est représenté par un serpent. Par contre, vous n'êtes pas particulièrement tendre ; vous vous montrez possessif et jaloux, alors que la fidélité ne vous étouffe pas. Si, par contre, vous rencontrez un conjoint stimulant tant physiquement qu'intellectuellement, vous devenez plus stable, loyal et affectueux, et vous l'aimez de tout votre cœur.

**Vos plus belles qualités :**
Philosophe, pacifique, sage, modéré, intuitif, déterminé, économe, sensé, magnétique.

**Vos péchés mignons :**
Renfermé, avaricieux, sournois, mystérieux, peureux.

## Selon les sages orientaux

**Votre domaine symbolique :** Le serpent qui se mange la queue, symbole de la vie et de l'éternel recommencement.

**Votre arme :** Le regard du serpent qui hypnotise ses proies.

# LE CHEVAL

**C**omme le fier étalon qui file tel l'éclair dans les vastes plaines, crinière au vent, on remarque en vous votre vivacité, votre fougue, votre entrain et votre énergie. Ambitieux, vous savez établir de bons plans d'action et des méthodes de travail infaillibles qui vous permettent d'atteindre vos objectifs plus vite et plus efficacement.

Votre signe est marqué par la vitesse. La patience n'est donc pas votre principale qualité; perdre du temps, attendre vous met en rogne. Les projets à long terme viennent souvent à bout de votre motivation. Vous avez besoin d'agir dans l'instant présent, d'être dans l'action, de faire bouger les choses rapidement. Pour cette raison, vous préférez agir de vous-même. Le dicton «on n'est jamais si bien servi que par soi-même» pourrait d'ailleurs devenir votre leitmotiv. Fier et indépendant comme vous l'êtes, vous ne voulez pas compter sur les autres pour que les choses progressent. Et en plus, vous vous passez très bien des conseils d'autrui.

En tant que brillant parleur, votre éloquence joue en votre faveur lorsqu'il s'agit de négocier ou même de converser à bâtons rompus entre amis. Votre vocabulaire et votre sens de la répartie sont étonnants, ce qui ne cesse de surprendre et même de désarmer vos interlocuteurs. Comme en plus votre pouvoir de persuasion est très fort, vous remportez tous les succès dans les joutes oratoires. En tant qu'avocat, représentant de commerce ou diplomate, rien ne saurait vous résister. Si vous préférez un domaine plus artistique, la poésie, la peinture, l'architecture sont à votre portée. Les domaines de l'import-export, du commerce et tout ce qui touche aux voyages vous conviendraient également et sauraient très bien répondre à votre soif de liberté.

Comme vous êtes loyal et honnête, ces deux qualités priment pour vous. L'argent, la richesse, l'aisance financière ne sont rien comparés aux contacts humains et à tout ce que vous pouvez apprendre ou découvrir. Quant à votre liberté, elle n'a pas de prix.

Une telle indépendance vous permet d'être audacieux au travail et d'en changer lorsque vous sentez la monotonie et la routine s'installer. Vous avez continuellement besoin de relever de nouveaux défis et d'élargir vos horizons. Vous êtes polyvalent et savez vous adapter à de nombreuses situations. Par contre, cela peut devenir rapidement un défaut, car vous changez constamment de direction, et il devient très difficile de bien réussir dans de telles conditions.

Vous avez besoin de contacts humains, vous êtes sociable et vous aimez échanger des idées, rencontrer du monde, briller; vous avez de l'esprit, de l'humour à revendre, et l'on apprécie votre présence. Votre assurance pourrait toutefois cacher une certaine insécurité. Les autres vous font plus confiance que vous ne le faites vous-même. Étonnant, n'est-ce pas?

Sur le plan sentimental, votre pouvoir de séduction est indéniable, mais votre fougue vous emporte facilement. Vous vous montrez alors passionné, presque exalté, capable de toutes les folies pour attirer l'attention de l'objet de votre désir. En amour, vous iriez jusqu'à donner votre chemise; vous êtes d'une telle générosité! Par contre, si la routine s'installe, si vous perdez un peu d'intérêt pour votre partenaire, l'envie d'aller voir ailleurs ne tarde pas à vous prendre. Pour vous, le conjoint idéal est une personne qui sait vous amuser et sans cesse vous surprendre, tout en vous laissant votre liberté. Vous vous montrez alors constant et protecteur envers elle.

**Vos plus belles qualités :**
Ambitieux, vif, drôle, ardent, désintéressé, éloquent, séducteur, persuasif, loyal, brillant.

**Vos péchés mignons :**
Frivole, changeant, perd vite sa motivation, peur de la routine, instable.

## Selon les sages orientaux

**Votre domaine symbolique :** Les grands espaces et les eaux que caresse Vayu, le dieu du Vent.

**Vos armes :** La vitesse et l'insaisissabilité de l'étalon qui fend les vents.

# LA CHÈVRE

**V**ous êtes le seul animal «féminin» de l'astrologie chinoise. Calme, paisible, doux, facile à vivre et sensible, vous possédez le charme bucolique de votre homonyme de la campagne. Votre vie évolue dans la beauté et la paix, qui vous sont essentielles pour vous sentir bien dans votre peau.

Vos goûts raffinés, artistiques même, reflètent votre importante créativité. Vous n'avez pas un sens pratique à toute épreuve, mais votre perfectionnisme ressort lorsque vous tenez à quelque chose. Une telle recherche de la perfection dans les moindres détails vous rend parfois incapable de prendre une décision ou, tout au moins, vous laisse hésitant sur celle à prendre. Devant un dilemme insoluble selon vous, vous préférez laisser les autres décider à votre place. Par contre, si vous avez finalement réussi à déterminer ce que vous voulez, vous aurez le courage de vos opinions et saurez les défendre avec justesse et opiniâtreté.

Discrète, réservée, gentille aussi, votre nature sociable vous attire beaucoup d'amis ; les gens s'intéressent à vous, et vous bénéficiez de nombreux appuis lorsque le moment s'en fait sentir. Comme votre sens des responsabilités est plutôt mince, que vous agissez plus en «suiveur» qu'en chef de file, vous avez besoin des autres pour avancer. Heureusement, votre flair vous guide bien, et vous vous retrouvez rarement dans une mauvaise posture.

Vous êtes un peu rêveur, mais ce trait de caractère vous a permis de développer une inspiration étonnante. Le domaine artistique rend justice à votre créativité ; vous excellez dans l'artisanat, la comédie, mais aussi dans le commerce, les relations publiques, le jardinage et les soins aux animaux. Cependant, vous hésitez à faire cavalier seul : vous avez besoin d'un partenaire pour vous stimuler, vous donner ce petit coup de pouce qui mène à la réussite, et cela, aussi bien d'un point de vue professionnel que financier.

Vous préférez vivre dans une atmosphère empreinte d'harmonie, loin du brouhaha et des affrontements du monde, et vous vous retranchez alors dans votre nid, généralement douillet, pour vous ressourcer et y refaire vos forces vitales. Hôte remarquable, vous accueillez ceux que vous aimez avec chaleur et, dès lors, vous devenez, à leurs yeux, un centre d'attraction remarquable, ce qui fait parfaitement votre affaire.

Vous recherchez la sécurité affective auprès d'un partenaire qui vous apportera tout le soutien et la confiance qui vous manquent; vous attachez une importance capitale à votre vie sentimentale et vous tenez à la réussir.

Sur le plan financier, vous n'hésitez pas à dépenser pour vous procurer le confort matériel nécessaire à votre plein épanouissement. Les attentions et les marques de gentillesse vous enchantent. De même, vous êtes très amoureux, très généreux et vous donnez aux autres sans compter.

**Vos plus belles qualités:**
Sensible, doux, intuitif, inspiré, affectueux, conciliant, sociable, esthète.

**Vos péchés mignons:**
Capricieux, indécis, profiteur, irresponsable, rêveur, manque de sens pratique, dépendant.

## Selon les sages orientaux
**Votre domaine symbolique:** Les nuages, qui indiquent la possibilité de s'élever et de s'améliorer.

**Votre arme:** La douceur attachante de la chèvre se fiant au berger qui la nourrit.

# LE SINGE

**T**out comme l'animal qui vous représente, vous êtes facétieux, « drôle comme un singe », rempli d'humour. Vous ne reculez devant rien pour faire rire et attirer l'attention. Votre esprit est vif ; votre intelligence, éveillée et curieuse. Tout vous intéresse, surtout la nouveauté. Vous êtes un être fantaisiste, bourré d'imagination et de créativité, et les astres vous ont aussi doté d'une mémoire d'éléphant.

Votre originalité et votre humour vous permettent d'occuper l'avant-scène, quoi que vous fassiez. Vous êtes un véritable boute-en-train, et votre bonne humeur rayonnante est très appréciée, tellement que vous avez toujours une petite cour d'inconditionnels qui vous suit partout. Votre affabilité vous gagne amitiés et appuis, et comme vous n'hésitez pas à donner vous-même un coup de pouce à une personne dans le besoin, on sait qu'on peut compter sur vous en tout temps. Par contre, vos inimitiés sont aussi exacerbées que vos marques d'amour, et il vaut mieux ne pas se faire un ennemi d'un natif du Singe, car il peut se montrer assez mesquin.

Votre entregent est remarquable, mais il ne vous aveugle pas, et vous ne perdez jamais de vue vos intérêts. En fait, vous n'avez confiance qu'en vous-même. Observateur et perspicace comme personne, vous repérez les points faibles de vos interlocuteurs au premier coup d'œil et vous en profitez sans vergogne. Tout comme vous savez sauter rapidement sur les occasions, vous n'êtes pas du genre à attendre que le train passe pour le prendre. Discipliné et méticuleux, vous trouvez des solutions pour résoudre les problèmes les plus complexes, et évidemment les plus ingénieuses sont souvent de votre cru. La concurrence ne vous gêne absolument pas, car vous connaissez votre valeur et êtes apte à vous défendre seul. Les défis vous stimulent, car vous êtes doté d'une promptitude et d'une belle vivacité d'esprit qui vous évitent d'être pris au dépourvu.

Sur le plan de vos amitiés et de vos amours, vous vous montrez charmant, amusant, jovial, mais cela cache une légère tendance à batifoler à droite et à gauche, la fidélité étant toute relative pour vous. Vous êtes une personne adroite, rusée même, qui sait comment faire travailler les autres à sa place et à son profit. Vous sous-estimez souvent autrui et adorez impressionner, briller et être le centre d'attention. L'humilité ne vous étouffe pas.

Capable de mener de multiples activités de front et doté de nombreux talents, vous gagnez facilement de l'argent, que vous dépensez tout aussi facilement, car vous n'aimez guère les restrictions et les contraintes. Vous faites confiance à votre bonne étoile pour remplir votre compte en banque au fur et à mesure de vos coups de folie. Les carrières qui vous conviennent sont évidemment celles d'amuseur public, de comédien, d'acrobate, mais aussi de diplomate ou de politicien. Les sciences, le commerce, la littérature et les affaires sont aussi des domaines qui pourraient vous attirer.

Vous batifolez, donc vous pouvez devenir une véritable girouette, en amitié et plus encore en amour. Vos relations sont enflammées au début, puis, rapidement, vous vous ennuyez et vous vous demandez comment cette personne a pu vous plaire. Sous des apparences très émotives et parfois éclatées, vous cachez une personnalité lucide et vous avez la tête froide. Pour vous garder, votre partenaire devra déployer un talent d'amuseur, vous surprendre, vous divertir, bref, vous copier.

**Vos plus belles qualités :**
Amusant, drôle, boute-en-train,
convaincant, érudit, éveillé,
esprit vif, lucide, perspicace.

**Vos péchés mignons :**
Mesquin, rusé, profiteur,
opportuniste, dépensier.

## Selon les sages orientaux
**Votre domaine symbolique :** L'illusion que crée le bateleur du jeu de tarot.

**Vos armes :** Les facéties du singe qui distraient... le laissant libre d'agir à sa guise.

# LE COQ

**E**n bon roi de la basse-cour, vous faire remarquer, briller, déployer votre talent pour plaire, voilà ce qui vous motive. Et en plus, ce qui ne gâche rien, vous avez un tel magnétisme que vous attirez irrésistiblement tous les yeux vers vous. Une telle popularité vous pousse forcément à la vantardise et à la fanfaronnade, car vous êtes « fier comme un coq ».

Votre imagination fertile et votre rêverie vous entraînent dans des conversations intéressantes, mais comme vos idées sont plutôt conservatrices et que vous y tenez mordicus, votre entourage vous trouve un peu trop rigide, voire inflexible. En plus, comme vous êtes franc, que vous ne mâchez pas vos mots et que ce n'est pas la diplomatie qui vous étouffe, on vous reproche souvent vos opinions trop tranchées. Votre franchise peut blesser mais, même vos adversaires doivent en convenir, vous êtes l'honnêteté et la sincérité incarnées.

Sous vos plumes multicolores et éclatantes, vous conservez votre jardin secret et vous êtes somme toute plutôt renfermé. Vous vous montrez également sélectif en amitié comme en affaires, mais vous avez un grand besoin d'être aimé. Vous souffrez parfois d'un sentiment d'insécurité qui vous pousse à désirer la perfection en toutes choses. Vous risquez de vous perdre dans des détails sans importance ou d'avoir une petite tendance à l'obsession. Pourtant, pour planifier, il y en a peu de votre trempe. Vous n'avez pas peur de vous investir corps et âme pour atteindre vos objectifs. Pour vous, le temps et l'énergie consacrés à votre réussite sont autant d'investissements.

Vous cherchez à vous surpasser, et en tant que travailleur acharné vous êtes prêt à tout pour défendre vos acquis. Si vous constatez que rien n'avance comme vous le voulez, vous pouvez monter sur vos ergots et vous emporter. Pour vous, la chance n'a aucune part dans votre vie; l'argent est trop difficile à gagner pour vous fier au hasard. Vous voulez donc profiter au maximum du fruit de vos efforts. Votre acharnement vous permettra très probablement de couler des jours paisibles à l'abri du besoin, une fois l'heure de la retraite sonnée.

Votre sociabilité et votre sens de l'organisation sont de précieux atouts, particulièrement dans des domaines tels que le théâtre, la peinture, la danse, les relations publiques, la vente, la promotion, la publicité, l'hôtellerie, la restauration, la chirurgie, les soins dentaires, ou même l'investigation et la sécurité.

D'apparence soignée, vous cultivez ce trait de votre personnalité qui vous permet de plaire et de vous pavaner. Par contre, comme vous craignez le ridicule, vous pouvez devenir craintif et même jaloux. Vous recherchez l'âme sœur, celle qui vous admirera, qui sera à la hauteur de vos désirs et que vous serez fier d'exhiber en société.

**Vos plus belles qualités :**
Beau parleur, brillant, sociable, planificateur hors pair, déterminé, économe, franc, conservateur.

**Vos péchés mignons :**
Vantard, jaloux, renfermé, craintif, coléreux, inflexible, rigide, manque de tact.

## Selon les sages orientaux

**Votre domaine symbolique :** Le soleil éclatant, dont le chant du coq annonce le lever.

**Votre arme :** Le tempérament combatif du coq.

# LE CHIEN

On a toujours dit que le chien était le meilleur ami de l'homme, et vous faites honneur à l'animal qui symbolise votre signe car, comme lui, vous êtes fidèle, loyal et vigilant. Par contre, vous demeurez constamment sur vos gardes, car vous êtes craintif. Même votre entourage proche avoue ne pas vous connaître à fond ; vous restez souvent sur votre quant-à-soi, et il devient difficile de vous percer à jour.

Votre bon cœur vous incite à vouloir améliorer les conditions de vie de vos congénères. L'injustice et la souffrance humaine font vibrer vos cordes sensibles. Vous n'hésitez pas une seconde à déployer beaucoup d'énergie pour défendre une cause humanitaire. Puisque vous êtes un idéaliste dans l'âme, vous consacrez plus de temps à réaliser vos objectifs de don de soi qu'à songer à votre confort ou à vos intérêts personnels. Cette faculté d'accorder aux autres votre priorité vous permet de devenir un chef de meute apprécié et capable de sortir des sentiers battus.

Votre générosité, votre sens du devoir et votre intégrité sont appréciés, même plus que vous ne l'espériez. Par contre, comme vous ne mâchez pas vos mots pour dire ce que vous pensez, vous pourriez choquer certains de vos interlocuteurs. Vous avez un esprit particulièrement critique, vous pouvez être bougon, parfois même agressif ; pourtant, ce n'est qu'un loup de carnaval qui masque votre grande sensibilité et votre bonté.

Vous avez l'impression que le monde va de plus en plus mal, que les gens ne cherchent qu'à profiter les uns des autres, et de vous par la même occasion. Cela vous prédispose à l'angoisse ; vous avez des idées noires, vous êtes même pessimiste, surtout quant à l'avenir de l'humanité. En bon chien de garde, vous êtes aux aguets, prêt à intervenir.

Vous êtes désintéressé. Donc, pour vous, vos finances et vos affaires sont secondaires, et du moment que vos revenus vous permettent de faire vivre votre petite famille, vous êtes satisfait. L'excédent est aussitôt dépensé. Vous ne prêtez guère d'intérêt à la vie matérielle et vous ne recherchez pas la gloire, ce qui fait de vous l'associé idéal ou l'employé modèle.

Vos pleines capacités s'exprimeront par les soins à autrui, la religion, le monde syndical, la loi, la philosophie, le journalisme, la politique, l'enseignement. Votre but principal est de faire le bien autour de vous et de veiller à être utile à ceux qui vous entourent.

Sur le plan interpersonnel, vous n'êtes pas très sociable : les réunions mondaines et les bandes d'amis ne sont pas votre fort. De nature plutôt solitaire, vous parlez peu de vous, mais votre altruisme vous rend attachant. En amour, vous êtes comme un bon chien fidèle, dévoué et honnête, mais un peu craintif et tourmenté. Perdre l'être aimé demeure votre principale crainte, comme le chien qui a peur de perdre son maître. Pour vous sentir bien dans votre peau, vous devez avoir un compagnon de vie doté d'une forte personnalité, qui partage vos idéaux et dissipe vos inquiétudes en se montrant à la hauteur de la confiance que vous lui accordez.

**Vos plus belles qualités :**
Loyal, généreux, vigilant, toujours prêt à aider ceux qui sont dans le besoin, compatissant, désintéressé, sensible.

**Vos péchés mignons :**
Renfermé, anxieux, craintif, critique, pessimiste, peu rassuré, manque de tact.

## Selon les sages orientaux

**Votre domaine symbolique :** La complémentarité du chien-loup qui mène à la purification et à la poursuite d'un idéal.

**Votre arme :** La vaillance du chien qui n'hésite pas à se sacrifier pour son maître.

# LE COCHON

**C**ontrairement à la croyance populaire, le cochon est un animal très propre ; le natif de ce signe supporte peu la saleté et le désordre. Chez lui, tout brille de propreté. À l'intérieur de vous aussi, vous savez faire le ménage lorsque cela est nécessaire, mais vous avez gardé votre cœur d'enfant, que vous conserverez toute votre vie ; c'est ce qui fait votre charme.

Gentil, tolérant, compréhensif et pacifique, le natif du Cochon déteste les complications et les disputes ; tant et si bien qu'il se range à l'avis de ses interlocuteurs, tout en sachant qu'il a raison, simplement pour ne pas les contredire et créer de la bisbille. Le Cochon sait se taire lorsqu'il sent que la discussion pourrait l'entraîner trop loin.

Dominé par la sincérité, vous accordez facilement votre confiance, au risque de voir cette marque d'estime se retourner contre vous, surtout en affaires. Comme vous n'êtes pas rancunier et que votre douceur masque votre tempérament, on pourrait croire que vous êtes faible de caractère... eh bien, pas du tout ! Vous pouvez même être têtu comme un cochon. Cette détermination vous permet d'ailleurs de mener à bien vos projets, car vous ne baissez jamais les bras. Votre entourage sait très bien qu'il peut compter sur votre loyauté et que la parole d'un Cochon vaut de l'or.

Travailleur assidu, vous accordez une énorme importance à la réussite professionnelle. Les affaires, la Bourse, les professions libérales, les arts, la littérature, les soins à autrui, l'architecture, la décoration et la restauration (vous êtes si gourmand) sont des domaines qui pourraient vous mener à réaliser de grandes choses.

Comme vous avez de la facilité à gagner de l'argent, en dépenser beaucoup ne vous pose aucun problème ; vous vous permettez de gâter ceux que vous aimez et vous avez autant de plaisir à donner qu'eux à recevoir. Par contre, notre gentil Cochon est comme la fourmi de la fable de La Fontaine : il n'est pas prêteur. De mauvaises expériences vous auraient-elles échaudé ?

Puisque votre parole est d'or, vous tenez scrupuleusement vos promesses. Bien sûr, cette qualité vous incite à la prudence, et vous ne vous engagez pas à la légère ; vous pesez et soupesez le pour et le contre pendant des jours avant de vous décider. Mais ce n'est pas plus mal, parce qu'une fois que vous avez dit oui on sait qu'on peut compter sur vous. Vous préférez agir seul, sans demander l'avis de ceux qui vous entourent. Et si vous avez quelque chose en tête, il est impossible de vous en faire démordre. On l'a dit : vous avez une tête de cochon !

Au milieu d'inconnus, vous êtes si discret qu'on se demande si vous êtes là. Mais avec vos proches, vous savez vous montrer drôle, faire rire et vous mettre au premier plan lorsque cela vous convient. Vos amis se comptent sur les doigts d'une seule main, mais vous pouvez leur faire confiance, car leur fidélité vous est acquise. Votre vie familiale est aussi très importante, et vous ne ménagez ni votre temps ni vos efforts pour assurer le bonheur de votre progéniture. Votre domicile est votre refuge. Il est confortable et accueillant. On se sent bien chez vous !

Sur le plan amoureux, on ne reste pas insensible à vos beaux yeux. Mais vous avez d'autres qualités qui attirent le sexe opposé : votre charme, votre humour, le plaisir que vous prenez aux bonnes choses de la vie, votre sensualité et votre raffinement. Vous êtes quelqu'un de généralement tolérant. Pourtant, en amour, votre possessivité est exacerbée, et comme la vie de couple est, rappelons-le, très importante pour vous, vous ne supportez pas qu'on vous mente ou qu'on vous trompe.

**Vos plus belles qualités :**
Cœur d'enfant, pacifique, généreux, amusant, tolérant, déterminé, honnête, sens de la famille, propre.

**Vos péchés mignons :**
Crédule, indécis, obstiné, sensuel, peur de la chicane et des affrontements.

## Selon les sages orientaux

**Votre domaine symbolique :** Le chêne qui symbolise la solidité, la longévité et l'hospitalité.

**Vos armes :** Le calme et la douceur qui cachent la détermination du cochon.

# L'ASCENDANT CHINOIS SANS CALCUL

**P**our déterminer votre ascendant chinois, nul besoin de vous lancer dans de savants calculs, il suffit de connaître votre heure de naissance. Consultez le tableau présenté ici pour le découvrir.

N'oubliez pas de vous en tenir à l'heure réelle. Vous pouvez vous référer au chapitre «Trouver son ascendant, c'est facile!», à la page 47 de ce livre, pour savoir si, le jour de votre naissance, l'heure était avancée ou non. Si elle l'était, enlevez une heure et continuez.

| Si vous êtes né : | Votre ascendant chinois est : |
|---|---|
| entre minuit et 1 h | Rat |
| entre 1 h 01 et 3 h | Buffle |
| entre 3 h 01 et 5 h | Tigre |
| entre 5 h 01 et 7 h | Chat |
| entre 7 h 01 et 9 h | Dragon |
| entre 9 h 01 et 11 h | Serpent |
| entre 11 h 01 et 13 h | Cheval |
| entre 13 h 01 et 15 h | Chèvre |
| entre 15 h 01 et 17 h | Singe |
| entre 17 h 01 et 19 h | Coq |
| entre 19 h 01 et 21 h | Chien |
| entre 21 h 01 et 23 h | Cochon |
| entre 23 h 01 et minuit | Rat |

Une fois que vous avez trouvé votre ascendant, il ne vous reste plus qu'à consulter les pages qui suivent.

## Ascendant Rat

Votre ascendant Rat vous rend certainement un peu craintif, et votre entourage doit trimer dur pour gagner votre confiance. Plusieurs personnes vous trouvent distant et froid, mais une fois la glace rompue entre vous, ce sont surtout vos belles qualités qui ressortent.

Votre esprit pratique vous permet de trouver des solutions ingénieuses aux problèmes qui semblent insolubles à d'autres. Vous ne manquez jamais une bonne occasion lorsqu'elle croise votre route, et dans les discussions vos arguments sont si convaincants que c'est avec une grande facilité que vous ralliez tout le monde à votre point de vue. En fait, vous êtes dangereusement persuasif. Vous réussissez souvent le tour de force de faire agir votre entourage, et même des inconnus, de la façon dont vous voulez, et, en plus, à leur insu. C'est tout un talent que de savoir convaincre de cette manière. En amour, la passion est un très bon moteur, mais l'admiration que vous avez envers votre partenaire en est un encore plus fort.

## Ascendant Buffle

Même si vous êtes plutôt réservé et conservateur, on peut vous faire confiance, car vous agissez avec sérieux, franchise et honnêteté. En affaires ou en amitié, vous gagnez à être connu. Vous êtes un bon travailleur; votre détermination et les nombreux efforts que vous déployez vous conduiront sans aucun doute vers la réussite, et, ce qui ne gâche rien, vous avez un très bon sens de l'organisation. Sur le plan financier, vous vous montrez plutôt économe et prévoyant; vous ne vous mettrez jamais dans le pétrin, et vos vieux jours sont assurés. En amour, pour vous, c'est la loyauté et la stabilité qui priment. Vous prenez donc tout votre temps pour vous décider, mais lorsque vous vous engagez, c'est pour la vie. Votre famille est pour vous le cocon où vous vous sentez le mieux, et vous savez la préserver.

## Ascendant Tigre

Téméraire comme le gros félin qui vous représente, vous n'avez peur de rien. Votre persévérance, votre intelligence, votre ambition et votre sens de la gestion des ressources humaines font de vous un être que rien n'arrête; au contraire, plus les obstacles s'accumulent, plus il y a de défis à relever, et plus vous êtes heureux.

En affaires, les conventions ne vous embarrassent pas ; vous êtes autonome et vous agissez à votre guise. Vous avez le don de gagner de l'argent, car votre vision d'ensemble de la situation est optimale. Par contre, l'argent sort aussi vite de votre porte-monnaie qu'il y entre. En amitié comme en amour, avec vous, c'est tout ou rien. Vous recherchez un partenaire que vous pouvez idéaliser, car vous vous enflammez aussi rapidement que vous pouvez vous éteindre. Pour vous apprivoiser, votre conjoint devra déployer tous ses atouts : être brillant, vous surprendre, vous stimuler et même vous suivre dans vos nombreuses aventures.

## Ascendant Chat

Courir les réceptions, les mondanités, les cocktails, c'est vraiment ce que vous aimez le plus. Vous êtes une personne sociable qui adore voir des gens, toutes sortes de gens. Bien sûr, dans de tels événements, vous pouvez déployer votre charme et briller, ce que vous adorez. Votre pouvoir de séduction est tout simplement phénoménal. On remarque votre élégance naturelle et toutes ces belles choses que vous portez si bien. Vous avez aussi le don de la parole, vous savez comment communiquer, comment convaincre, et vous êtes un habile négociateur et surtout un fin diplomate. Néanmoins, les affrontements directs ne vous plaisent pas du tout et vous font même fuir. Malgré votre envie de plaire, vous conservez un certain côté conservateur qu'on perçoit tant dans votre façon d'agir que dans celle de mener vos affaires.

Sur le plan affectif, c'est le romantisme qui marque vos relations. Vous aimez plaire, charmer et ronronner. Vous usez de séduction, tout en demeurant sur vos gardes ; vous craignez beaucoup qu'on vous fasse du mal, car les critiques et les éclats de voix vous traumatisent.

## Ascendant Dragon

Flamboyantes, les personnes ayant un ascendant Dragon possèdent un magnétisme indéniable ; elles ne passent jamais inaperçues. Vous n'êtes pas très patient et aimez que les choses se déroulent rondement, sans perte de temps. Vous donnez l'exemple en étant un travailleur acharné, aux grandes ambitions, et vous réussissez souvent à atteindre vos buts grâce aux nombreux efforts que vous déployez. Vous avez du talent et de la détermination, ce qui vous donne une grande confiance en vous et en vos capacités. En affaires, aucun obstacle ne vous rebute, vous les surmontez haut la main ; l'argent et la réussite sont au rendez-vous. Mais comme les richesses sont faites pour circuler, elles ne restent jamais bien long-temps à dormir dans votre coffre-fort. En amour, vous êtes également très exigeant envers vous-même et votre partenaire, par le fait même. Vous demandez la perfection, rien de moins, et c'est la raison pour laquelle vous ne vous précipitez pas sur la première personne venue. Avant de rencontrer la personne parfaite que vous avez en tête, vous briserez bien des cœurs, car votre magnétisme est puissant. On vous aime plus que vous n'aimez.

## Ascendant Serpent

Clairvoyance, sagesse, perfectionnisme, esprit de décision, prudence et intuition phénoménale sont vos principaux atouts, et vous n'hésitez jamais à vous en servir. Pour vous, tout doit être clair et net ; vous cherchez à atteindre la perfection. Dans vos loisirs comme en affaires, vous réfléchissez abondamment, vous êtes très avisé, et l'on ne vous surprend pas facilement, car vous ne prenez aucune décision à la légère. Bien sûr, vous vous fiez à votre raisonnement, mais votre instinct occupe une grande place quand vient le moment de faire les bons choix. Vous êtes déterminé à atteindre l'aisance et vous y arriverez ; comme, en plus, vous êtes économe, parcimonieux même, vous vous mettez largement à l'abri du besoin. Votre charme est puissant ; néanmoins, vous n'êtes ni tendre ni romantique. En amour, vous vous montrez même possessif avec votre partenaire. Par contre, lorsqu'il est question de vous, vous vous permettez de batifoler à droite et à gauche et vous devenez volage. Néanmoins, une fois le conjoint idéal trouvé, vous devenez loyal, et l'on peut compter sur vous.

## Ascendant Cheval

Vif comme l'éclair, rapide comme le vent : ces qualités se retrouvent tant dans votre état d'esprit et votre caractère que dans vos agissements. Avec vous, pas de temps pour le surplace ; il faut que ça bouge, et vite ! Brillant causeur, vous avez des reparties rapides et percutantes, ce qui vous permet de faire bonne impression en public et vous rend de bons services en affaires. La routine n'est décidément pas pour vous. De toute façon, lorsqu'elle semble s'installer, vous vous étiolez. De nouveaux défis, de nouveaux visages à rencontrer, de nouvelles cultures à explorer, tout suscite en vous le dynamisme. Populaire et sympathique comme vous l'êtes, vous attirez de nombreuses personnes autour de vous. Mais rien n'a plus d'attraits que la liberté à vos yeux. Puisque vous êtes quelqu'un de rapide, vous tombez très vite amoureux, car en plus vous possédez un pouvoir de séduction et un charisme enjôleurs. Mais vos amours ne sont bien souvent que des feux de paille. Lorsque vous vous sentez coincé, bridé dans vos aspirations, vous n'avez de cesse de briser vos liens pour courir, la crinière au vent. Votre conjoint devra respecter ce trait de votre personnalité pour vous rendre heureux. Dès lors, vous serez attentif et généreux.

## Ascendant Chèvre

Doux, raffiné et conciliant, vous attachez aussi beaucoup d'importance à la beauté. On pourrait toutefois vous reprocher votre légère indécision qui vous empêche souvent d'agir. Vous n'êtes parfaitement à l'aise qu'au sein du noyau familial. Votre vie intérieure est probablement plus riche que votre vie au quotidien et en société. En fait, vous êtes un être inspiré, mais vous avez peu confiance en vous. Vous rêvassez, au détriment de l'action. Sur le plan des finances ou du travail, vous trouvez toujours un collègue, un associé ou un subalterne qui saura vous aider et vous stimuler, car vous avez besoin qu'on vous pousse un peu dans le dos. Sur le plan sentimental, votre émotivité est très forte, et vous êtes également rêveur. Vous cherchez un partenaire compréhensif, qui saura vous épauler en tout temps et, en plus, qui vous gâtera. En effet, les cadeaux et les petites attentions vous font fondre, et vous aimez autant en donner qu'en recevoir. Comme vous avez beaucoup de charme, vous trouverez certainement la perle rare.

## Ascendant Singe

Avec vous, c'est presque tous les jours la fête. Vous êtes fantaisiste, rempli d'originalité et débordant d'humour. En plus, vous êtes curieux et vous vous intéressez à tout. Avec votre mémoire d'éléphant, vous parvenez même à impressionner de purs étrangers.

Bref, vous êtes très sociable et vous recherchez sans cesse les contacts humains, probablement dans le but inavoué d'épater la galerie. Votre capacité de travail est étonnante, et vous pouvez mener plusieurs projets en même temps, grâce surtout à votre solide discipline et à l'énorme potentiel qui vous anime. Vous êtes aussi très convaincant. Sous vos dehors clownesques sommeille un négociateur redoutable qui ne perd pas de vue ses propres intérêts. Vous savez embobiner les autres tout en n'en laissant rien paraître. Sur le plan sentimental, votre nature enjouée et curieuse fait en sorte que vous vous emballez vite et que vous vous lassez tout aussi rapidement. Possédant un caractère plutôt versatile, vous êtes conscient de votre nature fuyante, et il est assez rare que vous vous engagiez à fond. Il vous faut un partenaire qui sera aussi votre complice, qui saura vous amuser, vous surprendre, vous faire rire et qui, en même temps, renouvellera votre quotidien.

## Ascendant Coq

Vous avez de l'entregent, vous êtes un bon communicateur, vous aimez briller en société, et en plus vous avez un certain charisme. Donc toutes les qualités qu'il faut pour vous faire de nombreux amis. Mais même si vous êtes un beau parleur, vous ne vous ouvrez jamais totalement ; vous gardez votre part de mystère et vous restez un tantinet sur la défensive. Votre principal objectif étant de toujours faire mieux, votre perfectionnisme en devient tatillon. Vous vous perdez dans les détails sans importance. Heureusement, votre détermination, vos dons de planificateur hors pair et votre agressivité constructive compensent ce petit côté un peu trop minutieux. Côté argent, vous êtes prévoyant et sage.

Comme vous attachez une grande importance à votre apparence générale, vous plaisez beaucoup, mais vous êtes si exigeant avec vous-même et avec les autres qu'il est bien difficile de vous plaire. Vous cherchez un conjoint loyal qui vous admire et que vous serez fier de présenter à vos amis. Par nature, vous vous montrez un peu jaloux.

## Ascendant Chien

Voici l'idéaliste généreux et intègre type. Votre nature est foncièrement loyale. Votre principal point faible est votre tendance à demeurer constamment sur le qui-vive, à être sur la défensive, à toujours voir le côté noir des choses et des gens. Bref, vous souffrez parfois d'anxiété et vous vous inquiétez souvent inutilement.

Vous êtes énormément touché par la souffrance humaine, et cela vous pousse à consacrer de nombreux efforts au service d'une cause humanitaire au détriment de vos propres intérêts. Honnête et franc, vous préférez toutefois garder vos pensées pour vous, car vous savez que vous avez la critique très facile.

On vous trouve attachant. Pourtant, on arrive difficilement à bien cerner votre caractère, car vous êtes plutôt renfermé. Sous cette carapace se cache cependant un grand sentimental qui a toujours peur d'être blessé. C'est d'ailleurs cette forte insécurité et votre manque de confiance en vous qui risquent de peser sur votre vie de couple. Votre conjoint devra vous sécuriser.

## Ascendant Cochon

Vous avez gardé votre âme d'enfant; vous êtes sans malice et vous accordez facilement votre confiance, trop peut-être. On apprécie votre grande générosité et votre tolérance proverbiale. Vous n'êtes cependant pas très à l'aise avec des inconnus et préférez rester entouré de vos meilleurs amis. Vous êtes rempli de gentillesse et de gaieté, mais ce n'est pas chez vous une faiblesse de caractère. Au contraire, vous savez ce que vous voulez et vous faire changer d'idée relève parfois de l'exploit. Par contre, si vous sentez venir le vent de la discorde, vous n'hésitez pas une seconde à vous ranger à l'avis de votre interlocuteur, même si vous n'en pensez pas moins puisque, de toute façon, vous n'en ferez qu'à votre tête.

Vous êtes plutôt naïf et crédule, mais, en affaires, on ne vous roule pas facilement dans la farine. Vous savez comment gagner de l'argent. D'ailleurs, une partie de tous ces sous servira à choyer votre petite famille et ceux que vous aimez, tandis que l'autre sera investie pour avoir un certain confort qui vous rendra la vie plus agréable. Vous aimez les bonnes choses et vous êtes un excellent amoureux. Votre conjoint doit cependant démontrer que vous pouvez lui faire confiance, car vous êtes un peu possessif et jaloux.

# ILS ONT LE MÊME SIGNE CHINOIS QUE VOUS

### Rat
Doris Day, Linda de Suza, Marie Denise Pelletier, Wayne Gretzky, Clark Gable, Carol Burnett, Nana Mouskouri, Pierre Bertrand, Nancy Martinez, André-Philippe Gagnon.

### Buffle
René Simard, Daniel Lavoie, Jean Coutu, Charles Trenet, Walt Disney, Michel Louvain, Carole Laure, Jean-Pierre Coallier, Peter Gabriel, Corey Hart, André Gagnon, Bruce Springsteen.

### Tigre
Marie Michèle Desrosiers, Jerry Lewis, Louise Portal, Martine St-Clair, Olivier Guimond, Félix Leclerc, Charles Dutoit, Claude Poirier, Marilyn Monroe, Andrée Boucher, Tina Turner.

### Chat
Brian Mulroney, Billie Holiday, Sylvie Bernier, Bob Hope, Guy Lafleur, Renée Claude, Michel Rivard, Sting, Roger Moore, Sandra Dorion, Frank Sinatra, George Michael.

### Dragon
Richard et Marie-Claire Séguin, Jean Drapeau, Marie Philippe, Serge Laprade, Pierre Lalonde, Bing Crosby, Christian Dior, Faye Dunaway, John Lennon, Gino Vanelli.

### Serpent
Jacques Brel, Sylvie Tremblay, Claude Barzotti, Marjo, Nicole Leblanc, Greta Garbo, Marc Favreau, Grace de Monaco, Martin Luther King, Francis Cabrel, Pierre Labelle.

## Cheval

Barbra Streisand, Michel Fugain, Janet Jackson, Jean-Paul II, Paul McCartney, Geneviève Bujold, Edith Butler, Lise Watier, Janis Joplin, Martine Chevrier, Aretha Franklin, Samantha Fox.

## Chèvre

Suzanne Lévesque, Tino Rossi, Denise Filiatrault, Michel Tremblay, Louise Forestier, Lise Payette, Alys Robi, Andrée Lachapelle, Daniel Lemire, Mick Jagger, Angèle Arsenault.

## Singe

Elizabeth Taylor, Diana Ross, Céline Dion, Joan Crawford, Claude Blanchard, Yves Corbeil, Claude Léveillée, Julio Iglesias, Mike Bossy, Dalida, Mario Tremblay.

## Coq

Simone Signoret, Janine Sutto, Joan Collins, Jean-Paul Belmondo, Michel Jasmin, Bette Midler, Clémence DesRochers, Joe Bocan, Dolly Parton, Robert Bourassa.

## Chien

Liza Minnelli, Patrick Norman, Brigitte Bardot, Madonna, Michael Jackson, René Lévesque, Prince, Michèle Richard, mère Teresa, Jean-Pierre Ferland, Elvis Presley.

## Cochon

Claude Dubois, Danielle Ouimet, Jean Lapointe, Jean Duceppe, Luciano Pavarotti, Ronald Reagan, Fred Astaire, Dudley Moore, Elton John, Irene Cara, Lucille Ball, Arnold Schwarzenegger.

# BIBLIOGRAPHIE

CHALIFOUX, Anne-Marie, D.N., *Mon cours d'astrologie*, Montréal, Communication Véga, 1991, 452 p.

LUKAS, E., *L'Extraordinaire Pouvoir de la Lune*, Paris, Éditions de Vecchi, 1989, 192 p.

# L'ASTROLOGIE VOUS INTÉRESSE ?

Nos cours sont faciles, amusants et abondamment illustrés. Ils ont été conçus pour ceux qui n'ont jamais fait d'astrologie, et vous pourrez les suivre à votre rythme, chez vous.

Pour avoir des renseignements sur nos services, entre autres sur nos *Cours d'astrologie par correspondance*, il suffit de nous faire parvenir une enveloppe de retour affranchie sur laquelle vous aurez indiqué votre nom et votre adresse.

Postez le tout par courrier régulier à :

**Bureau d'Anne-Marie Chalifoux**
738, avenue Bloomfield, bureau 8
Outremont (Québec)  H2V 3S3

Vous pouvez également nous joindre par courriel au
**info.astro@gmx.com**

Suivez les Éditions Publistar sur le Web :

**www.edpublistar.com**

Cet ouvrage a été composé en Allegreya 11/14,4
et achevé d'imprimer en août 2014
sur les presses de Marquis imprimeur, Québec, Canada.